# Kirchen und Klöster in Deutschland

**98 Farbfotos**
**von Edmond van Hoorick**

**Text von**

# Thaddäus Troll

# Stürtz Verlag Würzburg

Autorisierte Lizenzausgabe für den Stürtz Verlag, Würzburg
ISBN 3 8003 0146 6

© 1980 Sigloch Edition, Künzelsau · Thalwil · Straßburg · Salzburg · Brüssel
Nachdruck verboten. Alle Rechte vorbehalten. Printed in Germany
Projektleitung: Rudolf Werk
Bildlegenden: Angelika Weigand
Layout: Günther Schmidt
Übersetzung ins Französische: Marlène Kehayoff-Michel
Übersetzung ins Englische: Desmond Clayton
Reproduktionen: Otterbach-Repro, Rastatt
Satz und Druck: Mairs Graphische Betriebe, Ostfildern
Papier: 150 g/qm BVS und 150 g/qm Spezialoffset der
Papierfabrik Scheufelen, Lenningen
Einbandgestaltung: Ernst-Jürgen Lang
Einbandarbeiten: Buchbinderei Sigloch, Künzelsau und Leonberg

# Antrag auf ein Visum ins geistige Umfeld

Als unsere Vorfahren endlich christianisiert wurden, hatte das Christentum nicht nur rund um das Mittelmeer längst feste Wurzeln geschlagen. Christliche Gemeinden verteilten sich schon damals über das gesamte Römische Reich und weit darüber hinaus bis an die Grenzen Indiens. Nachweisbar sind im dritten Jahrhundert die ersten christlichen Kirchen entstanden, viele von ihnen, deren Spuren verweht sind, darf man auf den Gebieten des heutigen Irak und Iran vermuten. Die Entwicklung des abendländischen Kirchenbaus wurde aus zwei gegensätzlichen Kulturlandschaften gespeist: aus der römischen mit ihrer in der Ära Konstantins entstandenen Basilika und aus der östlichen mit ihren gewölbten Zentralbauten, wie sie vor allem in Konstantinopel ausgebildet wurden. Die Anfänge des christlichen Mönchtums führen in die Wüsten Ägyptens, wo Antonius und Pachomius die beiden Hauptformen christlich-mönchischen Lebens eingeleitet haben: Antonius, indem er durch sein heiligmäßiges Eremitenleben Scharen von Jüngern zum Vorbild wurde; Pachomius, indem er nach einigen Eremitenjahren um 320 am rechten Nilufer das erste Kloster ins Leben rief. Als eigentlicher Vater des abendländischen Mönchtums gilt der Römer Benedikt von Nursia. Durch Jahrhunderte war seine Regel Gesetz und einzige Richtschnur der Mönche. Nach dem Willen Karls des Großen, dessen Palastkapelle in Aachen der gut zweihundertfünfzig Jahre älteren Kirche San Vitale in Ravenna nachempfunden ist, diente sie als Grundlage für die Klosterreform im karolingischen Reich. Es waren angelsächsische Benediktiner, die erstmals auf deutschem Boden das Christentum predigten. Als Stützpunkte ihrer Mission entstanden in Echternach, Kaiserswerth, auf der Reichenau und in Fulda die ersten deutschen Klöster. Wiewohl auch

# Demande de visa pour un environnement spirituel

Lorsque nos ancêtres furent finalement christianisés, la chrétienté ne s'était pas seulement solidement implantèe autour de la Méditerranée. Des communautés chrétiennes avaient déjà essaimé à l'époque dans tout l'empire romain et bien au-delà jusqu'aux frontières de l'Inde. Il est prouvé que les premières églises ont été construites au IIIe siècle et un grand nombre d'entre elles, dont les traces sont à présent effacées, ont dû se trouver sur les territoires actuels de l'Irak et de l'Iran. L'évolution de l'architecture occidentale des églises a été alimentée par deux sources différentes: la romaine avec sa basilique édifiée sous le règne de Constantin et l'orientale avec ses édifices à plan central et voûte qui se développèrent principalement à Constantinople. Les débuts du monachisme chrétien nous conduisent dans les déserts de l'Egypte où Antoine et Pacôme ont introduit les deux principales formes de la vie monastique: Antoine en devenant par sa vie de saint ermite un modèle pour un très grand nombre de disciples; Pacôme en fondant vers l'an 320, après quelques années de vie érémitique, le premier monastère sur la rive droite du Nil.
Le Romain Benoît de Nursie passe pour être le véritable père du monachisme occidental. Des siècles durant, sa Règle a été la loi et l'unique directive suivie par les moines. Selon la volonté de Charlemagne, dont la chapelle du palais à Aix-la-Chapelle est une imitation de la basilique de San Vitale à Ravenne construite quelque deux cent cinquante ans auparavant, elle a servi de base à la réforme des couvents dans l'Empire carolingien. Ce sont des Bénédictins anglo-saxons qui ont prêché pour la première fois le christianisme sur le sol allemand. Les premiers monastères, bases de leur mission, ont été édifiés à Echternach, Kaiserswerth, sur l'île

# A visa for the cultural environment

By the time our forefathers were finally converted, Christianity had already spread and grown firm roots outside the Mediterranean area. There were Christian communities scattered throughout the whole of the Roman empire and far beyond, right up to the borders of India. The first Christian churches are known to have been built in the third century, and many early churches, all traces of which have in the meantime disappeared, were presumably built in the regions now known as Iraq and Iran. The development of Western church architecture was inspired by two different sources: the Western (Roman) rectangular basilica, a form developed during the Constantine era, and the Eastern style of centrally-organized building surmounted by a dome. The beginnings of Christian monasticism take us to the Egyptian deserts, where two great men initiated the two main forms of Christian conventual life: Antony, whose life as a hermit inspired a great many to emulate him, and Pachomius, who, after spending a few years as a hermit, founded the first monastery in about 320 on the right bank of the Nile.
St. Benedict of Nursia is looked upon as the real patriarch of Western monasticism. For centuries, his Rule was regarded as the sole law and guide for monks. Charlemagne, whose palace chapel at Aachen was modelled on the church of San Vitale at Ravenna, which had been built a good two and a half centuries earlier, ordained that Benedict's Rule should be used as a basis for monastic reform throughout the Carolingian empire. Christianity was first preached on German soil by Anglo-Saxon Benedictine monks. They founded the first German monasteries at Echternach, Kaiserswerth, Reichenau, and Fulda as bases for their work. Although the Carolingian period already produced

schon in der karolingischen Epoche Kirchen mit kreuzförmigem Grundriß, mit Nebenapsiden, machtvollen Westwerken oder Doppelchören aufkamen, Kirchen, die sich plötzlich die Türme einverleibt hatten, so verdichteten sich solche Ansätze doch erst in der Romanik zu einem geschlossenen Stil. Dieser Stil hat sich besonders üppig in Frankreich und Deutschland entfaltet. Kunsthistoriker scharmützeln, ob die französische oder die deutsche Romanik die romanischere, ob die französische oder die deutsche Gotik die gotischere sei. Universell gebildete Möncharchitekten, denen schon in der Romanik der Entwurf der Klöster oblag, pflegten auf weiten Reisen in den Süden und nach Byzanz Anregungen zu sammeln, oberitalienische und oströmische Spezialisten zur Mitarbeit heranzuziehen. Eindrucksvoll ist die grenzenlose Mobilität der gotischen Bauhütten mit den wandernden Gesellen, die ihre aufgeklärten Ideen durch ganz Europa trugen. Die Renaissance war ursprünglich in Italien beheimatet, auch der Barock wurde zunächst von italienischen, erst später von deutschen Künstlern getragen. So führt die Entstehungsgeschichte der in diesem Band gezeigten deutschen Klöster und Kirchen weit über den begrenzten Raum hinaus. Um die Ursprünge aufzuspüren, die vielschichtig verflochtenen geistigen und architektonischen Hintergründe, vor denen diese Beispiele wachsen konnten, mußte der vorliegende Text ausgedehnte geographische Haken schlagen. Deshalb benötigt der Verfasser vom Leser dieses Buches ein Visum ins geistige Umfeld der Region, die in diesem Band im Bilde gezeigt wird.

de Reichenau et à Fulda. Bien que l'époque carolingienne ait déjà donné naissance à des églises à plan en forme de croix avec absides latérales, imposants massifs occidentaux ou doubles chœurs, et des églises dont les tours sont intégrées, ces éléments ne se trouvent réunis en un style homogène qu'au cours de la période romane. Ce style s'est particulièrement épanoui en France et en Allemagne. Et les historiens de l'art se disputent pour savoir lequel de l'art roman français ou allemand est le plus roman, lequel du gothique français ou allemand est le plus gothique. Des architectes moines de formation universelle, qui déjà à l'époque romane étaient chargés d'établir les plans des monastères, avaient coutume de chercher de l'inspiration dans de lointains voyages vers le Sud ou vers Byzance et de s'assurer la collaboration de spécialistes de haute Italie et d'experts byzantins. La très grande mobilité des compagnons itinérants de l'époque gothique qui répandaient leurs idées éclairées dans toute l'Europe est des plus impressionnantes. La Renaissance a pris tout d'abord son essor en Italie et le style baroque également a commencé par être développé par des artistes italiens pour être repris par des artistes allemands. L'histoire de la création des monastères et des églises d'Allemagne présentés dans cet ouvrage dépasse donc le cadre géographique. Pour remonter aux sources, pour retrouver tous les éléments spirituels et architectoniques aux multiples imbrications, le texte a dû faire plusieurs détours. Aussi l'auteur de ce livre demande-t-il au lecteur un visa pour l'environnement spirituel de la région présentée en images dans cet ouvrage.

individual churches with a cruciform ground plan, with secondary apses, imposing west fronts or double choirs, and churches in which the towers had been integrated in the body of the building, these elements were not combined in an overall style until the Romanesque period; the Romanesque style flourished particulary in France and Germany. Art historians disagree on whether the French Romanesque architecture is more Romanesque than the German, and whether the French or German Gothic is more Gothic. Universally educated monk-architects, who were responsible from Romanesque times for the design of monasteries, travelled widely in southern Europe and in the Byzantine empire in order to gain experience and to recruit Italian and Byzantine craftsmen. The great mobility of the Gothic master masons helped to spread their enlightened ideas throughout Europe. The Renaissance originated in Italy, as did the Baroque style, which was later taken over by German artists. Thus the story of the German monasteries, convents, and churches shown in this volume takes us far beyond our national borders. In order to trace the beginnings, the multifarious, interwoven intellectual and architectural background against which these examples evolved, the writer has to make extensive geographical detours. That is why he asks the reader to grant him a visa for the cultural environment of the region illustrated by the photographs.

## Wo Gott und seine Diener daheim sind

Zu allen Zeiten und in allen Kulturen war die Baukunst zuerst Gottesdienst. Von den Urwäldern der Vorgeschichte, von fremden Göttern wie von der Leuchte des himmlischen Jerusalem gespeist, ragen die steinernen Zeugen solchen Vorrangs in unsere Tage hinein, zieren oder beherrschen die Landschaft, das Dorf, die Stadt. Wir finden sie in Ägypten wie in Mexiko, in Griechenland wie in Kambodscha. Blicken wir nach Hellas zurück: Zwar waren Dynastensitz und Agora, Burg und Marktplatz schon in der mykenischen Siedlung wesentliche Elemente, doch ihre höchste Blüte erreichte die hellenische Architektur im Sakralbau. Wo gäbe es eindrucksvollere Beweise als die Athener Akropolis, als den Poseidontempel auf Kap Sunion, als den Apollontempel von Bassai? Die Griechen errichteten ihre Heiligtümer in der Regel an Stellen, die durch Überlieferung und Sage schon vorher einen besonderen Nimbus besessen hatten: Das waren heilige Haine, Quellen, markant geformte Felsen oder Kreuzwege. Da solche geheiligten Gründe aus den Landkarten des Animismus, des Glaubens an eine beseelte Natur, weit älter waren als die Städte, liegen die Tempel oftmals außerhalb der Mauern, wie später viele Klöster und Kirchen des frühen Mittelalters.

Es war der Apostel Paulus, Diasporajude und ehemaliger Schriftgelehrter aus Tarsus, der als der aktivste und erfolgreichste unter den altchristlichen Missionaren entscheidend dazu beigetragen hat, daß sich das Christentum aus der Keimzelle einer innerjüdischen Sekte zur Weltreligion entwickeln konnte. Als er den Hellespont überschritt, um die Griechen zu bekehren, leitete er ein neues Kapitel der europäischen Geschichte ein: die langsame, aber stetige Christianisierung des ganzen Kontinents.

## La maison de Dieu et de Ses serviteurs

De tous temps et dans toutes les civilisations, l'architecture a d'abord été une forme de culte. Comme en témoignent les monuments de pierre qui, chargés des empreintes de la préhistoire, des dieux étrangers ou de la clarté de la Jérusalem céleste, ornent ou dominent aujourd'hui nos paysages, nos villages et nos villes. Nous les rencontrons en Egypte comme au Mexique, en Grèce comme au Cambodge.

Le palais dynastique et l'agora, le château fort et la place du marché étaient déjà des éléments essentiels des colonies mycéniennes mais l'architecture hellénistique a vraiment atteint son apogée dans l'art sacré. Où pourrait-on trouver des témoignages plus impressionnants que l'Acropole d'Athènes, le temple de Poséidon à Cap Sounion, le temple d'Apollon de Bassae? Les Grecs érigeaient généralement leurs sanctuaires à des endroits que les traditions et les légendes entouraient déjà d'un nimbe particulier: bois sacrés, sources, rochers aux formes étranges ou carrefours. Ces lieux sacrés, reliques de l'animisme, de la croyance en une nature animée, étant beaucoup plus anciens que les villes, les temples se trouvent souvent en dehors des murs, comme par la suite de nombreux monastères et églises du haut Moyen Age. C'est l'apôtre Paul, juif de la diaspora et ancien docteur de la loi de Tarsus et par la suite le plus actif et le plus brillant des missionnaires chrétiens qui a joué un rôle décisif dans le développement du christianisme en une religion mondiale à partir du noyau d'une secte juive. Lorsqu'il a franchi l'Hellespont pour convertir les Grecs, il a entamé un nouveau chapitre de l'histoire européenne: la christianisation lente, mais constante de tout le continent. La transformation a été prodigieuse et s'est également reflétée dans les arts. Jamais dans toute l'histoire de l'art,

## The house of god and his servants

At all ages and in all civilizations, architecture was initially a form of worship. Stone evidence of this, inspired by alien gods as well as by the Light of the World, survives even from prehistorical times, gracing or dominating our landscapes, villages, and towns. Such evidence is to be found scattered throughout the world, be it in Egypt or Mexico, Greece or Cambodia.

Dynastic palace and agora, castle and market place, were already important elements in the Mycenaean settlements of Ancient Greece, but Greek architecture produced its greatest achievements in religious buildings. What finer proof of this could there be than the Acropolis in Athens, the temple of Poseidon at Cape Sunion, or the Temple of Apollo at Bassae? The Greeks generally erected their temples at places which already had a traditionally sacred character: groves, springs, strangely-shaped rocks, or crossroads. Such holy places, relics of animism – the belief that natural phenomena and objects have souls – were much older than the towns, and so they, and thus the temples built on their sites, were often outside the city walls, as were many monasteries and churches in the early Middle Ages.

It was the Apostle Paul, diaspora Jew and former Pharisee scholar from Tarsus, and later the most active and successful of the early Christian missionaries, who was to play a decisive role in the development of Christianity from a rudimentary inner-Jewish sect into a world religion. When he crossed the Hellespont to preach to the Greeks he opened a new chapter in European history: the slow but steady Christianization of the whole continent. The change was enormous, and was, of course, reflected in the arts. The history of art has seen no more radical transformation than the one brought about

7

Der Wandel war ungeheuerlich, nicht zuletzt in der Entwicklung der Kunst. Niemals in der gesamten Kunstgeschichte hat sich eine tiefere Umwälzung vollzogen als jene, aus der die christliche Kunst erwachsen ist. Weder frühere Prozesse, wie der Übergang des archaischen in den klassischen Stil oder der des klassischen Stils in den hellenistischen innerhalb der griechischen Welt, noch spätere, wie die Entwicklung von der Romanik über die Gotik zur Renaissance, bedeuteten eine so grundsätzliche Wandlung. In all diesen Fällen erfand man neue Formen, ohne sich von der Richtung der ursprünglichen Konzeption wesentlich zu entfernen. Hingegen zielt die christliche Kunst auf etwas ganz Neues, entfaltet sich in der künstlerischen Darstellung einer neuen Weltanschauung, begleitet mit ihren verschiedenen Phasen deren Wachstum. Der Sieg über die Antike war der Sieg des Inhalts über die Form. Die altchristliche Kunst will dem Geistigen Bildkraft verleihen, die neuen religiösen Vorstellungen in Bilder umsetzen. So sind vor allem der Architektur durch die Verbreitung des Christentums ganz neue Aufgaben zugewachsen. Sie strebt danach, ihre Entwürfe zu vergeistigen. Von dem Kunsthistoriker Oskar Wulff stammt das Wort: »Im christlichen Kirchengebäude erschafft sich die christliche Seele ihren wahren Körper, indem sie aus der antiken Profankunst Bauformen entleiht, um sie nach ihren Gedanken umzubilden.«

il ne s'est produit un bouleversement aussi profond que celui dont est sorti l'art chrétien. Ni les processus antérieurs comme le passage du style archaïque au style classique ou celui du style classique au style hellénistique au sein du monde grec, ni les processus ultérieurs comme le développement de l'art roman vers l'art de la Renaissance en passant par le gothique n'ont constitué une transformation aussi fondamentale. Dans tous ces cas, de nouvelles formes ont été inventées sans que la direction générale de la conception initiale soit abandonnée. L'art chrétien par contre s'est orienté vers quelque chose de tout à fait nouveau, vers l'interprétation artistique d'une nouvelle philosophie, et les différentes phases du développement de cette philosophie ont été accompagnées de développements parallèles dans le domaine de l'art. La victoire sur l'Antiquité a été la victoire du contenu sur la forme. L'art chrétien primitif veut conférer au spirituel la force picturale, il veut transposer dans l'image les nouvelles idées religieuses. C'est ainsi que l'architecture en particulier a été dotée de tâches entièrement nouvelles par la propagation du christianisme, qu'elle a cherché à spiritualiser ses conceptions. L'historien de l'art, Oskar Wulff a dit une fois: «L'esprit chrétien a trouvé son véritable corps en construisant des églises, en empruntant à l'art profane antique des formes architecturales pour les façonner à son idée.»

by Christianization. Neither earlier processes, like the transition from the Archaic to the Classical style, or from the Classical to the Hellenistic within the Greek world, nor later ones, such as the development from Romanesque via Gothic, to the Renaissance, represented such a profound change. In all these cases, new forms were invented without the general direction of the original concept being deserted. But as Christian art evolved it aimed at something completely fresh, at the artistic representation of a new philosophy, and the various phases of development of this philosophy were accompanied by parallel developments in art. The victory over the Classical Age was a victory of content over form. Early Christian art aimed at providing spiritual ideas with pictorial power, at transposing the new religious ideas into pictures. Thus architecture in particular received completely new motivations through the spread of Christianity. It aimed at the spiritualization of its concepts. The art historian Oskar Wulff once wrote: "The Christian spirit created its true body by building churches, using elements of classical secular architecture, but reforming them according to its own concepts.

**◄ Salinenkapelle St. Rupert in Traunstein,** Oberbayern.
In der »Au« wurde 1630 diese Kapelle erbaut. Wenige
Jahre zuvor hatte Herzog Maximilian I. von Bayern eine
Soleleitung von Reichenhall nach Traunstein legen und
ganz in der Nähe der Kapelle ein großes Sudwerk und
eine Arbeitersiedlung errichten lassen. Für den Salzhan-
del, die Haupterwerbsquelle des Ortes, der des öfteren
den Besitzer wechselte, baute Ludwig der Bayer 1346
die »Güldene Salzstraße«.
Die Salinenkapelle ist kunstgeschichtlich bedeutsam,
weil in ihr Formen der Gotik und der Renaissance miteinander verbunden sind, Längsraum mit Zentralraum. An
die quadratische Mitte schließen sich im Osten und Westen jeweils dreiseitige, in der Querachse rechteckige
Nebenräume an, über der Mitte der quadratische Turm;
Gewölberippen und Spitzbogenfenster sind gotisch. Reste
einer Gewölbebemalung aus dem 17. Jahrhundert wurden
später auch freigelegt.

**◄ Chapelle des salines de Saint-Rupert à Traunstein,**
Haute-Bavière. Construite en 1630 à côté d'importantes
salines, la chapelle est d'un grand intérêt sur le plan
architectural car elle allie les formes du gothique à celles
de la Renaissance, nef et plan central.

**◄ St. Rupert's Saltworks Chapel in Traunstein,** Upper
Bavaria. Built in 1630 near a large salt-works, this chapel
is of architectural interest because it combines Gothic
and Renaissance forms, nave and central space.

**▶ Ehemaliges Augustinerchorherrenstift Höglwörth,**
Oberbayern. Grün auf hellem Grund – hat den Stukkateur
Benedikt Zöpf um 1765 diese Landschaft zu zarten Rocailleformen und Farben inspiriert? Mittelalterliche Über-
reste des 1125 von Erzbischof Konrad I. von Salzburg
gegründeten Augustinerchorherrenstiftes konnten sich
in den barocken Neuaufbau der verfallenen Klosteranlage
und der Kirche (1652-1671) hinüberretten, vor allem im
Altarraum mit Kreuzgewölbe. Die Innenausstattung: Stuck,
Fresken, Altäre, Figuren, erhielt die Kirche erst etwa hundert Jahre später.
Nicht die Säkularisation erzwang die Auflösung des Klosters (es lag auf Salzburger Territorium), sondern die
schlechte wirtschaftliche Lage veranlaßte 1817 den letzten
Propst, die Aufhebung zu beantragen.

**▶ Ancien collège de chanoines de Saint-Augustin à
Höglwörth,** Haute-Bavière. Les bâtiments conventuels
et l'église en ruine ont été reconstruits dans le style baroque au XVIIe siècle mais certains vestiges médiévaux
du couvent fondé en 1125 par l'archevêque Conrad Ier
de Salzbourg ont pu être préservés. Les ravissants ornements en stuc dans le style rocaille et le reste de la décoration intérieure n'ont été ajoutés qu'au milieu du XVIIIe
siècle.

**▶ Former Augustinian Canons' College at Höglwörth,**
Upper Bavaria. The ruinous monastery and the church
were rebuilt in the Baroque style in the 17th century,
but some vestiges of the medieval buildings belonging
to the community founded by Archbishop Conrad I of
Salzburg in 1125 were preserved. The delicate stucco
work and the other furnishings were not added until the
middle of the 18th century.

**◀ Benediktinerinnenkloster Frauenchiemsee,** Oberbayern. Über den See herüber grüßt der freistehende Glockenturm des Münsters. Er reicht mit seinen Untergeschossen ins 11. Jahrhundert zurück und diente wohl zunächst als Fluchtturm bei Kriegsgefahr. Herzog Tassilo III. von Bayern gründete um 770 hier ein Benediktinerinnenkloster, dem im 9. Jahrhundert die Tochter König Ludwigs des Deutschen, die selige Irmingard, als Äbtissin vorstand. Bei Ausgrabungen wurde ihr Sarkophag wiederentdeckt. Nachdem die Ungarn 907 sowohl Frauen- als auch Herrenchiemsee zerstört hatten, erholte sich nur das Frauenkloster wieder. Das Münster wie auch der Turm gehen in ihrem Kern auf Neubauten dieser Zeit zurück. Die dreischiffige Pfeilerbasilika besitzt mit dem doppelgeschossigen Chorumgang den ältesten in Süddeutschland. Großartige Wandmalereien der Salzburger Schule aus dem 12. Jahrhundert kamen bei Restaurationsarbeiten zutage. Noch ältere, möglicherweise aus dem frühen 9. Jahrhundert, entdeckte man in der Torkapelle, in der über der tonnengewölbten Durchfahrt und der Nikolauskapelle liegenden Michaelskapelle: Engel, mit roten Strichen gemalt, Mäanderfriese und Weihinschriften.
Im Mittelalter verwaltete das Kloster große Besitztümer am Chiemsee und in Tirol, es war seit 1268 vom Warenzoll befreit und seit 1393 mit der niederen und hohen Gerichtsbarkeit versehen. Nur adlige Frauen konnten in das Kloster eintreten, Bürgerstöchter erst, als nach der Reformation der adlige Nachwuchs ausblieb. Die Barockzeit brachte keine wesentlichen Eingriffe für die Kirche, lediglich die Ausstattung mit Altären und die Kanzel stammen einheitlich aus dem 17. Jahrhundert, und der Turm erhielt 1626 seine Zwiebelhaube. Weil sich nach der Säkularisierung 1803 keine Käufer für die Klostergebäude fanden, konnten die Nonnen bleiben. Sie unterhalten heute im Kloster eine Mädchenschule.

**◀ Couvent de Bénédictines de Frauenchiemsee,** Haute-Bavière. Le couvent fondé vers 770 par le duc de Bavière Tassilon III eut pour abbesse au IXe siècle la bienheureuse Irmingard, fille du roi Louis le Germanique. C'est sans doute de cette époque que datent les esquisses d'anges en rouge, les frises en méandres et les inscriptions votives découvertes au-dessus du portail dans la chapelle Saint-Michel. La cathédrale et la tour datent de la période après la grande invasion hongroise de 907. Les merveilleuses fresques du XIIe siècle dans le déambulatoire à deux étages, le plus ancien en Allemagne du Sud, ont été découvertes lors de travaux de restauration.

**◀ Frauenchiemsee Convent,** Upper Bavaria. This Benedictine nunnery, founded in about 770 by the Bavarian Duke Tassilo III, had the blessed Irmingard, the daughter of King Louis the German, as Abbess in the 9th century. The red outlines of angels, the fret frieze, and sacred inscriptions found above the gateway in St. Michael's chapel, may well be of the same period. The Minster and its tower date back to the period after the Hungarian invasion of 907. The magnificent 12th century frescoes in the two-storied ambulatory round the choir, the oldest in South Germany, were discovered during restoration work.

◀ **Kirche St. Johannes Bapt. in Westerndorf bei Pang,** Oberbayern. Außen rund und innen kreuzförmig, das ist so überraschend an dieser Kirche. Außen große Zwiebelhaube und schön gegliederter Turm, innen ein Kreuzgewölbe über der Vierung und Halbkuppeln über den vier Apsiden. 1670 erbaut, besteht doch Uneinigkeit über die Baumeister: die berühmten Dientzenhofer, Konstantin Pader oder Hans Zwerger? Aus der Miesbacher Stukkatorenschule, deren Haupt Zwerger war, stammt der reiche Stuck. Figuren von Blasius Maß, drei Altäre von Andreas Leisperger.

◀ **Eglise Saint-Jean-Baptiste à Westerndorf,** près de Pang, Haute-Bavière. Cette petite église ronde avec sa coupole à bulbe et sa tour aux belles proportions, construite en 1670, dissimule de façon inattendue un intérieur en forme de croix avec des semi-coupoles sur les quatre absides et une voûte en croisée d'ogives au-dessus de la croisée.

◀ **Church of St. John the Baptist at Westerndorf,** near Pang, Upper Bavaria. Behind this small round church with its large bulbous roof and beautifully proportioned tower is a surprising, cruciform interior with semi-cupolas over the four apses and groin vaulting over the crossing.

▶ **Ehemaliges Zisterzienserkloster Raitenhaslach** an der Salzach, Oberbayern. Schon für 875 wird eine Cella an diesem Ort erwähnt, später ein Chorherrenstift. 1146 verlegte der Erzbischof von Salzburg die Zisterzienser von Schützing an der Alz hierher. Zahlreiche Schenkungen und Privilegien (so unter anderem 1397 die Verleihung der Pontifikalien und später der Vollmacht, Kelche und andere kirchliche Geräte weihen zu dürfen) von Kaisern und bayerischen Herzögen waren die Grundlage für ein aufblühendes Klosterleben. Nachdem sich im 15. und 16. Jahrhundert Zucht und Ordnung sehr gelockert hatten, leitete Abt Matthias Stoßberger (1594-1601) noch einmal einen Aufschwung ein, der auch in einer regen Bautätigkeit Ausdruck fand. Nach der Säkularisierung wurde ein Teil der Gebäude abgebrochen, die stehengebliebenen dienten als Pfarrwohnung, Schule, Brauerei und für Ökonomiezwecke, die Kirche ist seit 1806 Pfarrkirche. Sie war anläßlich der 600-Jahr-Feier des Klosters von 1694 bis 1698 barockisiert worden. Zwar blieben die romanischen Umfassungsmauern und die Apsis erhalten (durch eine Wand vom Langhaus abgetrennt und in zwei Stockwerke unterteilt, unten Sakristei, oben Mönchschor), doch verdecken die Wandpfeiler, der prächtige Stuck von Martin Zick aus Kempten und die Freskomalerei des Ottobeurener Künstlers Johannes Zick praktisch völlig das in früherer Zeit Gebaute. Die mächtige Fassade von 1751/52 und die Zwiebelhaube des Turmes, die den Besucher empfangen, tun ein übriges. Nur von der Salzach her läßt die Apsis noch etwas davon erahnen.

▶ **Monastère de Raitenhaslach** sur la Salzach, Haute-Bavière. En 1146, l'archevêque de Salzbourg transféra une abbaye cistercienne de Schützing sur l'Alz à Raitenhaslach où la présence d'une cella est attestée dès l'année 875. Le monastère connut une première période de prospérité grâce à de nombreux dons et privilèges octroyés par des papes, des empereurs et des ducs bavarois. Après une période de décadence, la construction connut à partir du début du XVIIe siècle un nouvel essor. L'ornementation baroque et l'imposante façade de 1751/52 permettent seulement d'imaginer le noyau roman de l'église.

▶ **Raitenhaslach Monastery** on the Salzach, Upper Bavaria. In 1146 the Archbishop of Salzburg transferred a Cistercian community from Schützing on the Alz to Raitenhaslach, where a cell is known to have existed as early as 875. Numerous endowments and privileges granted by popes, emperors, and Bavarian dukes provided the basis for a first flowering. After a period of decline, a renewal of vitality led to increased building activity from the beginning of the 17th century. The Baroque interior and the mighty facade of 1751/52 obscure almost all trace of the church's Romanesque core.

▶▶ **Ehemalige Augustinerchorherren-Stiftskirche Baumburg,** Oberbayern. »Poumburc«, 925 Gerichtsstätte, später Sitz der Chiemgaugrafen, Anfang 11. Jahrhundert kleines Kloster, 1105 Chorherrenstift. Seit 1185 (bis 1809) war Baumburg Archidiakonat, 1445 erhielten die Pröpste das Recht zum Gebrauch der Pontifikalien (Insignien des Bischofs wie Stab und Mitra). 1456 wurde mit Unterstützung des Kardinals Nikolaus von Cues eine innere Reform durchgeführt, doch Verfall der Klosterzucht und ein Brand brachten in der Reformationszeit das Kloster vorübergehend in Gefahr.
Wie viele seiner Amtsbrüder in anderen Klöstern im 18. Jahrhundert veranlaßte Propst Joachim Vischer einen Kirchenneubau (1757 fertiggestellt). Die beiden Türme der 1156 geweihten Kirche blieben zwar stehen, doch gab ihnen Baumeister Franz Alois Mayr aus Trostberg den für diese Zeit notwendigen Schwung: Zwiebelhauben und eine kleine Vorhalle mit Kuppeldach und Voluten. Vom Grundriß her einfach – eine einschiffige Wandpfeilerkirche auf den romanischen Fundamenten –, gilt dieser Bau doch als eine der bedeutendsten Barockkirchen des Chiemgaues. Rocaille-Stuck des Wessobrunner Meisters Bernhard Rauch, farbige Deckenfresken des böhmischen Hofmalers Felix Anton Scheffler, das Wirken des heiligen Augustinus darstellend, und ein mächtiger Hochaltar in Stuckmarmor mit vier überlebensgroßen Heiligenfiguren geben dem Innenraum sein Gepräge.
Die Säkularisation 1803 bedeutete das Ende des Klosters, die Kirche wurde zur Pfarrkirche, und von den Klostergebäuden blieb nur wenig übrig.

▶▶ **Ancienne église d'un collège de chanoines de Saint-Augustin à Baumburg,** Haute-Bavière. Les tours ont été construites au XIIe siècle peu après la fondation de la communauté de chanoines. Lors de la reconstruction de l'église au XVIIIe siècle, elles ont été coiffées de toits bulbeux et dotées d'un petit vestibule à coupole et volutes. La décoration intérieure très artistique fait de cette église à pilastres à une nef une des églises baroques les plus importantes de la région du Chiemgau.

▶▶ **Former Augustinian Canons' Collegiate Church at Baumburg,** Upper Bavaria. The towers were built in the 12th century soon after the community had been founded. When the church was rebuilt in the 18th century they were provided with the bulbous roofs and a small vestibule with matching roof and volutes. The artistic interior decoration and furnishings make it one of the most important Baroque churches in the Chiemgau region.

◀ **Ehemaliges Benediktinerkloster Seeon,** Oberbayern. Die Klosteranlage nimmt praktisch die gesamte Klosterinsel in Anspruch, die erst seit 1816 durch einen Damm mit dem Ufer verbunden ist. Berühmt wurde das Kloster, von Pfalzgraf Aribo 994 aus einer Lambertuszelle in ein Benediktinerkloster umgewandelt, schon in seiner Anfangszeit durch seine Buchmalerei und später durch die »Seeoner Madonna« aus dem 15. Jahrhundert. Das Grabmal des Klostergründers Aribo (um 1400) befindet sich in der Barbarakapelle. Verschiedene Stilepochen haben der Klosterkirche ihren Stempel aufgedrückt: Aus dem 11. Jahrhundert blieben die Türme und Fundamentteile erhalten. Die Ende des 12. Jahrhunderts erbaute romanische Säulenbasilika wird 1428-1433 gotisch umgebaut: Man erhöht die Schiffe, ummantelt die romanischen Säulen achteckig und zieht statt der ursprünglichen Flachdecken Rippengewölbe ein. Der Chor wird ganz neu gebaut. Nach einem Brand 1561 wieder Veränderungen an Pfeilern, Fenstern und Seitenschiffen, Kuppelhauben für die Türme und Malereien für die Gewölbe.
1803 kamen die Gebäude im Zuge der Säkularisation in Privatbesitz. Von 1852 bis 1933 dienten sie den Leuchtenbergern als Schloß.

◀ **Ancienne abbaye bénédictine à Seeon,** Haute-Bavière. Fondé en 994 par le comte palatin Aribo, le couvent est devenu célèbre par ses manuscrits enluminés et par la suite par sa «Madone de Seeon» qui date du XVe siècle. Les bâtiments conventuels occupent presque la totalité de l'île qui n'est reliée par une digue avec la rive du lac que depuis 1816.

◀ **Former Benedictine Monastery at Seeon,** Upper Bavaria. Founded in 994 by the Count Palatine Aribo, the monastery became famous for its illuminated manuscripts, and, later, for its 15th century "Seeon Madonna". The buildings occupy almost the whole of the island which has only been connected with the lake shore by a causeway since 1816.

▶ **Altötting,** Oberbayern. In der »finster, uralt hayligen Capel« ist uns eine der ältesten Kirchen Deutschlands überhaupt erhalten, ein Rundbau im unteren Teil, nur 9,4 Meter Durchmesser, mit acht Nischen in der 1,6 Meter dicken Mauer. Auf halber Höhe geht das Rund in ein Achteck über, das die ebenfalls achtseitige Kuppel trägt. Urkundlich wird die Kirche 877 erstmals als Pfalzkapelle der karolingischen Königspfalz »Otinga« erwähnt. Bis zur Absetzung und Enteignung des Herzogs Tassilo III. (788) war der Ort agilolfingische Pfalz, und später, 1180, gelangt es mit dem Herzogtum Bayern an die Wittelsbacher. Sie ließen ihre Herzen in Silberurnen bestatten, aufgereiht in den Wandnischen der Gnadenkapelle.
Um 1490 wächst die Wallfahrt zu der »Schwarzen Madonna« – einer vom Kerzenlicht angerußten Schnitzfigur (Anfang 14. Jahrhundert, erst im 17. Jahrhundert mit einem Kleid versehen) – rasch an, und an den Rundbau wird noch ein Langhaus angebaut. Der Umgang zur Aufbewahrung der Votivbilder entsteht Anfang des 16. Jahrhunderts, 1645 der Silbertabernakel in der zunächst schwarz angestrichenen, später mit schwarzem Stuckmarmor versehenen Gnadenkapelle. Die Weihegaben, die die Wallfahrt mit sich brachte, waren so zahlreich geworden, daß es sich 1510 lohnt, an die Chorherrenstiftskirche St. Philipp und Jakob eine Schatzkammer anzubauen. Hier versammelten sich im Lauf der Zeit hervorragende Kunstwerke aus ganz Europa. Im Kreuzgang der Kirche, in der Tillykapelle, befindet sich das Grab dieses Feldherrn aus dem Dreißigjährigen Krieg.

▶ **Altötting,** Haute-Bavière. Pour accueillir le nombre de plus en plus grand de pèlerins qui venaient vénérer la «Vierge noire», une nef a été ajoutée à la fin du XVe siècle à la petite église en forme de rotonde du IXe siècle et par la suite un déambulatoire pour les nombreux ex-voto. Les Wittelsbach firent inhumer leurs coeurs dans des urnes en argent dans la rotonde mentionnée pour la première fois en 877 comme chapelle palatine carolingienne.

▶ **Altötting,** Upper Bavaria. To accomodate the increasing number of pilgrims coming to the "Black Madonna" towards the end of the 15th century the small round church dating from the 9th century had a nave added to it and later an ambulatory to house the numerous votive pictures. The Wittelsbach rulers used the round building, which was first documented as a Carolingian palatine chapel in 877, as burial church, having their hearts buried here in silver urns.

**◀◀ Ehemalige Hofkirche St. Michael in München-Berg am Laim.** Joseph Clemens, Erzbischof von Köln und Bruder des Kurfürsten Max Emanuel, läßt sich 1692 in der Hofmark in seinem Lustschloß Josephsburg eine Michaelskapelle bauen und stiftet eine Michaelsbruderschaft. Von ihm geht die Hofmark dann an seinen Neffen Clemens August, Sohn Max Emanuels und ebenfalls Erzbischof von Köln, über, der 1737 die neue Hofkirche bauen läßt.
Sie ist ein Werk Johann Michael Fischers, obwohl ihn kurzfristig der Hofmaurerpolier Köglsperger in der Bauleitung verdrängte. Fischer verdankt die Kirche ihre Zweiturmfassade. Hinter dem schlichten Äußeren verbirgt sich eine Prachtleistung des Barock, eine gelungene Synthese von Längs- und Zentralbau. Die besten Münchner Künstler arbeiteten mit, so Johann Baptist Zimmermann (Stuckierung, Deckengemälde sowie die meisten Altargemälde) und Johann Baptist Straub (Seitenaltäre und Hochaltar). Die Säulen rötlichviolett marmoriert, Pilaster und Architrav zartgrün, ockerfarbene Gewölbekappen, das Gold der Altäre – zusammen mit dem An- und Abschwellen sich dehnender und wieder verengender Teilräume ein Fest der Formen und Farben.

**◀◀ Eglise Saint-Michel de Berg am Laim, Munich.** Ce magnifique exemple d'architecture baroque a été construit en 1737 par Johann Michael Fischer sur ordre du prince-archevêque de Cologne, Clément Auguste à côté du Josephsburg, le château de plaisance de l'archevêque. Les meilleurs artistes de Munich ont travaillé à sa décoration.

**◀◀ Former Court Church of St. Michael at Munich-Berg am Laim.** This magnificent example of Baroque architecture was built in 1737 by Johann Michael Fischer for Clemens August, Archbishop of Cologne, next to the Archishop's pleasure-house Josephsburg. The best Munich artists and craftsmen were employed on the furnishings.

**◀ Dom in Freising,** Oberbayern. Mit diesem barocken Kleid aus farbigem Stuck und Fresken überziehen die Brüder Asam in den Jahren 1723 und 1724 den Innenraum des Freisinger Doms, umhüllen gleichsam die Bauarbeit früherer Jahrhunderte: die Reste der 1159 begonnenen dreischiffigen Pfeilerbasilika und die Erweiterung von 1621 bis 1624.
Der Abstieg in die Krypta führt auch in eine andere Zeit. Eine vierschiffige Halle, einfach gekreuzte Tonnengewölbe, getragen von verschiedenartig geformten Säulen. Die schönste davon die ganz skulptierte Bestiensäule, auf der Dämonen und Ungeheuer gegen menschliche Gestalten kämpfen. Hier steht auch der Steinsarg des heiligen Korbinian. Die Krypta gehört zum dritten Dombau von 1160, nachdem zwei Bauten an der Stelle einer früheren Pfalzkapelle abgebrannt waren. Kaiser Friedrich Barbarossa und seine Frau Beatrix förderten den Neubau. Schon um 700 war Freising Burg und Residenz der bayerischen Herzöge gewesen und diente als Königspfalz. 739 errichtete Bonifatius, wie in Passau, ein kanonisches Bistum. Unter Bischof Arbeo (764-783) dringen Adel und Kirche in die bayerische Ostmark (später Österreich) vor, und von der Slawenmission sind noch die Freisinger Fragmente erhalten, Zeugnisse der altslawischen Sprache. Aus seiner Schreibschule stammt der »Abrogans«, ein Wörterbuch der althochdeutschen Sprache, und im 9. Jahrhundert entsteht das »Petruslied«, das erste deutsche Kirchenlied.
Durch den Bau der Steinernen Brücke in Regensburg (1135-1142) und die Verlegung der Föhringer Brücke nach München verliert Freising seine Mittelpunktstellung in Bayern. Auch der Bischofssitz wird 1821 schließlich nach München verlegt. Heute erinnert ein Diözesanmuseum an die große Vergangenheit der geistlichen Stadt Freising.

**◀ Cathédrale de Freising,** Haute-Bavière. Dès l'an 700, Freising possédait un château et était résidence ducale et royale. En 739, Boniface y établit un évêché qui servit de base pour évangéliser la région des Slaves et l'actuelle Autriche. De précieux manuscrits en vieux slave et en vieux haut allemand ont été conservés grâce au scriptorium de l'évêché de même que des documents des débuts de l'historiographie allemande. La cathédrale a été remaniée en 1723 dans le style baroque mais elle contient des vestiges de constructions précédentes. La crypte qui contient de belles colonnes sculptées représentant des animaux fait partie de la troisième construction de la cathédrale en 1160.

**◀ Freising Cathedral,** Upper Bavaria. Freising already had a castle and was a ducal and royal residence in about 700. In 739 Boniface established a bishopric here which was used as a base for missionizing, particularly in the Slavonic areas and the region now called Austria. Valuable examples of Old Slavonic and Old High German writings have been preserved in the Freising scriptorium and also documents from the beginnings of German historiography. The cathedral was rebuilt in the Baroque style in 1723, but vestiges of earlier buildings survive. The crypt, which contains a finely sculptured pillar with animal motifs, was part of the third cathedral building of 1160.

▶ **Passau,** Niederbayern (Bild: Altstadt). Fast zweieinhalb Jahrtausende müssen wir zurückgehen, um der Geschichte der Stadt Passau auf den Grund zu kommen. Seit der Mitte des 5. Jahrhunderts v. Chr. siedelten auf der Landzunge zwischen Donau und Inn die keltischen Bojer. 15 v. Chr. erobern die Römer die Bojerburg und gründen am rechten Innufer ein Auxiliarkastell. Im 3. Jahrhundert n. Chr. ziehen sie sich auf die Landzunge ins »castra Batavis« zurück; Mitte des 5. Jahrhunderts schließlich unterliegen die Bewohner dem Ansturm der Germanen.
Das frühmittelalterliche Bazzawa bietet uns folgendes Bild: Auf der Landzunge der *Dombezirk.* 739 hatte Bonifatius hier ein kanonisches Bistum errichtet, das seinen Herrschaftsbereich durch Anlage von Rodungszentren vergrößerte und mit seiner Mission bis weit in den Osten vordrang. Südlich davon das *Kloster Niedernburg* und jenseits der Römerwehr hinter dem Dombezirk der *Neumarkt* und das *Kloster St. Nicola.*
Allein der Bereich der heutigen Altstadt war also im frühen Mittelalter ein höchst vielfältiges Gebilde. Hinzu kommen noch die Siedlungen, die in enger Verbindung mit dem Bazzawa auf der Landzunge standen: Am rechten Innufer das Dörfchen Boiotro, später *Innstadt*, und auf der anderen Seite gegenüber der Altstadt, am linken Donauufer, eine kleinere Siedlung, der *Anger* sowie die *Ilzstadt*, wo die Ilz in die Donau mündet. Erst im letzten Jahrhundert sind diese verschiedenen Siedlungen endgültig zu der Dreiflüssestadt Passau zusammengewachsen.

▶ **Passau,** Basse-Bavière. Les Celtes qui s'étaient établis à cet endroit depuis le milieu du Ve siècle avant Jésus-Christ furent remplacés par les Romains puis par les Germains. En 739, Boniface y créa un évêché qui servit de siège pour évangéliser les régions orientales profondes. Au Moyen Age, la ville fut agitée par les conflits entre les évêques et les citoyens qui luttaient pour une plus grande indépendance, ce qui amena la construction d'une forteresse pour les évêques sur le Georgsberg en face de la vieille ville avec sa cathédrale, son hôtel de ville et son abbaye de Niedernburg (Photo). L'aspect baroque de la vieille ville provient d'une vague de reconstruction après des incendies au XVIIIe siècle.

▶ **Passau,** Lower Bavaria. It was not until the last century that a number of settlements on the confluence of the rivers Danube, Inn, and Ilz merged to form the present ''Three River City'' of Passau. The Celts, who had settled here from the middle of the 5th century BC, were replaced by the Romans, who made way for Germanic tribes. The bishopric established here by Boniface in 739, served as a headquarters for missionizing far into the eastern regions. In the Middle Ages the town was torn by conflicts between the bishops and the citizens, who were striving for greater independence, with the result that the bishops built a fortress on Georgsberg, facing the old city with its cathedral, town hall, and Niedernburg Monastery (picture). The Baroque appearance of the old part of the city derives from a spate of rebuilding after it had been ravaged by fires in the 18th century.

◀ **Ehemaliges Zisterzienserkloster Fürstenzell,** Niederbayern. Ein Vorgang, der sich im 18.Jahrhundert nicht
nur einmal ereignet: Ein Abt, unzufrieden mit den beste-
henden alten Kloster- und Kirchengebäuden, beauftragt
einen Architekten mit der Planung eines Neubaues, aber
nachdem mit dem Bauen schon begonnen wurde, stellt
sich heraus, daß der Architekt doch nicht der richtige
Mann ist. So wird auch 1739 in Fürstenzell der Passauer
Bildhauer Josef Matthias Götz wieder entlassen, und
der Münchner Hofbaumeister Johann Michael Fischer
soll versuchen, aus dem Angefangenen noch etwas Re-
präsentatives zu machen. Das ist ihm so gut gelungen,
daß es heute von der Kirche heißt, sie sei »eines der besten Kunstwerke des kirchlichen Rokoko«. Seine Mittel,
um den vorgegebenen, starren Innenraum aufzulösen
oder zu überspielen: Emporen zwischen den Wandpfeilern mit konvex geschwungenen Brüstungen, geschrägte
und gemuldete Ecken, Halbrundbogen über den Pfeilern,
eine große Tonne über dem Langhaus und eine über
dem Chor. Eine wesentliche Vereinheitlichung und Ab-
rundung wird auch durch den Rocaille-Stuck erreicht,
benannt nach dem diesen Stil (etwa 1740-1770) beherr-
schenden Muschelornament (franz. rocaille = Muschel).
Stukkateur war Johannes Baptist Modler, Freskenmaler
Johann Jakob Zeiller.
Von Prunk scheint auch der Bibliothekssaal des Kloster-
gebäudes überzufließen. Rötlich, gelblichgrau und violett
getönte Marmorsäulen enden in Atlantenkörpern und
tragen die Empore mit weiß-goldener, in Holz geschnitz-
ter Brüstung. Allegorische Figuren zieren die Aufgänge.
Das große Deckenfresko von Matthias Günther und Johann Jakob Zeiller wurde allerdings im 19. Jahrhundert
wieder entfernt.
Hatten die Zisterzienser vergessen, daß ihr berühmter
Ordensbruder Bernhard von Clairvaux schon 1124 eine
Streitschrift gegen den Bauluxus verfaßte? Nicht nur
Jahrhunderte, sondern offensichtlich auch geistige Wel-
ten trennen sie von dem Leben der Ordensgründer und
wohl auch der ersten Zisterziensermönche, die das von
einem Passauer Domherrn und dem Herzog Heinrich XIII.
von Niederbayern 1274 gestiftete Kloster im Mündungs-
dreieck zwischen Donau und Inn besiedelten.

◀ **Ancienne abbaye cistercienne à Fürstenzell,** Basse-
Bavière. En 1274, les premiers Cisterciens s'établirent
au confluent du Danube et de l'Inn. Au XVIIIe siècle, les
bâtiments conventuels et l'église furent reconstruits dans
la forme prestigieuse qu'ils ont actuellement. L'architecte
munichois de la cour, Johann Michael Fischer se chargea
de la construction déjà commencée et créa ainsi «une
des plus belles oeuvres d'art religieux de la période rococo».

◀ **Former Cistercian Monastery at Fürstenzell,** Lower
Bavaria. The first Cistercians settled at the confluence
of the rivers Danube and Inn in 1274. In the 18th century
the monastery and church were rebuilt in their present
grand, prestigious form. The Munich architect Johann
Michael Fischer took over after building had begun, and
created ''one of the best ecclesiastical works of art of
the Rococo period''.

▶ **Ehemalige Benediktinerabtei Wessobrunn,** Oberbayern. Die Gründungsgeschichte dieses für die deutsche Kunst und Kultur bedeutenden Klosters ist nicht mehr zu klären, wohl infolge der unruhevollen Zeit der Gründung Mitte des 8. Jahrhunderts. Damals setzten die Karolinger als die tatsächlichen Herren des Frankenreiches die Anerkennung ihrer Königswürde durch, und die bayerischen Agilolfinger suchten ihr Herzogtum aus dem Reichsverband auszusondern, womit sie schließlich scheiterten. Hat, wie es die später von den Mönchen aufgezeichnete Legende behauptet, der junge Bayernherzog Tassilo III. aufgrund eines Traumes, den er während einer Jagd gehabt, das Kloster gestiftet – oder geschah die Gründung von dem Kloster Benediktbeuern aus, das um 740 von den Huosi gestiftet worden war, einem der großen bayerischen, den Karolingern zuneigenden Adelsgeschlechter? Als Tassilo sich 787 den anrückenden drei fränkischen Heeren kampflos ergab und Karl der Große seine von einer Reichsversammlung zu Ingelheim verhängte Todesstrafe in Klosterhaft umwandelte, wurde Wessobrunn königliches Eigenkloster. Seinen Mönchen ist die Rodung und Urbarmachung des Gebietes zwischen Ammer und Lech zu verdanken und natürlich besonders die Durchdringung dieses Landes mit dem Geiste des Christentums. Aus dem frühen 9. Jahrhundert ist uns das in der Klosterbibliothek aufgefundene »Wessobrunner Gebet«, eine Anrufung des Weltschöpfers, als eines der ersten Zeugnisse altdeutscher Sprache überliefert. Als das Klosterleben durch den Ungarneinfall 954/55 fast zum Erliegen kam – der Abt und mehrere Mönche wurden ermordet –, dauerte es lange, bis der Konvent, verstärkt durch Mönche von Sankt Emmeram zu Regensburg, wieder aufgefüllt war. Die Reformen des Hirsauer Abtes Wilhelm, der gleichfalls von Sankt Emmeram kam, faßten auch in Wessobrunn Fuß. Architektonisch ist aus diesen ersten Jahrhunderten nichts erhalten. Als ältester Bauteil und Rest der nach der Säkularisation 1810 niedergerissenen Abteikirche Sankt Peter steht noch der mächtige Glockenturm aus der Mitte des 13. Jahrhunderts. Wertvolle Steinplastiken aus dem spätromanischen Lettner des Münsters, der schon bei der Neugestaltung im Renaissancestil entfernt wurde, befinden sich im Bayerischen Nationalmuseum in München. In Wessobrunn zeugt nur noch ein sehr eindrucksvoller Holzkruzifixus von dieser künstlerischen Blütezeit.
Nach den Wirren der Reformation und den Nöten des Dreißigjährigen Krieges begann in der zweiten Hälfte des 17. Jahrhunderts unter Prälat Leonhard Weiß eine neue Periode des Schaffens und der künstlerischen Ausstrahlung. Seine großzügigen Pläne für einen drei Höfe umfassenden Neubau konnten zwar nicht in vollem Umfang verwirklicht werden, aber hinter dem außen schlicht verputzten Mauerwerk der Abteigebäude verbergen sich ein Treppenhaus, Korridore und festliche Räume, die durch ihren Freskenschmuck und die reichen Stuckornamente ihre Wirkung nicht verfehlen. Johann Schmuzer hatte 1680 an dem dreiflügeligen Gäste- oder Fürstenbau mit den Bauarbeiten begonnen, und sie wurden bis ins 18. Jahrhundert fortgesetzt. Franz Xaver Schmuzer, der Sohn Johanns, baute 1757 bis 1759 im nördlichen Klosterbereich die Pfarrkirche Sankt Johannes. Ein ganzes Jahrhundert hindurch wurden im Kloster Stukkateure

herangezogen, die dann ihre Kunst – zum Teil auch als Baumeister – überall in Europa ausübten. Außer Schmuzer treffen wir in der Kunstgeschichte des Barock allerorten auf die Namen der Zimmermann und Feichtmayr. Mit der Säkularisation brach diese Pflegestätte der Kunst und der theologischen Wissenschaft zusammen. Fast Dreiviertel der Klostergebäude und das Münster bis auf den Turm wurden abgebrochen. Nur die drei Flügel des Fürstenbaus und die Pfarrkirche sind uns von der einstigen Herrlichkeit erhalten.

▶ **Ancienne abbaye bénédictine de Wessobrunn,** Haute-Bavière. Pour les amateurs de littérature, Wessobrunn est connu par la «Prière de Wessobrunn» qui a été trouvée dans la bibliothèque du couvent – un appel au Créateur et un des premiers spécimens en vieil allemand. Les historiens de l'art connaissent le couvent par le grand nombre de stucateurs célèbres tels que Feichtmayr, Zimmermann ou Schmuzer qui y ont été formés au XVIIIe siècle. La partie la plus ancienne de l'abbaye fondée au VIIIe siècle est le clocher de l'église abbatiale du milieu du XIIIe siècle. Le reste de l'église ainsi que d'importantes parties du complexe rebâti au XVIIIe siècle ont été démolis en 1810 après la sécularisation ne laissant que la maison des hôtes ou maison des princes à trois ailes et l'église paroissiale construite en 1757.

▶ **Former Benedictine Abbey at Wessobrunn,** Upper Bavaria. Wessobrunn is known to those interested in literature through the ''Wessobrunn Prayer'' which was found in the monastery – an appeal to the Creator, and one of the first extant examples of Old German. Art historians know the monastery from the numerous renowned stuccoers such as Feichtmayr, Zimmermann, and Schmuzer who were trained here in the 18th century. The oldest part of the monastery, which was founded in the 8th century, is the belltower of the abbey church from the middle of the 13th century. The rest of this church, plus large parts of the monastery complex, which was rebuilt in the 18th century, was demolished in 1810 after the secularization, leaving only the three-winged guest house and the parish church, erected in 1757.

◄ **Ehemaliges Benediktinerkloster Benediktbeuern,**
Oberbayern. Am Anfang war die Erde hier wüst und leer.
Zur Kultivierung des Moorgebietes der Loisach wurde
um 740 von Landfrit, Waldram und Elilant aus dem Ur-
adelsgeschlecht der Huosi ein Rodungskloster, eines
der ersten im Voralpenland, gegründet und 746 von Bonifatius die erste Kirche geweiht. Bis in die Jachenau rodeten die Benediktinermönche; das Klosterterritorium um-
faßte schon im 8. und 9. Jahrhundert ein großes Gebiet.
Vom Ungarnsturm 955 überrannt und zerstört, wurde
es 1031 von Tegernsee aus wieder mit Benediktinern
besiedelt und erlebte nun eine Blütezeit. Aus der Schreibschule des Klosters sind mehrere Handschriften erhalten,
am bekanntesten die »Carmina burana«, Vagantenlieder
in lateinischer Sprache aus dem 13. Jahrhundert. Nach
geistlichen und wirtschaftlichen Reformen im 15. Jahrhundert zeugen Neubauten und ein eigenes Gymnasium
auch im 17. Jahrhundert von einem regen Klosterleben.
Die 1680 bis 1686 von Kaspar Feichtmayr erbaute Kirche
ist ein Beispiel des frühen Barock. Dunkel in der Ge-
samtwirkung, gedrückt durch das flache, von Gurtbogen
getragene Tonnengewölbe. Reicher, sehr plastischer
Stuck schmückt den Raum. Hans Georg Asam schuf die
Deckengemälde, sein Sohn Cosmas Damian, der in Benediktbeuern zur Welt kam, das Gemälde des Antoniusal-
tars. Sein anderer Sohn, Egid Quirin Asam, entwarf eine
Büste für die Reliquie von der Hirnschale der heiligen
Anastasia, die ein Mönch im 11. Jahrhundert aus Verona
mitgebracht hatte. Die kostbare Goldschmiedearbeit fand
einen würdigen Platz in der 1750 bis 1758 an den Chor
der Kirche angebauten Anastasiakapelle.
Nach der Säkularisation zog zunächst Josef Utzschneider
mit seiner Glasbläserei und optischen Werkstätten in
die Gebäude ein. Josef Fraunhofer entwarf hier das wel-
lenfreie Flintglas. Nach 1818 dienten die Gebäude zu
militärischen Zwecken. Seit 1931 benützen sie die Sale-
sianer wieder als Kloster und Hochschule.

◄ **Ancienne abbaye bénédictine à Benediktbeuern,**
Haute-Bavière. Fondée en 740 pour défricher les terres
avoisinantes, l'abbaye a connu une longue période de
prospérité à partir du XIe siècle. De nombreux manuscrits
proviennent du scriptorium de l'abbaye, le plus célèbre
d'entre eux étant la «Carmina burana», un recueil de
chansons en latin du XIIIe siècle. Les bâtiments conventuels et l'église ont été reconstruits dans le style baroque
au XVIIIe siècle. La chapelle de Sainte-Anastasie renferme
un précieux buste en or qui contient les reliques de la
sainte.

◄ **Former Benedictine Monastery at Benediktbeuern,**
Upper Bavaria. Founded in 740 to clear the surrounding
woodland for cultivation, the monastery experienced
a long period of prosperity from the 11th century. Numerous manuscripts were produced in the monastery's scriptorium, the most famous being the ''Carmina burana''
– a collection of Goliardic songs in Latin dating from
the 13th century. The buildings and church were rebuilt
in the Baroque style in the 17th century. The St. Anastasia
Chapel contains a precious gold bust in which relics
of the saint are preserved.

▶ **Benediktinerkloster Ettal,** Oberbayern. Kaiser Ludwig
der Bayer stiftete 1330 an der Nord-Süd-Handelsstraße
von Augsburg nach Innsbruck, an der Stelle, wo nach
der Legende sein Pferd dreimal auf den Boden schlug,
ein Kloster. Nicht nur seine Bestimmung – neben Bene-
diktinermönchen sollten auch Ritter mit ihren Frauen
hier leben –, sondern auch die Kirche, ein Zwölfeck von
mehr als 25 Meter Durchmesser mit doppelgeschossigem
Umgang, ist ungewöhnlich. Wegen ihrer Ähnlichkeit mit
der Grabeskirche Christi in Jerusalem und wegen der
Ähnlichkeit des Ritterstiftes mit dem Templerorden wurde
Ettal auch als »bayerischer Gralstempel« bezeichnet.
Zwar geht das Ritterstift nach wenigen Jahren wieder
ein, doch das Benediktinerkloster blüht, ebenso die Wallfahrt zu der Madonna aus weißem Marmor, die Ludwig
der Bayer aus Italien mitgebracht haben soll. Und Anfang
des 18. Jahrhunderts erhielten in der von Abt Placidus
Seiz gegründeten Ritterakademie noch einmal charakter-
starke Männer aus dem Adel den letzten Schliff. Gute
Barockdramen und ein Text für die Oberammergauer
Passionsspiele wurden von Ettaler Mönchen verfaßt.
Abt Placidus Seiz nimmt 1710 auch den Umbau von Kloster und Kirche in Angriff. Die gotischen Umfassungsmauern erhalten ein zeitgemäßes, barockes Gewand.
Bis zu dem großen Brand von 1744 sind nach Plänen
Enrico Zuccallis Chor und Fassade abgeschlossen. Unter
dem Wessobrunner Baumeister Franz Schmuzer wird
dann das spätgotische Ringnetzgewölbe mit Mittelstütze
aus dem 15. Jahrhundert durch die große Kuppel ersetzt.
Berühmte Künstler wirken an der Ausgestaltung des Innenraumes mit: Johann Jakob Zeiller (Kuppelfresko),
Martin Knoller (Fresko der Chorkuppel), Johann Baptist
Straub (Altäre und Kanzel), Johann Georg Üblherr und
Johann Baptist Zimmermann (Stukkaturen und Orgelempore). Außen legt sich die barocke Fassade Zuccallis
wie ein Band, in die beiden Türme ausschwingend, um
die gotischen Mauern. Der nördliche Fassadenturm wurde
erst nach der Aufhebung des Klosters (1803) fertiggestellt,
der Südturm erst 1907, als die Benediktiner durch Schenkung bereits wieder im Besitz des Klosters waren und
eine Abtei errichtet hatten.

▶ **Abbaye bénédictine d'Ettal,** Haute-Bavière. En 1330,
l'empereur Louis le Bavarois fonda une abbaye bénédictine et à côté une communauté de chevaliers qui devait
toutefois bientôt péricliter. L'église, un dodécagone de
plus de 25 mètres de diamètre avec un déambulatoire
à deux étages, présente une certaine ressemblance avec
l'église du Saint-Sépulcre à Jérusalem. Les murs gothiques ont été conservés lorsque l'église a été modifiée
dans le style baroque au XVIIIe siècle.

▶ **Benedictine Monastery at Ettal,** Upper Bavaria. In
1330, Emperor Louis the Bavarian founded a Benedictine
monastery here, and, next to it, a community of knights
which, however, soon decayed. The church, a dodecahe-
dron with a diameter of over 80 ft, and with a two-storied
ambulatory, bears a certain resemblance to the Church
of the Holy Sepulchre in Jerusalem. The Gothic walls
were retained when the church was remodelled in the
Baroque style in the 18th century.

# Vom Untergrund zum Baugrund

Die frühen Christen versammelten sich zu ihren Gottesdiensten zunächst in Privathäusern. Doch bald schon regte sich der Wunsch nach besonderen Andachtsstätten. Solange sich die meist in den Untergrund verwiesenen Gemeinden noch keinen Neubau leisten konnten, bot es sich an, geeignete Privaträume umzubauen. Vor allem sollten die Versammlungsräume Wesen und Art des kirchlichen Lebens entsprechen, sollten architektonische Maßarbeit sein für die Liturgie. Nur wenige Kirchen sind aus dem dritten Jahrhundert nachgewiesen, so die 232/33 aus einem frühparthischen Hofhaus umgebaute Kirche zu Dura Europos. Sie blieb erhalten, weil man schon wenige Jahre später die an ihr vorbeiführende Stadtmauer der römischen Grenzstadt verstärkte und sie bei dieser Gelegenheit kurzerhand zugeschüttet wurde. Die großzügige Anlage ordnet sich um einen annähernd quadratischen Hof, auf den der Eingang des an der Südseite gelegenen, schmucklosen Kirchenraums mündet. Der gegenüberliegende, zweigeschossige Trakt birgt neben der Eingangshalle das Treppenhaus und die üppig bemalte Taufkapelle. Der Raum an der Westseite dürfte als Vorhalle gedient haben, vielleicht auch für die nach der Taufe übliche Firmung benutzt worden sein. Eine offene Säulenhalle bildet den Abschluß nach Osten. Aus dem vierten Jahrhundert, der Zeit nach dem konstantinischen Toleranzedikt, sind viele Kirchenanlagen bekannt, wiewohl häufig nur noch die Grundmauern an sie erinnern. Hatte sich doch die Lage der Christen gleichsam über Nacht grundlegend verändert. Im Jahre 313 wurde den bis dahin Verfolgten volle Kultfreiheit gewährt, obendrein erhielten sie ihre beschlagnahmten Güter zurück. Wie tiefgreifend dieser Wandel war, erhellt ein zeitgenössischer Bericht über das Konzil von Nicäa im Jahre 325. Dieses erste Konzil hatte Kaiser Konstantin einberufen und finan-

# De la clandestinité au grand jour

Les premiers chrétiens se sont d'abord réunis dans des maisons particulières pour célébrer leurs services religieux. Très rapidement toutefois ils éprouvèrent le désir d'avoir leurs lieux de culte. Lorsque les communautés chrétiennes commencèrent à sortir de la clandestinité, celles qui ne purent construire de nouveaux édifices, eurent recours à la transformation de salles privées appropriées. Les salles de réunion devaient être adaptées aux besoins liturgiques de l'Eglise. Rares sont les églises qui datent du troisième siècle comme l'église de Doura Europos, une maison d'un particulier de l'époque parthe transformée en église en 232/33. Cette église a pu être conservée car quelques années plus tard l'enceinte de la ville frontalière romaine qui passait tout près fut renforcée et l'église fut tout simplement ensevelie. L'édifice aux vastes proportions est disposé autour d'une cour presque carrée sur laquelle donne l'entrée de la salle de l'église dépourvue d'ornement placée sur la face sud. L'aile à deux étages située en face abrite à côté du hall d'entrée la cage d'escalier et le baptistère décoré de nombreuses peintures. La salle sur la face ouest a dû servir de vestibule et a pu être utilisée pour la confirmation qui, à l'époque, suivait le baptême. A l'est, un portique ouvert termine l'ensemble. De nombreuses églises datent du quatrième siècle, la période qui a suivi l'édit de tolérance de Constantin, mais très souvent seules les fondations en rappellent l'existence. La situation des chrétiens avait pratiquement changé du jour au lendemain. En l'an 313, les chrétiens jusque-là persécutés bénéficient d'une liberté totale de culte et de surcroît ils rentrent en possession de leurs biens qui avaient été confisqués. Un rapport de l'époque sur le concile de Nicée en l'an 325 montre combien cette transformation a été profonde. C'est l'empereur Constantin qui avait convoqué

# Out of the underground into the open

Early Christians first met for their services in private houses. But soon the desire for special places of worship arose. As the Christian communities began to emerge from the underground where they had been driven by persecution, those that could not afford a new building converted private rooms for worship. The assembly rooms were adapted to the liturgical needs of the Church. There are few surviving third century churches – but one example is that at Dura Europos, which was converted from an early Parthian atrium house in 232/33. It survived because a few years after the conversion the wall of the Roman frontier town, which passed close by, was strengthened, and the church disappeared under a pile of rubble. The generously proportioned building is arranged around an almost square courtyard, onto the south side of which the entrance of the simple church room opens. The opposite, two-storied, tract contains the entrance hall, a staircase, and the richly painted baptismal chapel. The room on the west side probably served as vestibule, and may have been used for the rite of confirmation, which at that time directly followed baptism. The eastern tract consists of an open colonnade. Many fourth century churches – this was the period following the Constantinian edict of toleration – are known of, though frequently only their foundations have survived. The situation of the Christians had changed almost overnight. In 313, the hitherto persecuted believers were granted complete freedom of worship, and had their confiscated goods restored. The profundity of this change is illustrated by a contemporary report on the Council of Nicaea in 325. This first Council was summoned and financed by Emperor Constantine. The bishops were permitted to use state coaches for their journeys and to hold their

ziert. Die Bischöfe durften für die Anreise die Staatspost benutzen und ihre heilige Versammlung im kaiserlichen Sommerpalast abhalten. Bei der Begrüßung des ägyptischen Bischofs Paphnutius, dem in den Tagen der Christenverfolgung ein Auge ausgestochen worden war, soll der römische Imperator den Geblendeten durch einen Kuß auf die leere Augenhöhle geehrt haben.

Allein in Rom, dem Zentrum des christlichen Kirchenbaus, stifteten Konstantin und seine Angehörigen die fünfschiffige Bischofskirche mit Querschiff am Lateran, die Gedenkkirchen über den Gräbern der Märtyrer Marcellinus und Petrus, Laurentius und Agnes sowie an der Via Appia die Gedenkkirchen für die Apostel Petrus und Paulus. Seinem geliebten Konstantinopel schenkte er zwei Kirchen: eine zu Ehren des heiligen Friedens »Irene«, die andere zu Ehren der Apostel. An die große und prächtige Apostelkirche ließ er einen Rundbau anfügen, der seine letzte Ruhestätte werden sollte. Hier hat man ihn nach seinem Tode beigesetzt, umgeben von zwölf Säulen mit den Namen der Apostel. Er selbst hat sich als dreizehnten Apostel gesehen, als Erwählten und Begnadeten Gottes.

## Die letzte Herrlichkeit

Christliche Gemeinden entstanden damals nicht nur an allen Ecken und Enden des römischen Reiches, sondern weit darüber hinaus bis an die Grenzen Indiens. Man darf vermuten, daß auf den Gebieten des heutigen Irak und Iran, wo sich die Christen größerer Freiheiten erfreuten als vor dem Toleranzedikt unter der Herrschaft Roms, schon im dritten Jahrhundert viele Kirchen vorhanden waren, deren Spuren verweht sind.

Seit Konstantin traten neben die kleinen, schlichten Bischofs- und Gemeindekirchen

et financé ce premier concile. Pour s'y rendre, les évêques eurent le droit d'emprunter les chars de l'Etat et de tenir leur sainte assemblée dans le palais d'été de l'empereur. En souhaitant la bienvenue à l'evêque égyptien Paphnutius auquel on avait crevé un œil au moment de la persécution des chrétiens, l'empereur romain aurait honoré le pontife d'un baiser sur son orbite vide.

Rien qu'à Rome, le centre de la construction des églises chrétiennes, Constantin et les membres de sa famille ont fondé la grande basilique épiscopale à cinq nefs et transept du Latran, les églises commémoratives sur les tombes des martyrs Marcellin et Pierre, Laurent et Agnès ainsi que les églises commémoratives sur la Via Appia pour les apôtres Pierre et Paul. A Constantinople, sa ville bien-aimée, l'empereur fit don de deux églises: une dédiée à «Irene» (le mot grec pour «paix»), l'autre aux apôtres. A l'imposante et magnifique église des apôtres, il fit ajouter une construction circulaire qui devait être sa dernière demeure. C'est ici qu'on l'a enterré entouré de douze colonnes portant le nom des apôtres. Lui-même s'est considéré comme le treizième apôtre, comme l'élu de Dieu.

## L'ultime gloire

A cette époque, les communautés chrétiennes ne se développaient pas seulement dans l'empire romain, mais également bien au-delà, jusqu'aux frontières de l'Inde. On peut supposer que de nombreuses églises ont déjà été construites au IIIe siècle sur les territoires actuels de l'Irak et de l'Iran, car à l'époque, avant l'édit de tolérance, les chrétiens y jouissaient d'une plus grande liberté que dans l'empire romain. Depuis le règne de Constantin, à côté des petites églises épiscopales et paroissiales toute simples des premiers temps, apparaissaient des églises commémora-

sacred assembly in the imperial summer palace. When greeting the Egyptian Bishop Paphnutius, who had been blinded in one eye during the days of Christian persecution, the Emperor is said to have honoured him with a kiss on his empty eye socket.

In Rome alone, the centre of Christian church-building activity, Constantine and members of his family founded the great episcopal Lateran Basilica, with nave, four aisles and transept, the memorial churches built over the graves of the martyrs Marcellinus and Peter, and Lawrence and Agnes, and memorial churches for the Apostles Peter and Paul on the Via Appia. He presented his beloved Constantinopole with two churches: one dedicated to "Irene" (the Greek word for "peace"), the other to the Apostles. He had a circular building attached to the magnificent Church of the Apostles to serve as his tomb, and it was here that he was buried, surrounded by twelve pillars with the names of the Apostles. He looked upon himself as a thirteenth apostle, as one chosen and blessed by God.

## The last glory

Christian communities developed not only throughout the Roman Empire, but also well beyond it, right up to the borders of India. It can be assumed that many churches were already built in the third century in the region now called Iraq and Iran, because at that time, before the toleration edict, Christians there enjoyed greater freedom than they did in the Roman empire. From Constantine's reign onwards the small, simple, episcopal and community churches of the earlier period were supplemented by memorial churches dedicated to the Holy Places or to martyrs, and rivalling the classical temples in size and magnificence. This development had already begun in the course

der älteren Zeit Gedenkkirchen für die Heiligen Stätten und für die Märtyrer, darunter Prachtbauten, die es in Größe und Schönheit mit den antiken Tempeln aufnehmen konnten. Dieser sichtbare Wandel des Gotteshauses hatte sich schon im Laufe des dritten Jahrhunderts vorbereitet. Entgegen der Meinung der damaligen Theologen und Apologeten hatte man in den Versammlungsräumen etwas wie das Haus Gottes erkannt. Nachdem aus der verfolgten die siegreiche Kirche geworden, war mit einem Male auch das Gehäuse ein Heiligtum, fast unabhängig von dem Mysterium, das es beherbergte. Den Sinn der Kirche als Bau verdeutlicht jene hymnische Predigt, die der Bischof Eusebius von Cäsarea, der Vater der Kirchengeschichte und Biograph Konstantins, bei der Weihe der Basilika von Tyros gehalten hat, etwa zur gleichen Zeit, als in Rom die Lateranskirche erbaut wurde. Paulinus, der Bischof dieser mächtigsten Handelsstadt Phönikiens, hatte sie über den Trümmern einer alten Kirche errichtet, die während der diokletianischen Verfolgung zerstört worden war, indem er nach den Worten des Eusebius »diesen herrlichen Tempel des höchsten Gottes dem Vorbilde des besseren, den sichtbaren dem unsichtbaren, in Ähnlichkeit nachschuf«. Eusebius fährt fort: »An erster Stelle muß erwähnt werden, daß er diesen durch die hinterlistigsten Pläne der Feinde mit Unrat aller Art überschütteten Platz nicht preisgab und der Bosheit derer, die es verübt, nicht wich, trotzdem die Möglichkeit bestand, unter den zahlreichen, günstig gelegenen Plätzen der Stadt einen anderen zu wählen . . . Zuerst aber versöhnte er mit Eurer aller Zustimmung den Vater durch Gebete und Bitten, nahm den, der allein von den Toten erwecken kann, zum Mitstreiter und Mitarbeiter, richtete die Gefallene (Kirche) auf, nachdem er sie von Unrat gereinigt und geheilt, und legte ihr als Gewand nicht das alte Kleid von ehedem an, sondern jenes, das er aus

tives dédiées aux Lieux saints et aux martyrs dont certaines pouvaient rivaliser par leurs dimensions et leur splendeur avec les temples antiques. Ce développement s'était déjà amorcé au cours du troisième siècle. Contrairement à l'opinion des théologiens et apologistes de l'époque, nombreux étaient ceux qui voyaient dans les salles de réunion une sorte de maison de Dieu. L'Eglise persécutée étant devenue l'Eglise triomphante, l'édifice devenait soudain lui-même un lieu saint, indépendamment du mystère qu'il abritait. Le sens de l'église comme édifice est exprimé par le sermon élogieux que l'évêque Eusèbe de Césarée, le premier historien de l'Eglise et biographe de Constantin a prononcé lors de la consécration de la basilique de Tyr, qui a eu lieu à peu près à la même époque que la construction de la basilique du Latran à Rome. Paulin, l'évêque de Tyr, le plus important centre commercial phénicien, l'avait édifiée sur les ruines d'une ancienne église qui avait été détruite durant la persécution de Dioclétien; selon Eusèbe, Paulin avait «créé ce temple glorieux du Dieu suprême à l'image du très grand temple, ce temple visible à l'image de l'invisible...» Eusèbe poursuit: «Il faut rappeler en premier lieu qu'il refusa d'abandonner ce site que les plans rusés de l'ennemi avaient jonché d'immondices de toutes sortes et qu'il refusa de s'incliner devant la méchanceté de leur auteur bien qu'il ait eu la possibilité d'en choisir un autre parmi les nombreux emplacements bien situés de la ville... Mais tout d'abord, avec votre accord à tous, il apaisa le Père par des prières et des suppliques, prit comme allié et collaborateur celui qui seul peut ressusciter d'entre les morts, éleva à nouveau celle (l'église) qui s'était écroulée, après l'avoir nettoyée des immondices et ne la revêtit pas de ses anciens habits mais de nouveaux car il connaissait la divine prophétie: 'Et l'ultime gloire de cette maison sera plus grande que la première'.»

of the third century. In contrast to the views held by contemporary theologians and apologists, many people looked upon the assembly rooms as a kind of House of God. Once the persecuted Church had won the day, the building itself suddenly acquired a sacred quality, almost independent of the Mystery that it housed. The significance of the church as a building is made clear in that eulogistic sermon given by Bishop Eusebius of Caesarea, the first historian of the Church and Constantine's biographer, at the consecration of the Basilica at Tyros, which took place at about the same time as the Lateran Basilica was being built in Rome. Paulinus, the Bishop of Tyros, the most important Phoenician trading centre, had built it above the ruins of an old church which had been destroyed during the Diocletianic persecution; according to Eusebius' words, Paulinus had "created this glorious Temple of the highest God in the likeness of the greater Temple, the visible in the likeness of the invisible..." Eusebius continues: "It must first be mentioned that he refused to give up this site, which through the cunning plans of the enemy, had been covered with mire of all kinds, and refused to bow to the evil of those that did it although he had the opportunity to choose another from among the countless favourably placed sites of the town... But first, with the agreement of you all, he propitiated the Father with prayers and pleas, took, as ally and collaborator, the one who alone can resurrect, raised the fallen (church) once again, after cleansing it of mire, and clothed it not in its former garment, but in one he knew from the divine prophecy, which saith: "And the last glory of this house shall be greater than the first."

der göttlichen Prophezeiung kannte, die da deutlich spricht: ›Und die letzte Herrlichkeit dieses Hauses wird größer sein als die erste.‹«

## Die Kirche als Gleichnis für die Gemeinde

Die letzte Herrlichkeit des Gotteshauses als Spiegel himmlischer Herrlichkeiten! Nachdem Eusebius ausführlich das Lob der gesamten Anlage gesungen hat, kommt er zur Basilika: »Ich halte es indessen für überflüssig, . . . zu schildern die strahlende Schönheit, die aller Worte spottende Größe, den blendenden Anblick der Arbeiten, die zum Himmel strebende Höhe und, darüber lagernd, die Zedern des Libanon, die er gepflanzt.« Besonders aufschlußreich ist der in Allegorien schwelgende Schluß der Predigt: »Er (Paulinus) baute in der Tat in Gerechtigkeit und teilte das ganze Volk nach Gebühr gemäß den Kräften, die den einzelnen eigen sind. Die einen umgab er mit der äußeren Umfassungsmauer, und dieser allein, das heißt, er wappnete sie mit dem unfehlbaren Glauben – das war die übergroße Menge des Volkes, unfähig noch, einen stärkeren Bau zu tragen. Anderen wies er die Eingänge zum Hause zu mit dem Auftrag, an den Toren zu stehen und die Eintretenden an ihre Plätze zu führen. Diese könnte man passend als Torwege zum Tempel bezeichnen. Andere stützte er mit den ersten, äußeren Säulen, die im Geviert den Hof umstehen, indem er ihnen das erste Verständnis der vier Evangelisten beibrachte. Wieder andere sollten ihren Platz bereits zu beiden Seiten der Basilika haben. Es sind die Katechumenen (die ungetauften Christen), noch im Zustand des Wachsens und Fortschritts befindlich, gleichwohl aber nicht mehr weit entfernt vom Schauen der innersten Geheimnisse, das den Gläubigen vergönnt ist. Aus diesen nimmt er sodann

## L'église comme symbole de la communauté

L'ultime gloire de l'église comme miroir des gloires célestes! Après avoir chanté les louanges de l'ensemble, Eusèbe parle de la basilique elle-même: «Il est presque superflu... de décrire sa radieuse beauté, l'immensité qui défie toute description, la splendeur des travaux, la hauteur qui s'élance vers le ciel et supplantant le tout les cèdres qu'il a plantés.» La fin du sermon rempli d'allégories est particulièrement révélatrice: «Il (Paulin) a construit dans l'esprit de justice et a divisé le peuple d'une manière appropriée et selon les forces propres à chacun. Il a entouré un groupe d'un mur d'enceinte, il l'a armé d'une foi infaillible – c'était la grande majorité du peuple encore incapable de supporter un édifice plus important. Il a dirigé les autres vers les entrées de la maison avec pour mission d'en garder les portes et de guider les arrivants à leur place. C'est ce que l'on pourrait appeler les portails du temple. Il a soutenu les autres avec les premières colonnes extérieures qui entourent les quatre côtés de la cour en les dotant de la première intelligence des quatre évangélistes. D'autres devaient avoir leur place des deux côtés de la basilique. Ce sont les catéchumènes (les chrétiens qui ne sont pas encore baptisés) encore au stade de la croissance et du progrès mais cependant plus très loin d'apercevoir les secrets les plus profonds qui sont accordés aux croyants. Parmi ceux-ci, il a alors pris les âmes pures qui, comme l'or, ont été affinées par le bain divin (le baptême) et en a soutenu certaines avec les colonnes qui sont beaucoup plus fortes que celles de l'extérieur (dans la cour), c'est-à-dire avec les enseignements les plus secrets de l'Ecriture, éclairant les autres par le moyen des ouvertures prévues pour la lumière. Il a orné tout le temple d'un portail majestueux, à la gloire du Dieu unique

## The church as a symbol of the community

The last glory of the church as a mirror of heavenly glories! After Eusebius has sung the praises of the whole premises in full, he speaks of the Basilica itself: "It would be quite superfluous... to describe the radiant beauty, the immensity, which defies all description, the brilliance of the workmanship, the height, striving heavenwards, and, rising above it all, the cedars of Lebanon, which he has planted." The end of the sermon, full of allegories, is particularly revealing: "He (Paulinus) built in the spirit of justice, and divided the whole people in a seemly manner in accordance with the strengths natural to each. He enclosed the one group in the outer, surrounding wall, that is, he armed them with infallible faith - this was the majority of the people, as yet incapable of supporting a larger structure. He directed others to the entrances to the house with instructions to stand at the gates and guide those entering to their places. These could aptly be called gateways to the temple. He supported others with the first, exterior pillars which stand round the four sides of the courtyard, by endowing them with their first understanding of the four Evangelists. Others again were already given places on either side of the Basilica. They are the catechumens (the as yet unbaptised Christians), still in the process of growth and progress, but nonetheless not far from seeing the innermost secrets granted to believers. From among these he then takes the pure souls who, like gold, have been refined by the divine bath (baptism), and supports some of these with the pillars, which are much stronger than those outside (in the courtyard), that is, with the innermost secret teachings of the Scriptures, illumining the others by means of the openings intended for light. He decorates the whole temple with a mighty portal, in

die reinen Seelen, die durch das göttliche Bad (der Taufe) gleich Gold geläutert wurden, und stützt die einen mit den Säulen, die viel stärker sind als die ganz äußeren (des Hofes), nämlich mit den innersten geheimnisvollen Lehren der Schrift, und erleuchtet die anderen aus den für das Licht bestimmten Öffnungen. Den ganzen Tempel schmückte er mit einem mächtigen Torbau, dem Preise des einen und einzigen Gottes und obersten Königs, wobei er zu beiden Seiten der unumschränkten Macht des Vaters Christus und den Heiligen Geist als die zwei Strahlen des Lichts setzte. Und letztlich zeigte er durch das ganze Haus hin reichlich und ganz vortrefflich den Glanz und die Helle der Wahrheit, die in jedem ist, überall und von allen Seiten her die lebendigen und starken und festen Steine der Seelen einfügend. So erstellt er aus allem das große und königliche Haus, strahlend und des Lichts voll innen und außen. Denn nicht nur Seele und Geist, auch der Leib war geschmückt mit der blütenreichen Zier der Keuschheit und Sittsamkeit . . . Das ist der große Tempel, welchen der große Schöpfer des Weltalls, das Wort über den ganzen Erdkreis unter der Sonne errichtet und worin er hienieden zugleich ein geistiges Abbild dessen geschaffen, was jenseits des Himmelsgewölbes ist, damit sein Vater durch die ganze Schöpfung und alle vernünftigen Wesen verehrt und angebetet werde.«

Welch großartige Predigt, in der Diesseits und Jenseits in geheimnisvoll leuchtenden Farben miteinander verwoben sind. Erstmals werden in ihr überkommene zweckbestimmte Architekturelemente wie Fenster, Tür oder Mauer zu Symbolen umfunktioniert, die Kirche selbst wird zum Gleichnis. Hier bahnt sich an, was Jahrhunderte später den Kathedralen des Mittelalters jene mystische Aura verleiht, in der aus Pfeilern heilige Gestalten werden, aus Portalen Himmelspforten, aus Türmen der Zeigefinger Gottes.

et Roi suprême, et de chaque côté de la puissance infinie du Père, il a placé le Christ et le Saint-Esprit comme deux rayons de lumière. Et enfin, à travers tout l'édifice, il a abondamment et admirablement démontré la splendeur et l'éclat de la vérité qui est en chacun en insérant de tous côtés les pierres vivantes et fortes et fermes des âmes. Il a ainsi utilisé toutes ces choses pour construire cette grande et royale maison, rayonnante et inondée de lumière intérieurement et extérieurement. Car non seulement l'âme mais également le corps était embelli par la beauté en fleur de la chasteté et de la modestie...C'est le temple majestueux que le grand Créateur de l'univers, le Verbe au-dessus de la terre a construit sous le soleil et dans lequel il a en même temps créé ici-bas une image spirituelle de ce qui est au-delà de la voûte céleste, afin que Son Père soit honoré et admiré à travers toute la création par tous les êtres doués de raison.

Quel merveilleux sermon dans lequel l'ici-bas et l'au-delà sont entrelacés dans des couleurs aux reflets mystérieux. Pour la première fois, des éléments d'architecture traditionnels, fonctionnels comme les fenêtres, les portes ou les murs sont dotés d'une signification symbolique et l'église elle-même devient un symbole. C'est le commencement de ce quelque chose qui, des siècles plus tard, va donner aux cathédrales médievales cette aura mystérieuse qui transforme les piliers en figures sacrées, les portails en portes du ciel et les tours en index de Dieu.

## Les premiers moines

Le désir de se retirer de l'agitation du monde, de renoncer aux joies terrestres pour se consacrer à une méditation sans fin sur Dieu était déjà fréquent chez les juifs de l'Ancien Testament et aussi vif que plus tard dans de nombreuses autres religions non-chrétien-

praise of the one and only God and supreme King, and, on either side of the infinite power of the Father, he places Christ and the Holy Ghost as the two beams of Light. And, finally, throughout the whole House he abundantly and admirably demonstrates the splendour and the brightness of the truth that is in everybody by inserting from all sides the living, strong, and steadfast stones of the souls. Thus he makes use of all of these things to build this great and royal House, radiant, and flooded with light inside and outside. For not only the soul, but also the body was embellished by the flowering beauty of chastity and modesty... That is the mighty temple which the great Creator of the Universe, the Word presiding over the whole of the earth, has build beneath the sun, and in which He has at the same time created here below a spiritual likeness of that which lies beyond the vault of the heavens, so that His Father may be honoured and adored throughout the whole of creation by all reasoning beings."

What a magnificent sermon, in which the Here and the Beyond are interwoven in mysteriously shimmering colours! In it, for the first time, traditional, functional architectural elements like windows, doors, or walls are given a symbolic meaning, and the church itself becomes a symbol. This is the beginning of something which, centuries later, was to lend the medieval cathedrals that mystical aura which turned pillars into sacred figures, portals into the gates of Heaven, and church towers into God's forefinger.

## The first monks

The desire to withdraw from the bustle of life, to renounce the joys of the world, in order to devote oneself entirely to meditation on the nature of God, was just as common among the Jews of the Old Testament as it was

# Die ersten Mönche

Das Verlangen, sich aus dem Getriebe der Welt zurückzuziehen, irdischen Freuden zu entsagen, um sich unbegrenzter Meditation über Gott hinzugeben, war bei den Juden des Alten Testaments schon ebenso lebendig wie später in vielen anderen nichtchristlichen Religionen, insbesondere im Buddhismus, Brahmanismus, Lamaismus und im Islam. Die Anfänge des christlichen Mönchtums führen in die Wüsten Ägyptens. Apostel Paulus hatte in seinen Schriften gefordert, »daß jeder Christ ein Krieger sein muß und furchtbare, wenn auch sicher siegreiche Kämpfe zu bestehen hat. Kämpfe gegen Fleisch und Blut, aber das sind die geringeren oder vielmehr sie verschwinden gegenüber den Kämpfen mit den Dämonen.« Nachdem im Laufe des zweiten Jahrhunderts die Sittenstrenge der Urchristen mehr und mehr erlahmte, der ursprüngliche Enthusiasmus verflog, erachteten es die Asketen für ihre höchste Aufgabe, diesen Soldatendienst stellvertretend auch für die Masse der Schwachen abzuleisten. Es war damals eine ambivalente Sittlichkeit entstanden: eine lockere für die Weltchristen, eine anspruchsvollere für die »Vollkommenen«, eben die Asketen. Zur Askese gehörte ein ganzer Katalog von Entsagungen und Selbstpeinigungen wie Fasten, geringe Kleidung, schlichte Behausung, hartes Lager, Vermeiden der Berührung mit dem anderen Geschlecht, Verzicht auf Besitz, Schweigen, häufiges Gebet, wenig Schlaf, freudiges Ertragen von Demütigungen. Zwar fanden die Asketen regen Zulauf, doch mit der Zeit wurde es für sie immer mühsamer, inmitten der zunehmend verweltlichten Gemeinden ihren entbehrungsreichen Exerzitien nachzukommen. So verließen sie die Siedlungen und suchten zunächst in deren Nähe, später in völliger Einsamkeit ihr Heil oder Unheil. Auf den Spuren der großen Leitfiguren der Heilsgeschichte wie Abraham, Moses,

nes, en particulier dans le bouddhisme, le brahmanisme, le lamaïsme et dans l'islam. Les débuts du monachisme nous conduisent dans les déserts de l'Egypte. Dans ses écrits, l'apôtre Paul avait demandé «que tout chrétien soit un combattant et prêt à mener des batailles effroyables même si elles sont victorieuses. Des batailles contre la chair et le sang qui sont les moindres ou plutôt ne sont rien comparées aux batailles contre les démons». L'austérité des mœurs des premiers chrétiens ayant de plus de plus diminué au cours du deuxième siècle, l'enthousiasme initial s'étant évanoui, les ascètes en vinrent à considérer qu'il était de leur devoir suprême de mener cette lutte pour le salut des masses plus faibles. La morale était devenue ambivalente: une plus souple pour les chrétiens laïques, une plus exigeante pour les chrétiens «accomplis», pour les ascètes. L'ascétisme impliquait tout un catalogue d'actes de renoncement et de mortifications comme le jeûne, des vêtements et un logement modestes, un lit dur, l'absence de contacts avec l'autre sexe, la renonciation à la propriété, le silence, la prière fréquente, peu de sommeil, l'acceptation dans la joie des humiliations. L'ascétisme fit de nombreux adeptes mais avec le temps il devint de plus difficile pour les ascètes de pratiquer leurs exercices de privation au milieu de communautés de plus en plus attachées au monde. Aussi les abandonnèrent-ils pour chercher tout d'abord dans leur voisinage, par la suite dans l'isolement total leur salut ou leur malheur. Marchant sur les traces des grandes figures de l'histoire sainte comme Abraham, Moïse, Jean-Baptiste et Jésus-Christ lui-même, ils se retirèrent dans le désert, l'endroit où l'amour porté par Dieu à son peuple s'était manifesté pour la première fois. C'est ainsi qu'Eucher de Lyon, mort vers 450, écrit dans son «Eloge des ermites»: «Le désert est le temple infini de Dieu; car Dieu vit dans le silence et se réjouit d'une vie cachée. Le paradis du pre-

later to be in many other non-Christian religions, especially in Buddhism, Brahmanism, Lamaism, and Islam. The beginnings of Christian monasticism take us to the Egyptian desert. In his writings, the Apostle Paul demanded that every Christian should be a warrior, and should be prepared to fight terrible, though certainly victorious, battles; battles against flesh and blood, which are the lesser, or rather are as nothing, compared with the battles with the demons. As the extreme piety of the early Christians gradually ebbed in the course of the second century, as the original enthusiasm diminished, the ascetics came to consider it their foremost duty to take over this fighting task for the sake of the weaker masses. Morals had become ambivalent: a lower standard for the worldly Christians, a higher for those aiming at perfection, for the ascetics. Asceticism involved a whole catalogue of renunciations and mortifications, such as fasting, simple clothing and housing, a hard bed, no contact with the other sex, renunciation of property, silence, frequent prayer, little sleep, the joyful acceptance of humiliation. Asceticism attracted many followers, but in the course of time it became more and more difficult to practise austerities in the middle of increasingly worldly communities. Thus they left the settlements to seek their salvation or downfall, at first nearby, later in complete isolation. In the steps of the great exemplars such as Abraham, Moses, St. John the Baptist, and Christ Himself, they went out into the desert, the place where God's love for his people was first manifested. Thus Eucherius of Lyon, who died about 450, wrote in his "In Praise of Hermits": "The desert is God's infinite temple; for God resides in peaceful places, and is gladdened by the solitary life. Paradise was almost too beautiful for the first human being, and contributed towards his fall; that is why the Lord has now assigned us the desert: who loves it, loves life. Death

Johannes des Täufers und Christus selbst zogen sie in die Wüste, die Stätte der ersten Liebe Gottes mit seinem Volk. So schrieb Eucherius von Lyon, gestorben um 450, in seinem »Lob des Eremiten«: »Die Wüste ist der unendliche Tempel Gottes; denn Gott wohnt in der Stille und freut sich am verborgenen Leben. Zu schön beinahe war das Paradies dem ersten Menschen, es trug zu seinem Falle bei; darum hat uns der Herr jetzt die Wüste angewiesen, wer sie liebt, der liebt das Leben. In anmutigen Gegenden geht man leicht dem Tode entgegen. Das haben bis auf Christus hin alle Heiligen der alten Welt wohl erkannt und darum die Einsamkeit für sich auserkoren, um in ihr dem Himmel näher zu sein.«

## Den Dämonen ausgesetzt

Aber die Wüste ist janusköpfig, sie bedeutet zugleich Bedrohung, ist Kampfplatz für das Ringen mit den Dämonen, Domizil des Teufels: ein Ort der Gottesnähe und verfluchte Erde in einem. Andere Gottsucher führte die Weltflucht in verborgene Gebirgsschluchten, auf unzugängliche Felsen und halsbrecherische Klippen, wohl gar auf das Kapitell einer Römersäule oder in finstere Verliese, in denen sie sich einmauern ließen.
Mit ihrem Auszug aus den Gemeinden haben die Eremiten (Wüstenbewohner) oder Anachoreten (Zurückgezogene) das christliche Mönchtum vorbereitet. Es waren namentlich Antonius und Pachomius, die die Entstehung der beiden Hauptformen christlichen mönchischen Lebens in Ägypten eingeleitet, im Falle des Pachomius darf man getrost sagen: organisiert haben. Der heilige Antonius (etwa 251–356) war ein Kopte aus Mittelägypten, Sohn wohlhabender Bauern. Als Zwanzigjähriger hörte er in einer unterägyptischen Kirche aus dem Munde eines Priesters folgende Bibelstelle: »Wenn du vollkommen

mier homme était presque trop beau, il a contribué à sa chute; c'est pourquoi le Seigneur nous a maintenant assigné le désert. Qui l'aime, aime la vie. Dans des contrées riantes, on affronte plus facilement la mort. Tous les saints des premiers temps jusqu'au Christ l'ont bien compris et c'est pourquoi ils ont choisi pour eux la solitude afin d'y être plus près du ciel.»

## Exposés aux démons

Mais le désert est à l'image de Janus, il représente à la fois une menace, il est le terrain de lutte contre les démons, le domicile du diable: un lieu proche de Dieu et une terre maudite en même temps. D'autres chrétiens en quête de Dieu cherchèrent à fuir le monde dans des ravins montagneux, au milieu de rochers inaccessibles et d'écueils périlleux et même au sommet d'une colonne romaine dans le cas des stylistes ou dans de sombres oubliettes dans lesquelles ils s'étaient emmurés.
En abandonnant les communautés, les ermites (ceux qui vivent dans le désert) ou les anachorètes (ceux qui se retirent) ont préparé le monachisme chrétien. Ce sont spécialement Antoine et Pacôme qui ont amorcé le développement des deux principales formes de la vie monastique chrétienne en Egypte – dans le cas de Pacôme on pourrait même dire 'organisé'. Saint Antoine (v. 251 – 356) était un copte de Moyenne-Egypte, fils de paysans aisés. Alors qu'il avait vingt ans, il entendit dans une église de Basse-Egypte un prêtre qui lisait un passage de la Bible et exhortait les fidèles à vendre leurs biens, à tout donner aux pauvres et à suivre le Seigneur. Il renonça alors à tout ce qu'il possédait et mena la vie d'un ermite, tout d'abord dans un ermitage en bordure d'un village, par la suite, dans une caverne, pendant de longues années, dans le désert libyque.

is easy to approach in charming surroundings. All the early saints, even unto Christ Himself, surely understood this, and therefore chose solitariness for themselves that in it they might be closer to Heaven."

## Exposed to the demons

But the desert is Janus-faced, for it also means a challenge and threat, is a battleground for the fight with the demons, the home of evil, is close to both God and the devil. Other seekers after God found their way to remote mountain gorges, to scarcely assessible rocks and cliffs, or, as in the case of the stylites, to the top of a Roman pillar, or to gloomy dungeons where they had themselves walled in.
When they moved out of the communities, the hermits (desert dwellers) or anchorites (solitaries) prepared the way for Christian monasticism. It was Antony and Pachomius who initiated the development of the two main forms of Christian monasticism in Egypt – in Pachomius' case, it could even be said that he 'organized' it. St. Antony (about 251 - 356) was a Copt from central Egypt, the son of a prosperous farmer. As a twenty-year-old, he heard a priest reading the following passage from the bible in a church in Lower Egypt: "If thou wilt be perfect, go and sell that thou hast, and give to the poor ... and come and follow me." He thereupon gave all his worldly goods away, and lived the life of a hermit, retiring at first to a hermitage at the edge of the village, and later on for many years to a cave in the Libyan desert. At the end of his life he lived on a lonely mountain on the other side of the Nile. In later centuries he became a favourite subject for great painters such as Hieronymous Bosch, Matthias Grünewald, and many others: the temptations to which he was subject in his loneliness lent daemonic power to their imaginations. Antony's friend, the famous Father of the

sein willst, so gehe hin, verkaufe alles, was du hast, und gib es den Armen, dann komm und folge mir nach.« Alsbald verschenkte er seine Habe und führte das Leben eines Eremiten, zunächst in einer Einsiedelei am Dorfrand, später für lange Jahre in einem Felsengrab in der libyschen Wüste. Zuletzt lebte er auf einem einsamen Berg jenseits des Nils. In späteren Jahrhunderten wurde er das Lieblingsmodell großer Maler wie Hieronymus Bosch, Matthias Grünewald und vieler anderer: Die Versuchungen, denen er in seiner Einsiedelei ausgesetzt war, gaben ihrer Phantasie dämonische Sporen. Antonius' Freund, der berühmte Kirchenvater Athanasius von Alexandria, hat um 370 seine Biographie geschrieben: ein Buch, das wesentlich zur Ausbreitung des christlichen Mönchtums beitragen sollte. Athanasius war ein großer Widersacher des Arianismus, der Lehre von der Gottähnlichkeit Jesu. Mehrmals hat er Antonius gebeten, ihn im Kampf gegen die Arianer zu unterstützen. In seinen letzten Lebensjahren galt Antonius, der mit Konstantin dem Großen und dessen Söhnen in Briefwechsel stand, als hochangesehener Lehrmeister. Scharen von Jüngern wurde sein heiligmäßiges Leben zum Vorbild. Gegen Ende des fünften Jahrhunderts sollen beim Berge Nitria fast fünftausend Nachfolger gelebt haben.

A la fin de sa vie, il vécut sur une montagne isolée de l'autre côté du Nil. Au cours des siècles suivants, il fut le modèle préféré de grands peintres comme Jérôme Bosch, Matthias Grünewald et bien d'autres: les tentations auxquelles il fut soumis dans sa solitude donnèrent à leur imagination un pouvoir diabolique. L'ami d'Antoine, le célèbre Père de l'Eglise, Athanase d'Alexandrie a écrit sa biographie vers 370: un livre qui doit avoir grandement contribué à la propagation du monachisme chrétien. Athanase était un grand adversaire de l'arianisme, la théorie qui niait la consubstantialité du Fils avec le Père. A plusieurs reprises, il a demandé à Antoine de le soutenir dans sa lutte contre les ariens. Dans les dernières années de sa vie, Antoine qui correspondait avec Constantin le Grand et ses fils fut un maître très respecté. Et sa vie sainte lui valut de nombreux disciples. Vers la fin du Ve siècle, près de cinq mille successeurs d'Antoine auraient vécu dans le désert de Nitrie.

Church, Athanasius of Alexandria, wrote his biography in about 370: a book which was to make a major contribution to the spread of Christian monasticism. Athanasius was a great opponent of Arianism, a theory that denied the true divinity, the consubstantiality, of Christ. He several times called upon Antony to help him in his fight against the Arians. In the last years of his life, Antony, who corresponded with Constantine the Great and his son, was a highly regarded teacher. His holy life attracted many disciples. Towards the end of the fifth century nearly five thousand are said to have lived near Mount Nitria, inspired by his example.

◀ **Pfarrkirche in Haunsheim,** Bayerisch-Schwaben. Diese 1608/09 unter Johann Alberthal aus Dillingen entstandene Dorfkirche ist eine Seltenheit. Sie gehört zu den wenigen in Deutschland gebauten und erhaltenen Renaissancekirchen, außen klassisch gegliedert durch toskanische Pilaster und Triglyphenfries, innen ein Saalraum, dessen Gewölbe von flachen Wandpfeilern aufgefangen wird. Im 13. Jahrhundert gehörte der Ort Haunsheim mit seiner Burg zum Amtslehen der Grafen des Brenzgaues, nach mehreren Besitzern kommt es 1600 an die Geizkofler von Gailenbach, in deren Zeit der Neubau der Pfarrkirche und des Schlosses fällt.

◀ **Eglise paroissiale à Haunsheim,** Souabe bavaroise. L'une des rares églises de style Renaissance construites et conservées en Allemagne, cette église de village (1608/09) est une rareté. L'extérieur est d'une facture classique avec des pilastres toscans et des frises à triglyphe, l'intérieur est voûté avec des pilastres.

◀ **Haunsheim Parish Church,** Bavarian Swabia. As one of the few Renaissance churches built and surviving in Germany, the parish church of 1608/09 is a rarity. The exterior is of Clasical design, with Tuscan pilasters and triglyphed frieze, the interior is vaulted and pilastered.

▶ **Wallfahrtskirche Maria Birnbaum bei Aichach,** Oberbayern. Hochaltar im Osten oder beim hohlen Birnbaum im Westen der Kirche? Zunächst behauptete der Birnbaum entgegen der Planung seinen Platz, was dazu führte, daß das Fassadenfenster zugemauert und eine Sakristei angebaut wurde. Er war ja auch der eigentliche Grund für den Bau der Kirche, denn in ihm wurde ein bereits um 1600 im Freien stehendes, 1632 von schwedischen Soldaten verstümmeltes und in einen Teich oder Graben geworfenes Vesperbild wieder aufgestellt. Nach der ersten Wunderheilung läßt der Grundherr Philipp Jakob von Kaltental von 1661 bis 1668 für die schnell anwachsende Zahl von Wallfahrern diese originelle Kirche bauen. Der Baumeister Konstantin Bader macht mit ihr den Anfang einer ganzen Reihe von Zentralbauten in Süddeutschland zur Zeit des Barock und Rokoko. Jede Ausbuchtung der Rotunde hat ihr eigenes Dach mit Dachreiter. Das erweckt zusammen mit den Ochsenaugen und den oben und unten abgerundeten Fenstern den Eindruck einer schwingenden Bewegung. Die äußerst feinen Stukkaturen im Innern stammen von Mathias Schmuzer d.J. 1867 kommt der Hochaltar dann an seinen richtigen Platz im Osten der Kirche, der Birnbaum wird dahinter aufgestellt.

▶ **Eglise de pélerinage de Maria Birnbaum, près d'Aichach,** Haute-Bavière. Philippe Jacob de Kaltental fit construire cette église de 1661 à 1668 pour les pélerins qui venaient vénérer une pietà dans un poirier creux. Constantin Bader conçut cet édifice original à plan central dans lequel chaque section a son toit avec un lanterneau.

▶ **The Pilgrimage Church of Maria Birnbaum, near Aichach,** Upper Bavaria. Philipp Jakob von Kaltental had this church built between 1661 and 1668 to cater for pilgrims to a pietà discovered in a hollow pear tree. Konstantin Bader designed this unusual centrally organized building in which every section of the building has its own roof with ornamental finish.

◀ **Kloster Mödingen,** Bayerisch-Schwaben. Graf Hartmann IV. von Dillingen baut die bereits vor 1239 bestehende klösterliche Niederlassung 1246 als Dominikane-
rinnenkloster aus. Von ihm geht die Vogtei über das Kloster an das Hochstift Augsburg, 1309 kommt es unter
kaiserlichen Schutz. Zu dieser Zeit tritt Margarethe Ebner
in das Kloster ein. Bis zu ihrem Tod 1351 hat sie hier
ihre Offenbarungen und steht auch mit anderen Mystikern
ihrer Zeit, mit Heinrich Suso, Johannes Tauler, Heinrich
von Nördlingen, in Verbindung. Ein geschnitztes Christuskind, das sie besonders verehrt haben soll, und eine
nach ihrem Tod angefertigte Grabplatte haben in der
1753 bis 1755 erbauten Ebnerkapelle einen würdigen
Platz gefunden.
Nicht nur die Besitzer des Klosters wechseln häufig. 1543
wird es aufgelöst, weil auch deren Glaubensbekenntnis
wechselte. 1616 von Augsburg aus wieder neu besiedelt,
richteten nach der Säkularisierung Dillinger Franziskane-
rinnen eine Mädchenerziehungsanstalt ein.
Kirche und Klosterbauten entstanden 1716 bis 1725. Die
Kirche, das Erstlingswerk Dominikus Zimmermanns, ist
einschiffig und schlicht, aber mit feinem Dekor: Stuck-
marmorpilaster, Fresken in hellen Farben von Zimmermanns Bruder Johann Baptist. Im Westen eine tiefe Nonnenempore und darüber der Musikchor. Erwähnenswert
ein Sandsteinrelief (um 1300) und eine spätgotische Muttergottes (um 1470-1480).

◀ **Couvent de Mödingen,** Souabe bavaroise. La mystique
Margarethe Ebner y a vécu au XIVe siècle. Une statue
de Jésus qu'elle aurait particulièrement vénérée et une
pierre tombale réalisée après sa mort ont trouvé une
digne place dans la chapelle construite de 1753 à 1755.
L'église, le premier édifice construit par Dominikus Zimmermann, et les bâtiments conventuels ont été rénovés
de 1716 à 1725.

◀ **Mödingen Convent,** Bavarian Swabia. The mystic Margarethe Ebner lived here in the 14th century. A carved
figure of Christ, which she is said to have especially re-
vered, and a gravestone made after her death have found
a worthy place in the Ebner Chapel, which was built between 1753 and 1755. The church and the convent were
reconstructed between 1716 and 1725, the church being
Dominkus Zimmermann's first building.

◀ **Benediktinerkloster Weltenburg** an der Donau, Niederbayern. Wer sehen will, wie der heilige Georg gerade
auf seinem Pferd aus dem Licht dahergeritten kommt,
um mit seinem Flammenschwert die Prinzessin vor dem
Drachen zu erretten, unterstützt von der zischenden Gans
des heiligen Martin, der sollte sich, gleich der Donau
durch den Jura, einen Weg nach Weltenburg bahnen.
Dieses Schauspiel hat die Familie Asam in den Jahren
1716 bis 1745 inszeniert: Cosmas Damian Asam (Planung,
Fresko in der Hauptkuppel), Bruder Egid Quirin Asam
(plastischer Schmuck), Sohn Franz Asam (Fertigstellung
verschiedener angefangener Fresken) und Schwester
Maria Salome Bornschlögl (Faßmalerarbeiten am Hochaltar). Das Altarblatt ist ausgespart, so daß das Licht von
den nicht sichtbaren Chorfenstern auf die plastische
Figurengruppe mit dem Drachenkampf fallen und den
verblüffenden Lichteffekt bewirken kann. Auch die Hauptkuppel ist indirekt beleuchtet. Obwohl sie auf halber
Höhe abgesetzt ist und eine flache Decke hat, erweckt
das Fresko die Illusion einer vollständigen Kuppel mit
Laterne. Am Übergang von der realen Kuppel zum Gemälde, geschickt überspielt durch Wolken und Figuren,
tragen Engel einen Kronreif, der frei zu schweben scheint.
Zwischen Reif und Kuppel eine Figur Cosmas Damian
Asams, der sich offensichtlich immer noch über sein
gelungenes Schauspiel freut. So kam das Benediktinerkloster Weltenburg durch diese Kirche doch noch zu
Ruhm, nachdem es in den vorangegangenen Jahrhunderten keine besondere Rolle gespielt hatte. Im 7. Jahrhundert sollen sich Kolumbanermönche hier niedergelassen
haben. Herzog Tassilo III. erhob die Zelle 760 zur Benediktinerabtei. Mehrmals zerstört, entstanden Kirche und
Kloster in ihrer heutigen Form unter Abt Maurus Bächl.
Nach kurzer Unterbrechung durch die Säkularisierung
ist das Kloster seit 1842 wieder in den Händen der Benediktiner.

◀ **Abbaye bénédictine de Weltenburg** sur le Danube,
Basse-Bavière. L'abbaye est surtout célèbre par son
église construite de 1716 à 1745 par la famille Asam qui
n'a pas seulement créé le dôme principal éclairé indirec-
tement et qui donne l'impression d'être suspendu mais
a également conçu l'effet théâtral étonnant de l'autel
principal où un Saint-Georges, une statue équestre frap-
pante de réalisme, semble se diriger vers le sanctuaire.
La scène est éclairée au moyen d'ouvertures pratiquées
dans l'autel à partir des fenêtres du choeur qui ne sont
pas visibles.

◀ **Benedictine Monastery at Weltenburg** on the Danube,
Lower Bavaria. The monastery is famous mainly for its
church, built between 1716 and 1745 by the Asam family.
They did not only create the indirectly illuminated main
dome, with an illusion of free suspension, but also the
astonishing, theatrical effect on the high altar, where
St. George, sculptured in the round, appears to come
riding straight out into the sanctuary. The scene is illuminated through gaps in the altar by chancel windows,
which are out of sight.

▶ **Wallfahrtskirche in Freystadt,** Oberpfalz. Schon in ihrem äußeren Erscheinungsbild zieht die mächtige Kuppel scheinbar die ganze Kirche an sich. Auch im Inneren ordnet sich der kreuzförmige Bau mit Eingangshalle, Altarraum und Seitenarmen ganz der Mitte unter. Kräftige Halbsäulen fassen sie und die Nischen in den Diagonalen zu einem Kranz von überwölbten Anräumen zusammen. Diese Verbindung des oberitalienischen Zentralbaugedankens mit dem deutschen Wandsystem machen die Kirche kunstgeschichtlich bedeutsam. Sie ist ein Werk des kurfürstlichen Hofbaumeisters Giovanni Antonio Viscardi aus München, den die Grafen von Tilly 1700 mit dem Neubau an Stelle der zu klein gewordenen Marienkapelle beauftragten. Francesco Appiani überzog die Wände mit Stuck, Hans Georg Asam schuf mit seinen Söhnen Cosmas Damian und Egid Quirin die Fresken. Bei der Restaurierung in den Jahren 1950 bis 1959 wurden sie unter Malereien des 19. Jahrhunderts wieder hervorgeholt. Von der übrigen Innenausstattung blieb nur die Kanzel von Appiani übrig. Der Hochaltar ist neu. Im Städtchen Freystadt, einer Gründung der Herren von Stein im 13. Jahrhundert, kann man noch spitzgiebelige Wohnhäuser, schöne Fassaden aus dem 18. Jahrhundert und Reste einer Stadtbefestigung mit zwei Toren sehen.

▶ **Eglise de pélerinage à Freystadt,** Haut-Palatinat. Les comtes de Tilly firent ériger en 1700 cette église à plan central près de Freystadt, une petite ville aux maisons à pignon et belles façades du XVIIIe siècle. Giovanni Antonio Viscardi en a été l'architecte et Hans Georg Asam et ses fils ont peint les fresques. La principale caractéristique architecturale de cette église au dôme imposant est constituée par la fusion entre le plan central de Haute-Italie et le système allemand de construction des murs.

▶ **Pilgrimage Church at Freystadt,** Upper Palatinate. The Counts of Tilly had this church built in 1700 just outside the little town of Freystadt, with its gabled houses and fine 18th century facades. The architect was Giovanni Antonio Viscardi, and Hans Georg Asam and his sons painted the frescoes. The main architectural interest of this church with its great dome is the combination of the North Italian centrally organized building style with German wall construction.

▶ **Ehemaliges Birgittenkloster Gnadenberg,** Oberpfalz. Ausgerechnet Schweden zerstörten 1635 im Dreißigjährigen Krieg das erste Kloster des schwedischen Birgittenordens in Deutschland, das Pfalzgraf Johann I. von Neumarkt 1426 gestiftet hatte. Seine Frau war lange in dem von der heiligen Birgitta gegründeten Kloster Wadstena in Schweden gewesen. Die ersten Mönche und Nonnen kamen 1430 und 1435 aus Mariaboo in Dänemark nach Gnadenberg. Mit dem Kirchenbau wurde 1451 begonnen, doch zog er sich bis 1518 hin. Zum größten Teil finanzierten Nürnberger Familien den Bau, von dort kamen auch die Künstler. Ein Bau der Nürnberger Schule, allerdings nach den Bauvorschriften der heiligen Birgitta: Chor nach Westen (hier Südwesten) und gerade geschlossen, Halle mit drei gleichhohen Schiffen, fünf Joche; Hochaltar, durch sechs Stufen erhöht, nahe dem Chorbogen; dahinter der Mönchschor; für die Prozession der Mönche ein durch Gitter vom übrigen Schiff abgetrennter Wandelgang; 13 bis 15 Altäre, Dachreiter; und Mönchs- und Nonnenkonvent beiderseits der Kirche. Stehengeblieben sind drei Umfassungsmauern mit der Portalwand und Reste des gewölbten Wandelganges. Im verbliebenen Refektoriumsflügel wurde die Pfarrkirche St. Birgitta eingerichtet.

▶ **Ancien couvent de l'ordre de Sainte-Brigitte à Gnadenberg,** Haut-Palatinat. C'est le premier couvent fondé sur le sol allemand par l'ordre suédois de Sainte-Brigitte (1426). La guerre de Trente Ans l'a détruit en grande partie et il ne reste plus aujourd'hui des bâtiments conventuels que l'aile du réfectoire et de l'église que les trois murs d'enceinte des parties du déambulatoire voûté. L'église fut construite de 1451 à 1518 selon les règles prescrites par sainte Brigitte avec entre autres un déambulatoire séparé de la nef pour les moines et de chaque côté de l'église les bâtiments pour les moines et les religieuses.

▶ **Former Brigittine Double Monastery at Gnadenberg,** Upper Palatinate. This was the first monastery founded in Germany by the Swedish Brigittine Order (1426). Much of it was destroyed in the Thirty Years' War. What remains is the refectory, and, of the church, three outside walls and parts of the vaulted ambulatory.
The church was built betwenn 1451 and 1518 according to the regulations laid down by St. Bridget, which prescribed, among other things, an ambulatory separate from the nave for the monks, and separate quarters for monks and nuns on either side of the church.

▶▶ **Kirche St. Stephan in Genhofen** bei Oberstaufen, Bayerisch-Schwaben. Die schlichte spätgotische Dorfkirche aus der Zeit um 1495 grüßt mit ihrem schlanken Türmchen weithin sichtbar in das hügelige Voralpenland. Ihr Inneres überrascht durch die vielfältige, in scheinbarer Regellosigkeit über die Wände gleichsam hingestreute Malerei in bäuerlich einfachen Ornamenten, wie sie früher im Alpenraum verbreitet war, heute aber kaum noch in dieser Reichhaltigkeit zu sehen ist. Zwischen Zinnen-, Flecht- und Dreieckbändern finden sich Kreuze und Hakenkreuze, Radsterne und Vögel, immer wieder die drei Kreuze von Golgatha und mehrfach das Wappen der Grafen von Montfort, eines schwäbischen, von der gleichnamigen Burg in Vorarlberg ausgehenden Adelsgeschlechts, das vom Bodensee bis ins Allgäu weitverstreute Besitzungen hatte. Diese Bauernornamentik aus der Zeit zwischen 1567 und 1605 faßt einen Hochaltar des Kemptener Malers Adam Schlanz von 1523 ein mit Schnitzfiguren, die wie auch die Seitenaltäre der Werkstatt des Ulmers Jörg Syrlin des Jüngeren nahestehen.

▶▶ **Eglise Saint-Etienne à Genhofen** près d'Oberstaufen, Souabe bavaroise. Cette simple église de village construite vers 1495 frappe par la richesse de son ornementation paysanne sur les murs. Le maître-autel (1523) du peintre de Kempten, Adam Schlanz, ainsi que les figures sculptées de l'école du sculpteur d'Ulm, Jörg Syrlin le Jeune, s'intègrent harmonieusement dans l'intérieur.

▶▶ **St. Steven's Church at Genhofen,** near Oberstaufen, Bavarian Swabia. The interesting feature of this simple village church, built in about 1495, is the richness of the peasant ornamentation on the walls. The high altar (1523) by the Kempten painter Adam Schlanz, and the carved figures which are of the school of the Ulm sculptor Jörg Syrlin the Younger, fit harmoniously into the interior.

◀ **Benediktinerkloster Ottobeuren,** Bayerisch-Schwaben. Wen repräsentiert diese Kirche – Höhe der Türme 82 Meter, Länge des Mittelschiffes 89 Meter, Breite fast 21 Meter, Breite des Querhauses 58 Meter, Höhe der Vierungskuppel 36,5 Meter – und die Klosteranlage, ein Geviert von 142 x 128 Metern mit dem »weltlichen« Eingangsbereich für Gäste, Schule, Apotheke, Bibliothek (44 Stuckmarmorsäulen) und Kaisersaal (16 überlebensgroße, vergoldete Schnitzfiguren Habsburger Kaiser), mit Sommer- und Winterabtei hinter dem großen Westhof, dem eigentlichen Konventbau hinter den beiden Kreuzgangshöfen im Osten, dem dreiflügeligen Wirtschaftsgebäude zum Garten hin und einem extra Gebäude für Klosterbeamte? Wer waren die Maurer? Und wer zahlte die Spesen von rund einer Million Gulden?

Was dem einen seine Schloßanlage, ist dem anderen seine Klosteranlage. Die Äbte der reichen Orden wetteiferten mit den weltlichen Herrschern und verglichen sich in der Größe der Gebäude, der Anzahl der Künstler und dem Prunk der Ausstattung miteinander. Abt Rupert Neß (1710-1740) hat nicht nur das Geld, sich von der bischöflichen Vogtei Augsburg freizukaufen und damit den leidigen Streit um die Reichsunmittelbarkeit des Klosters zu beenden, er läßt sich auch von verschiedenen Baumeistern Grundrißpläne für eine neue Kirche machen, eine Art Architektenwettbewerb, dem wir wertvolle Dokumente der barocken Kirchenbaukunst verdanken. Den Zuschlag erhält schließlich Simpert Kramer 1736, unter dem folgenden Abt Anselm Erb überarbeitet 1744 Joseph Effner aus München noch einmal die Pläne Kramers, die endgültige Gestaltung des Bauwerkes, wie wir es heute bewundern können, ist jedoch ein Werk Johann Michael Fischers, der die Bauleitung 1748 übernahm. Verantwortliche: für Skulpturen außen, Altareinrichtung, Nebenaltäre und Orgelreliefs Joseph Christian, für Rocaille-Stuck und plastische Gruppen Johann Michael (II) Feichtmayr, für Gewölbefresken und Altarbild Johann Jakob Zeiller, um nur die herausragendsten Künstler zu nennen. Selbst ein Betrachter, der sich im Barocken nicht wiederfinden, sich nicht der verwirrenden Vielfalt von Formen, Schnörkeln, Schwüngen, Ideen überlassen kann, wird sich doch nicht der Klarheit verschließen, die in dieser Kirche der Formenvielfalt zugrundeliegt und sie scheinbar unsichtbar zusammenhält – tatsächlich ein Glanzpunkt des Barock.

Die Weihe der Kirche findet 1766 zusammen mit der Jahrtausendfeier des Klosters statt, die zu diesem Zwecke um zwei Jahre verschoben wurde. Stichworte aus dieser tausendjährigen Geschichte: 764 vom Grafen Silach als Familienstiftung gegründet, erster Abt sein Sohn Toto. Karl der Große wird als Wohltäter des Klosters bezeugt; Kaiser Otto I. verleiht das Privileg der Befreiung von allen Reichslasten. Seit dem 12. Jahrhundert können auch Nichtadlige eintreten. Seit Abt Konrad (1296-1313) bekleiden die Prälaten die Reichsfürstenwürde. Zunächst die Einführung der Hirsauer Reform unter Abt Adilhelm (1082-1094), dann aber auch Feuerbrünste 1153 und 1217 brachten Neubauten von Kirche und Kloster mit sich. Seit dem 15. und 16. Jahrhundert ist Ottobeuren ein Ort, an dem Kunst und Wissenschaft blühen. Nikolaus Ellenbog (1481-1543), ein gefeierter Humanist, kommt von hier. 1543 entsteht die Akademie als gemeinsame Lehranstalt für die schwäbischen Benediktinerklöster,

Vorläufer der Dillinger Universität. Der Naturwissenschaftler und Benediktinerpater Ulrich Schiegg soll hier 1784 ein Luftfahrzeug zur »irdischen Himmelfahrt« gebracht haben. Auch die Säkularisierung 1802 kann das Klosterleben nicht auslöschen, Abt und Mönche gehen einfach nicht. Unter König Ludwig I. gründen sie ein Priorat, und seit 1918 ist Ottobeuren wieder eine selbständige Abtei. Äbte, Künstler, Wohltäter sind genannt – bleiben noch die Maurer. Sie gehen in keine Kunstgeschichte ein. Hätten sie schon Statistiken gehabt, sie hätten, bei der Jahrtausendfeier ihren Reallohn überschlagend, feststellen müssen, daß sie nicht einmal den Stand der Löhne der Bauhandwerker anno 1670 erreichten.

◀ **Abbaye bénédictine d'Ottobeuren,** Souabe bavaroise. L'église comparée aux bâtiments conventuels à deux étages est immense: hauteur des tours, 82 mètres, hauteur de la coupole au-dessus de la croisée, 36,5 mètres, longueur du vaisseau central, 89 mètres et largeur du transept, 58 mètres. Un concours d'architectes fut organisé et de grands artistes comme Johann Michael Feichtmayer et Johann Jakob Zeiller ont contribué à faire de cet édifice une des merveilles du baroque, témoignage de la prospérité de l'abbaye fondée en 764 par Charlemagne et doté par la suite de nombreux privilèges.

◀ **Benedictine Monastery at Ottobeuren,** Bavarian Swabia. The church, as can be seen by comparing it with the two-storied monastery building, is immense: height of towers, 268 ft, height of central dome, 120 ft, length of nave, 292 ft, width of transept, 190 ft. An architectural competition was held, and important artists like Johann Michael Feichtmayr and Johan Jakob Zeiller contributed towards this Baroque masterpiece. It gave expression to the wealth and importance of a monastery which had been founded in 764 by Charlemagne and was subsequently awarded numerous privileges.

▶ **Ehemaliges Prämonstratenserkloster Rot an der Rot,** Südwürttemberg. Auf seine eigene Kraft und die seines Küchen- und Kellermeisters und anderer Mönche vertraute Abt Willibald Held im 18. Jahrhundert. Er studiert zeitgenössische Baulitertur und die Grundrisse im älteren Kloster Marchtal und bestimmt selber, wie die neue Kirche zu bauen ist. An den Chorbau von 1777 – Abt Mauritius, ein ebenfalls eigenwilliger Mönch vor ihm, hatte gegen den Willen des Kapitels die alte Kirche abreißen lassen und mit einem Neubau begonnen – schließt sich, nach einem flach überkuppelten Raumteil das Langhaus an. Das Schema, von Obermarchtal ausgehend und in Schwaben oft verwendet: Quertonnengewölbe über Wandpfeilern, zwischen den Pfeilern Emporen, deren Brüstung in der Mitte etwas hervortritt. Diese Kirche stellt bereits einen Schritt zu klassizistischer Raumgestaltung dar. Barockes Schweifen klingt aus. Auch der Freskomaler Januarius Zick sucht in seinen Gemälden das Gewölbe nicht mehr illusionistisch auszuweiten, sondern anerkennt die Raumdecke als Grenze. Die Stuckarbeiten sowie Hochaltar und Seitenaltäre stammen von Franz Xaver und Semperit Feichtmayr.

Die Klausurgebäude, außen gefällige Pilastergliederung, innen kostbarer Stuck, sind 1681 bis 1698 entstanden. Unruhige Zeiten waren vorausgegangen: Kriegsschäden, im Dreißigjährigen Krieg durchziehende Truppen, in den Bauernaufständen Plünderung durch eigene Untertanen. Doch auch innere Unordnung hatten dem Aufschwung des Klosters Einhalt geboten, 1381 zur Auflösung des Frauenklosters und zu Güterverlust geführt. Die Graubündener Adligen Hemma und Kuno hatten ihre Stiftung von 1126, das erste Prämonstratenserkloster in Schwaben, reich ausgestattet, und bereits unter dem zweiten Abt leben hier 200 Mönche und 40 Schwestern, so viele, daß durch Entsendung von Mönchen fünf neue Klöster gegründet werden können, darunter Weißenau und Marchtal. Straffe Lenkung des Abtes Hesser (1420-1457) führt zu einem zweiten Aufschwung des reichsunmittelbaren Klosters, das 1619 auch noch die hohe Gerichtsbarkeit erlangt. 1803 aufgehoben, befindet es sich seit 1806 unter württembergischer Hoheit und wird heute als Jugendheim genutzt.

▶ **Ancien monastère de Prémontrés, Rot an der Rot,** Wurtemberg du Sud. L'église, construite de 1783 à 1784 (les tours et le choeur sont plus anciens) représente déjà une étape vers les formes plus classiques. Les extravagances du baroque touchent à leur fin et le peintre de fresques n'a plus essayé d'élargir la voûte d'une façon illusionniste. Le couvent qui relevait directement de l'empereur a été le premier monastère de Prémontrés fondé en Souabe.

▶ **Former Premonstratensian Monastery at Rot on the Rot,** South Württemberg. The church, constructed between 1783 and 1784 (towers and chancel are older) represents a step towards Classicist forms. Baroque extravagance was on the decline, and the fresco painter no longer made an attempt to extend the vaulting illusionistically. The monastery, which was answerable only to the emperor, was the first Premonstratensian community to be founded in Swabia (1126).

◀ **Ehemaliges Zisterzienserinnenkloster Heiligkreuztal**
bei Riedlingen, Südwürttemberg. Die sehr schlicht gehal-
tenen, aber freundlichen Gebäude gehören zu einem
Kloster, dessen Gründung auf das Jahr 1227 zurückgeht.
Damals erwarben die Nonnen eines Klösterleins im benachbarten Altheim ein Gut in dem »Wasserschaff« ge-
heißenen Ort, gaben ihm den ihnen besser dünkenden
Namen »Heiligkreuztal« und siedelten in ihren neuen
Besitz um. 1231 stellten sie sich unter die strengen Regeln des Zisterzienserordens, doch es dauerte noch zwei
Jahre, bis die frommen Frauen in den Orden aufgenommen wurden. Die Äbte von Salem behielten auch weiter-
hin die Oberaufsicht über Kloster Heiligkreuztal. Einer
von ihnen, Jodok II., sah sich bei einer Visitation gezwun-
gen, die meist adligen Damen des Konvents wegen ihrer
Schimpfereien, Zänkereien, Lästermäuligkeiten, Ehrab-
schneidereien und der frechen Reden gegenüber der
Äbtissin streng zu rügen und sie dringend zu ermahnen,
von weltlichem Putz und Tand abzulassen.
Die Klausurgebäude, die einen schönen Kreuzgang um-
fassen, gehen in ihren Fundamenten auf die Gründerzeit
des Klosters zurück. Die einst einschiffige romanische
Kirche Sankt Anna mit einer großen Nonnenempore im
Westen wurde Anfang des 14. Jahrhunderts zu einer gotischen Pfeilerbasilika umgebaut und erweitert. Aus dieser
Zeit stammen auch die schönen Glasmalereien in dem
großen Maßwerkfenster der Chorostwand. Das geschnitzte Andachtsbild des an der Brust Christi ruhenden
Johannes in der Nische unter dem Chorfenster ist nur
wenige Jahrzehnte jünger.
Das geistige Leben der Klosterfrauen – Ende des 14. Jahrhunderts zählte der Konvent 125 Nonnen! – wurde aus
der einst fast tausend Bände umfassenden Bibliothek ge-
nährt. Ihre irdische Kost erhielten sie aus dem Zehnten
der acht zum Kloster gehörenden Dörfer.
Im Zuge der Säkularisation löste Württemberg 1804 das
Kloster auf und legte Verwaltungsbehörden in die Gebäude. Die außer der Kirche sehr heruntergekommenen Anlagen erwarb in jüngster Zeit die Stefanus-Gemeinde, eine
katholische Laiengruppe, die sie seit 1972 unter großem
Einsatz von Geld und eigener Arbeit zu ihrem Bildungs-
zentrum ausgebaut hat.

◀ **Ancienne abbaye cistercienne à Heiligkreuztal** près
de Riedlingen, Wurtemberg du Sud. Les bâtiments très
simples mais agréables font partie d'un couvent fondé
en 1227. En 1231, les religieuses adoptèrent les règles
de l'ordre des Cisterciens et ont relevé de l'autorité du
couvent de Salem. Les bâtiments de l'ermitage et l'église
sont groupés autour d'un beau cloître. L'église romane
à une nef à l'origine a été transformée et agrandie au
XIVe siècle en une basilique gothique.

◀ **Former Cistercian Convent at Heiligkreuztal,** near
Riedlingen, South Württemberg. The very simple, but
pleasant buildings belong to a convent which was founded in 1227. In 1231 the nuns adopted the Cistercian Rule,
and came under the authority of Salem Monastery. The
clausura buildings and the church are grouped round
a fine cloister. The original aisleless Romanesque church
was remodelled and enlarged in the 14th Century into
a Gothic basilica.

**▶ Ehemaliges Prämonstratenserkloster Obermarchtal,**
Südwürttemberg. Auf einem Plateau über dem von Wäldern und Feldern gesäumten Tal der jungen Donau liegt das weithin leuchtende Karree der Klostergebäude. An seiner westlichen Schmalseite fügt sich, flankiert von dem Turmpaar, die Kirche Sankt Peter und Paul an. Schon vor dem Jahr 776 hatte das mächtige Grafengeschlecht der Alaholfinger von der damals sich jenseits der Donau erhebenden Alteburg in dem »Marktal« oder Grenztal, wo drei Grafschaften aufeinandertrafen, ein Benediktinerkloster gegründet. Doch nach einer Zerstörung der Gebäude Anfang des 10. Jahrhunderts und nach der Umwandlung des Klosters in ein weltliches Chorherrenstift im Jahre 1011 erlosch das Leben in Marchtal im 12. Jahrhundert. Inzwischen waren die Alaholfinger in den Herzogsstand aufgestiegen und wieder gestürzt. Als ihre Nachfolger in der Grundherrschaft Marchtals, die Grafen von Bregenz, 1152 ausstarben, trat Pfalzgraf Hugo II. von Tübingen ihr Erbe an, allerdings erst nach schweren Kämpfen gegen ein Koalitionsheer weltlicher und geistlicher Fürsten. 1171 gründete Hugo in Marchtal mit Mönchen des Klosters Rot an der Rot ein Chorherrenstift des noch jungen Prämonstratenserordens, dem – bis 1273 – auch ein Frauenstift angeschlossen war. Der 1440 zur Abtei erhobene Konvent erlangte sechzig Jahre später Reichsunmittelbarkeit. In einer neuen Blütezeit des Klosters nach dem Dreißigjährigen Krieg holte Abt Nikolaus Wiereth den aus Vorarlberg stammenden Baumeister Michael Thumb, der gerade die Wallfahrtskirche auf dem Schönenberg bei Ellwangen entworfen hatte, für den geplanten Neubau der Klosterkirche nach Marchtal. 1686 wurde der Grundstein der Anlage mit den mächtigen Wandpfeilern, dem kaum aus der Flucht des Langhauses vorspringenden Querschiff und dem nur innen leicht markierten Chor gelegt. Als Michael Thumb 1690 starb, führten sein Bruder Christian und sein Vetter Franz Beer die Arbeit bis zur Weihe der Kirche im Jahre 1701 fort. Die massiven Bauelemente überspann der Wessobrunner Stukkateur Johann Schmuzer mit einem Geflecht dekorativer Blattgirlanden. So wurde das in leuchtendem Weiß prangende, vom Braun und Gold der Altäre und des Gestühls erwärmte Innere zu einem der eindrucksvollsten frühbarocken Kirchenräume Süddeutschlands. Die Bauarbeiten am Kloster wurden 1702 mit dem Kapitelsaal fortgesetzt, dessen figurenreiches Gestühl der Tiroler Holzschnitzer Andreas Etschmann schuf, und 1769 mit dem Südostpavillon abgeschlossen. In ihm befindet sich das durch seinen Rokokostuck ausgezeichnete Refektorium. Im Gästetrakt des Klosters rastete 1770 die fünfzehnjährige Habsburgerprinzessin Marie Antoinette auf der Reise zu ihrem königlichen Bräutigam, Ludwig XVI. von Frankreich. Bis zur Mitte des 18. Jahrhunderts gelangte das Kloster durch zahlreiche Hexenprozesse zu trauriger Berühmtheit. Andererseits sind die Schwaben einem seiner Klosterbrüder zu besonderem Dank verpflichtet: Sebastian Sailer (1714 bis 1777), der als Pfarrherr des nahegelegenen Dorfes Dieterskirch mit seinem Stück »Die Schöpfung der ersten Menschen« (»Nuits ischt Nuits, und weat Nuits weara, drum hann i wölla a Wealt gebäara,...« – Nichts ist nichts und wird nichts werden, drum hab' ich wollen eine Welt gebären...) die schwäbische Mundartdichtung begründete. Als die Abtei durch die Säkularisation 1802 den Fürsten von Thurn

und Taxis zugesprochen wurde, richteten sie in den Klostergebäuden einen Sommersitz ein. Seit 1919 dürfen in einem der Klosterflügel Salesianerinnen eine Mädchenschule unterhalten.

**▶ Ancienne abbaye de Prémontrés à Obermarchtal,**
Wurtemberg du Sud. En 1171, le comte palatin Hugo II de Tübingen fonda une communauté de Prémontrés. Dans une période de prospérité après la guerre de Trente Ans, l'abbé Nikolaus Wiereth commença la reconstruction des bâtiments abbatiaux et de l'église (1686). Les frères Thumb du Voralberg et le stucateur de Wessobrunn Johann Schmuzer travaillèrent à la décoration de cette église remarquable du baroque primitif. La princesse de Habsbourg, Marie-Antoinette, alors âgée de quinze ans, fit étape en 1770 dans la maison des hôtes de marque du couvent sur la route qui la conduisait vers son royal fiancé, Louis XVI.

**▶ Former Premonstratensian Monastery at Obermarchtal,** South Württemberg. Count Palatine Hugo II of Tübingen founded a Premonstratensian community in 1171. In a period of prosperity after the Thirty Years' War, Abbot Nikolaus Wiereth began the rebuilding of the monastery and the church (1686). The Thumb brothers from Vorarlberg and the Wessobrunn stuccoer Johann Schmuzer were three of the artists who contributed to this impressive Early Baroque church. The 15-year-old Habsburg princess Marie Antoinette stayed at the monastery's guest house in 1770 on her way to marry the dauphin of France, the later Ludwig XVI.

◄ **Ehemalige Stiftskirche St. Georg in Oberzell, Reichenau,** Südbaden. Auf der Insel Reichenau, der »Reychen Ow«, zeugen die drei Kirchen in Mittelzell, Niederzell und Oberzell von der auch kulturell fruchtbaren, aber längst vergangenen Epoche des Klosters Reichenau. 724 von dem westgotischen Wanderbischof Pirmin gegründet und im Geiste der Benediktinerregel geführt, begann für das Kloster mit dem Abt Waldo (786-806), Erzieher und Berater von Pippin, dem Sohn Karls des Großen, eine große Blütezeit, deren Wurzeln in der engen Verbundenheit des Klosters mit dem kaiserlichen Hofe zu suchen sind. Schon sein Vorgänger, Abt Heito, war ein Freund Karls des Großen und 811 sein Gesandter nach Konstantinopel, und der berühmte Walahfried Strabo, Abt von 839 bis 848, war nicht nur Dichter und Hofgelehrter, sondern spielte auch in den Machtkämpfen zwischen Kaiser Ludwig dem Frommen und seinen Söhnen sowie nach dem Tode des Kaisers eine zentrale Rolle. Die riesige Ausdehnung des Klosters zur damaligen Zeit verdankt es nicht zuletzt den Schenkungen Kaiser Karls des Dicken, dessen Kanzler, Bischof Liutwar von Vercelli, aus der Reichenauer Klosterschule hervorgegangen war. Karl der Dicke liegt auch im Münster zu Mittelzell begraben. Unter Kaiser Arnulf war Abt Hatto III. (888-913) Kanzler und Regent für Ludwig das Kind, und in Abt Diethelm von Krenkingen (1169-1206) finden wir einen eifrigen Anhänger Friedrich Barbarossas und König Philipps. Doch damit war das goldene Zeitalter des Klosters dann auch überschritten. Nur für den Hochadel reserviert, blutete es langsam aufgrund fehlenden Nachwuchses aus. 1540 verlor das Kloster wieder das Privileg der Gleichstellung mit dem Bischof von Konstanz, das es um die Jahrtausendwende vom Papst erhalten hatte: Markus von Knöringen trat seine Abtswürde an Johannes Weeza, Bischof von Konstanz, ab. Auch das Priorat wurde schließlich 1757 durch päpstliches Breve aufgelöst und das Kloster als bischöfliches Gut 1803 säkularisiert. Seit dem 9. Jahrhundert hatte sich im Kloster ein reges geistiges Leben entfaltet: Es besaß eine der damals größten Bibliotheken des Abendlandes, eine bedeutende Malschule, und die Pflege von Wissenschaft, Dichtung und Kunsthandwerk machten das Kloster zu einem kulturellen Mittelpunkt. Das spiegelte sich auch in der regen Bautätigkeit und in der zum Teil sehr komplizierten Baugeschichte der drei Kirchen und der Klosterbauten wieder: Mittelzell erlebte mehrfache Erweiterungen und Umbauten, Wiederaufbau nach Brand und Neubauten; Niederzell entstand bereits um 800, seit 1008 als Chorherrenstift bezeugt; Oberzell geht angeblich auf eine Zelle Abt Heitos I. zurück. Die Georgskirche in Oberzell, fest mit dem Erdboden verwachsen, berührt den Betrachter durch ihre schlichte Schönheit. Die dreischiffige Kreuzbasilika mit Vierungsturm, Chor und quadratischem Altarraum im Osten, mit Westapsis und später daran angebauter Vorhalle entstand um 890, zu Beginn der Amtszeit Abt Hattos III. Ihm schenkte Papst Formosus für die neue Kirche die Reliquien vom Haupt des Heiligen Georg, die heute in die Wand der Krypta unter dem Chor eingelassen sind. Es ist eine der ältesten deutschen Hallenkrypten, durch Erweiterung der ursprünglichen Gangkrypta entstanden. Der kostbarste Besitz dieser Kirche sind jedoch die noch erhaltenen ottonischen Wandgemälde vom Ende des 10. Jahrhunderts, das besterhaltene Zeugnis dieser Art. Die Bilder stellen Wundertaten Jesu dar, die vier Apostel und – an der Wandrückseite der Westapsis, unter dem Dach der Vorhalle – die wohl älteste erhaltene Darstellung des Weltgerichts. Sie wurde erst im letzten Jahrhundert von einem Pfarrverweser unter der Tünche wiederentdeckt.

◄ **Reichenau, ancienne église collégiale à Oberzell,** Sud du pays de Bade. L'abbaye, fondée en 724 à Mittelzell, a joué un rôle politique important jusqu'au Moyen Age en raison de ses liens avec la cour impériale et fut célèbre par sa bibliothèque, son école de peinture et comme centre d'études scientifiques et de poésie. Mais les précieuses peintures murales de la fin du Xe siècle, les meilleurs spécimens de l'époque des Othons, ne se trouvent pas à Mittelzell mais à Oberzell. Une église toute simple, construite en 890, et dont la crypte renferme les reliques de la tête de saint Georges enchâssées dans le mur.

◄ **Reichenau, former Collegiate Church at Oberzell,** South Baden. The monastery founded at nearby Mittelzell in 724 was politically important right into the Middle Ages due to its connections with the imperial court, and was famous for its library and school of painting, and as a centre of scientific learning and poetry. But the precious Ottonian frescoes from the end of the 10th century, the best examples of their kind, are to be found not at Mittelzell but at Oberzell. A simple, earthy church built in about 890 in whose crypt relics from the head of St. George are let into the wall.

◀ **Wallfahrtskirche Birnau** am Bodensee, Südbaden.
Für den Abt des Reichsstiftes Salem, den Kirchenfürsten,
ein Sommerhaus mit schloßähnlicher Fassade zum See
hin, für den Wallfahrer eine Kirche. Und was für eine!
Überschäumender, die ganzen Wände überziehender
Stuck, eine überwältigende Fülle von Rocailleformen,
Bildern, Figuren und Licht. Schwer vorzustellen, daß
hier einmal Ziegen hausten und sicher andere Düfte ver-
breiteten als Weihrauch. In der Gegenwart dieser unver-
ständigen Geschöpfe muß das ganze Ausmaß an Illusio-
nen offenbar geworden sein, das hier Mitte des 18. Jahrhunderts geschaffen wurde. Auf die Menschen, die einen
Ausweg aus ihrer armseligen Realität suchten und zum
Gnadenbild der Muttergottes wallfahrten, verfehlten sie
ihre Wirkung sicher nicht. Ist es nicht Ironie der Erbauer,
daß sie am Altar des Ordensvaters Bernhard von Clairvaux, »dessen Rede süß wie Honig floß«, den berühmten
Honigschlecker plazierten, der den Gläubigen zum Ausdruck bringen mußte: Nicht Honig, sondern Reden halten
wir für euch bereit?
Aber man kann die Sache auch noch anders sehen. Be-
trachten wir das Altarbild des Bernhardusaltars. Es zeigt
den Heiligen im Gebet, über ihm Maria. Sie drückt auf
ihre Brust, und heraus spritzt ein Milchstrahl direkt zum
Mund des Heiligen. Oder auf dem Gemälde in der Chorkuppel: Maria schwebend mit ausgebreiteten Armen,
in ihrem durchsichtigen Schoß das Jesuskind, drall, mit
verschränkten Armen und Heiligenschein. Und sehen
wir die vielen nackten Engelputten, den Honigschlecker,
den Reichtum an Formen, so mag es den Wallfahrer erinnert haben, was an Sinnlichkeit, an Freude möglich ist.
Und vielleicht weckte es in ihm den Wunsch, dies alles
nicht nur im Jenseits, sondern auch in seinem konkreten
Erdenleben zu beanspruchen.
Ursprünglich lag der Wallfahrtsort über Nußdorf bei Überlingen – 1222 erstmals erwähnt – und wurde von der
Zisterzienserabtei Salem versorgt. Nach Streitigkeiten
mit Überlingen verlegte es Salem auf das nahegelegene
Klostergut Maurach und ließ dafür 1747 bis 1750 die Ro-
kokokirche errichten. Baumeister war der Vorarlberger
Peter Thumb. Den Stuck schuf Josef Anton Feichtmayr,
die Gewölbemalereien Gottfried Bernhard Goetz. Nach
der Säkularisation diente die Kirche wie schon erwähnt
zeitweise als Ziegenstall. 1919 konnten die Zisterzienser
Kirche und Priesterhaus aber wieder zurückerwerben.

◀ **Eglise de pélerinage à Birnau** sur le lac de Constance,
Sud du pays de Bade. Cette église de style rococo
abondamment ornée de stucs, de peintures et de sculptures a été construite de 1747 à 1750 par l'architecte
du Voralberg Peter Thumb après le transfert à cet endroit
du lieu de pélerinage de Nussdorf qui dépendait de l'abbaye cistercienne de Salem. La façade, semblable à celle
d'un palais, de la tour et de la maison des prêtres donne
sur le lac.

◀ **Pilgrimage Church at Birnau** on Lake Constance, South
Baden. This rococo church, with its sumptuous stucco
work, paintings, and sculptures, was built by the Vorarlberg architect Peter Thumb in 1747–1750 after the pilgrimage place had been transferred from Nussdorf to this
spot by the Salem Cistercian Monastery. The palace-like
facade of the tower and priests' house faces the lake.

▶ **Ehemaliges Benediktinerkloster Ochsenhausen,**
Südwürttemberg. Beim Neubau der Klosterkirche – riesig,
mit 10 Jochen und ursprünglich zwei Türmen, 1489
begonnen und in nur sieben Jahren fertiggestellt – hatten
die Untertanen der Grundherrschaft Ochsenhausen so
übermäßige Frondienste für nur mäßigen Lohn zu leisten,
daß sich 1501 ihr Unmut schließlich in einem Aufstand
Luft machte. Sie zogen in den Klosterhof und forderten
schonendere Behandlung. Als ein Teil der Aufständischen
trotz einiger Vergünstigungen weiter die völlige Befreiung
von Abgaben und Frondiensten forderte, brachte sie
der Abt schließlich mit Hilfe des Schwäbischen Bundes
zum Schweigen. Seinen Reichtum an Landbesitz, der
zunächst aus Schenkungen stammte, hatte das Kloster
aufgrund seiner geordneten Wirtschaft durch Zukauf
immer weiter ausdehnen können. Auch die Vogtrechte
wurden aufgekauft, und 1397 erlangte das Kloster die
Reichsunmittelbarkeit. Schon 1388 konnte es sich aus
der Abhängigkeit vom Kloster Sankt Blasien lösen, das
um 1093 die ersten Mönche hierher geschickt und sich
seitdem die Unterstellung des Priorats Ochsenhausen
gesichert hatte.
Trotz Plünderungen, Kontributionen, Seuchen im Dreißigjährigen Krieg und vorübergehender Säkularisierung
gelangt das Kloster wieder zu wirtschaftlichem Wohlstand. 1725 bis 1732 wird die Kirche ganz im barocken
Stil umgestaltet. Besonders zu erwähnen die Orgel von
Joseph Gabler, die zu den kunstvollsten in Oberschwaben
zählt. Auch kulturell war Ochsenhausen im 18. Jahrhundert bis zur Säkularisierung ein Mittelpunkt mit seiner
Schule, der Bibliothek und einer Sternwarte.

▶ **Ancienne abbaye bénédictine à Ochsenhausen,** Wurtemberg du Sud. Fondée en 1093 par des moines de
l'abbaye de Saint-Blaise dans le Sud de la Forêt-Noire,
ce monastère s'agrandit très rapidement grâce à des
donations et à des achats de terres et en 1397 il dépendit
directement de l'empereur. La construction coûteuse
de l'immense église abbatiale par des paysans mobilisa-
bles (1489-1495) et une nouvelle aggravation de la condition de serf entraînèrent une révolte paysanne en 1501.
Après les troubles de la guerre de Trente Ans, l'abbaye
retrouva sa prospérité économique et constitua au XVIIIe
siècle avec son école, sa grande bibliothèque et un ob-
servatoire un centre culturel en Haute-Souabe. La reconstruction de l'église en style baroque de 1725 à 1732
est un témoignage de cette époque de prospérité.

▶ **Ochsenhausen Monastery,** South Württemberg. First
established in 1093 by monks from St. Blasius Monastery
in the south Black Forest, this community grew rapidly
with the aid of endowments and the purchase of land,
and, in 1397, became answerable to the emperor only.
The costly rebuilding of the huge monastery church by
statute labour (1489-1495) and a further tightening of
the laws of serfdom resulted in a peasant rebellion in
1501. After the confusion of the Thirty Years' War the
monastery prospered again, and, in the 18th century,
with its school, its large library, and an observatory, it
was one of the cultural centres of Upper Swabia. An out-
ward sign of this period of prosperity was the renovation
of the church in the Baroque style from 1725 to 1732.

## Ein Hinweis

Aus den »Sprüchen der Väter«, Sammlungen überlieferter Sentenzen berühmter Einsiedler, sei folgende schöne Szene aus dem Leben des Heiligen wiedergegeben:
»Der heilige Abbas Antonios befand sich einmal in der Wüste und geriet in arge Mutlosigkeit und große Verwirrung. Da bat er Gott: ›Herr, ich möchte gerettet werden, und meine Gedanken lassen es nicht zu.‹
Als er ein wenig hinausgegangen war, erblickte Antonios jemanden, der ihm ähnlich sah und der dasaß und arbeitete, dann sich von seiner Arbeit erhob und betete, sich wieder hinsetzte und das Seil flocht und alsbald von neuem zum Gebet aufstand. Das war ein Engel des Herrn, welcher gesandt war, um Antonios eine Lehre zu geben und ihn zu beruhigen.
Und er hörte, wie der Engel sprach: ›Tu so, und du wirst gerettet werden!‹ Als er das vernahm, wurde er von Freude und Mut erfüllt. Er handelte so und wurde gerettet.«
Des Antonius Landsmann und Zeitgenosse Pachomius (286–346) gilt als der Erfinder der Gruppenaskese. Als junger Mann vom Heidentum bekehrt, schuf er nach einigen Eremitenjahren das erste Konzept einer Mönchsgemeinschaft. In dem Kloster, das er um 320 bei Tabernisi am rechten Nilufer ins Leben gerufen hat, herrschten strenge Regeln. Neben Armut und Keuschheit wurde vor allem Gehorsam gefordert. Doch gemessen an dem sehr viel entbehrungsreicheren Leben der Eremiten war das der Mönche erträglich. Sie lebten in einzelnen Zellen, versammelten sich aber zum Gebet, zur Arbeit und zu den Mahlzeiten. Als Pachomius starb, existierten in Ägypten bereits neun große Männerklöster und zwei Frauenklöster mit 1000 bis 2000 Insassen. Schon damals sollen von ägyptischen Mönchen vergleichbare Mönchsdörfer in Rom begründet worden sein. Beide Formen des Mönchtums, die eremitische

## Un signe

La belle scène suivante de la vie des saints est tirée des «Proverbes des Pères», un recueil de sentences de célèbres ermites: «Le saint Père Antoine se trouvait une fois dans le désert et fut pris d'un profond découragement et d'un grand trouble. Il pria alors Dieu: 'Seigneur, je voudrais être sauvé et mes pensées ne le permettent pas. Ayant fait quelques pas au-dehors, Antoine vit quelqu'un qui lui ressemblait et qui était assis et travaillait, puis se levait et priait, s'asseyait de nouveau et tressait la corde et se relevait pour prier à nouveau. C'était un ange du Seigneur qui était envoyé pour donner une leçon à Antoine et le calmer. Et il entendit l'ange parler et dire: 'Fais de même et tu seras sauvé!' Lorsqu'il entendit cela, il fut rempli de joie et de courage. Il fit ainsi et fut sauvé.»
Le compatriote et contemporain d'Antoine, Pacôme (286–346) passe pour être le fondateur de l'ascétisme collectif. Jeune homme converti au christianisme, il conçut l'idée d'une communauté monastique après avoir vécu plusieurs années en ermite. Le monastère qu'il fonda vers 320 près de Tabernisi sur la rive droite du Nil était gouverné par des règles strictes, qui exigeaient la pauvreté et la chasteté mais par dessus tout l'obéissance. Pourtant, comparée à la vie beaucoup plus austère des ermites, celle des moines était relativement supportable. Ils vivaient dans des cellules individuelles, mais se réunissaient pour la prière, le travail et les repas. Lorsque Pacôme mourut, il existait déjà en Egypte deux grands monastère d'hommes et deux monastères de femmes comptant un à deux mille occupants. Des moines égyptiens auraient fondé, dit-on, des communautés semblables à Rome à la même époque. Les deux formes du monachisme, l'érémitique comme la conventuelle, se sont rapidement développées au cours des siècles suivants, surtout en Orient. C'est dans l'Ecriture sainte

## An admonition

The following charming scene from the life of the Saint is taken from "Sayings of the Fathers", a collection of aphorisms of famous hermits: "The holy father Antonios was once in the desert and fell into a mood of great discouragement and confusion. Then he spoke to God: 'Lord, I wish to be saved, but my thoughts do not allow it.' When he had walked a little way, Antonios saw someone who resembled himself and who sat there at work, then rose from his work and prayed, sat down and twisted the rope, and then rose again to pray. It was an angel of the Lord sent to teach Antonios a lesson and to calm his spirit.
And he heard the angel speak and say: 'Do the same, and thou shalt be saved!' When he heard this, he was filled with joy and courage. He did the same, and was saved."
Anthony's countryman and contemporary, Pachomius (286–346), is regarded as the founder of coenobitic monasticism. Converted to Christianity as a young man, he conceived the idea of a community of monks after spending several years as a hermit. The monastery which he founded in about 320 near Tabernisi on the right bank of the Nile was governed by strict regulations, which called for poverty, chastity, and above all, obedience. But compared with the far more austere life of the hermits, that of the monks was relatively bearable. They lived in single cells, but gathered together for prayer, work, and meals. By the time Pachomius died there were already nine large monasteries in Egypt and two nunneries with one to two thousand inmates. It is said that Egyptians monks founded similar communities in Rome during the same period. Both forms of monasticism, the hermitical and the communal, spread rapidly in the following centuries, especially in the Orient. God's will was divined from the scriptures.

wie die klösterliche, haben sich in den folgenden Jahrhunderten vor allem im Orient rasch entfaltet. Den Willen Gottes erkannte man aus der Heiligen Schrift. Schon Antonius hatte einem Mönch auf dessen Frage, was er tun müsse, um Gott wohlgefällig zu sein, die Auskunft erteilt: »Was du auch tust oder redest, für alles suche ein Zeugnis in den Heiligen Schriften.« Sein Freund und Biograph Athanasius, den seine mehrfachen Verbannungen auch ins Ausland führten, einmal nach Trier, der damals eigentlichen Hauptstadt des westlichen Imperiums, ein andermal nach Rom, dieser Athanasius hat von Antonius gesagt: »Er lernte die Askese aus der Heiligen Schrift.« Und wenn in den Klöstern des Pachomius alle Mönche lesen und schreiben lernen mußten, so um selbständig die Bibel studieren zu können. Weite Passagen der Heiligen Schrift sollten sie auswendig im Kopf haben, zum mindesten das Neue Testament und den Psalter.

## Basilius schrieb als erster die Mönchsregeln auf

Entscheidend beeinflußt hat die Entwicklung des Mönchtums in der griechischen und byzantinischen Welt Basilius der Große (um 330–379). Seine Vorfahren hatten sich während der Christenverfolgung Diokletians sieben Jahre lang in den Wäldern und auf den Bergen des Pontus verstecken müssen. Als Sohn kinderreicher Eltern in Cäsarea in Kappadozien geboren, verbrachte Basilius seine Studienzeit in Athen. Sodann ging er nach einem Jahr bei den ägyptischen Mönchen, von denen er übrigens nicht viel hielt, zu denen in Palästina und Syrien, um schließlich auf dem Landgut seiner Familie selbst ein Kloster zu gründen. Unterstützt von seinen Brüdern Gregor von Nyssa und Petrus von Sebaste, von seiner Schwester Makrina und seinem Freunde Gregor von Nazianz,

que l'on cherchait la volonté de Dieu. Antoine lui-même, à un moine qui lui demandait ce qu'il devait faire pour plaire à Dieu, avait donné la réponse suivante: «Quoique tu fasses ou dises, rapporte-toi aux Saintes Ecritures.» Son ami et biographe Athanase que ses nombreux bannissements conduisirent également à l'étranger, une fois à Trèves, une autre fois à Rome, a dit d'Antoine: «Il a appris l'ascétisme dans les Saintes Ecritures.» Et dans les couvents de Pacôme tous les moines devaient apprendre à lire et à écrire pour pouvoir étudier la Bible. Ils devaient savoir par cœur d'importants passages des Saintes Ecritures, au moins le Nouveau Testament et le Psautier.

## Saint Basile fut le premier à rédiger les règles monastiques

Basile le Grand (v. 330-379) a exercé une influence décisive sur le développement du monachisme dans le monde grec et byzantin. Pendant la persécution des chrétiens par Dioclétien, ses ancêtres avaient dû se cacher pendant sept ans dans les forêts et les montagnes du Pont. Né à Césarée en Cappadoce, fils d'une famille nombreuse, Basile fit ses études à Athènes. Après avoir passé un an chez les moines égyptiens qu'il ne tenait pas en grande estime du reste, il se rendit chez les moines en Palestine et en Syrie et fonda finalement lui-même un monastère sur la propriété de sa famille. Aidé par ses frères Grégoire de Nysse et Pierre de Sébaste, sa sœur Macrine et son ami Grégoire de Nazianze, il a profondément marqué la vie monastique orthodoxe-grecque. De même que les moines occidentaux voient en Benoît leur véritable père, les moines byzantins et par la suite les moines russes le trouvent en Basile.
Basile également estimait que toute la manière de penser, de parler et d'agir des ascètes

Antony himself, when a monk asked him what he should do to please God, replied: "Whatever you do or say, seek approval for it in the holy scriptures." His friend and biographer, Athanasius, who, due to the fact that he was banished several times, also travelled abroad – once to Trier, which was at that time the real capital of the Western Empire, and once to Rome – said of Antony: "He learned asceticism from the holy scriptures." All the monks in Pachomius' monasteries were expected to be able to read and write – in order to be able to study the Bible independently. They were supposed to learn long parts of the Bible – at least the New Testament and the Psalter – by heart.

## St. Basil: the first to write down the monastic rules

St. Basil the Great (about 330–379) had a decisive influence on the development of monasticism in the Greek and Byzantine world. During the persecution of the Christians under Diocletian, his forefathers had been forced to hide for seven years in the forests and mountains of Pontus. Born at Caesarea, Cappadocia, as one of a large family, Basil studied in Athens. From there he went to Egypt and spent a month among the monks, who did not impress him very much; he then visited monks in Palestine and Syria, and finally founded his own monastery on his family's estate.
He was the real founder of Eastern monasticism, and in his work he was supported by his brothers Gregory of Nyssa and Peter of Sebaste, his sister Makrina, and his friend Gregory of Nazianzus. He was regarded by the Byzantine, and, later, by the Russian monks, as their patriarch, just as Benedict was by Western monks. Basil, too, considered that the ascetics should be guided in their every thought, word, and deed by the holy

hat er das griechisch-orthodoxe Klosterleben entscheidend geprägt. Wie die abendländischen Mönche in Benedikt, so sahen die byzantinischen und später die russischen in ihm ihren eigentlichen Stammvater.
Auch Basilius vertrat die Ansicht, daß das ganze Denken, Reden und Handeln der Asketen von der Heiligen Schrift bestimmt sein müsse. Im Gegensatz zu Pachomius verlangte er aber nicht, daß sie die halbe Bibel auswendig beherrschten, sondern verwies auf die Unterweisung durch den schriftkundigen Oberen, »der alles wissen muß, was erforderlich ist, um allen den Willen Gottes zu lehren«. Der Schüler fragt, der Lehrer antwortet – das ist die Urform der monastischen Regel.
Basilius hat als erster Regeln für das Zusammenleben der Mönche niedergeschrieben. Es waren geistliche Ratschläge und Kommentare zur Heiligen Schrift. Sie bilden den Ausgangspunkt aller späteren Mönchsregeln, auch der des heiligen Benedikt. Er entwarf darin eine Lebensform brüderlicher Liebe und gegenseitiger Achtung, verbunden mit der Askese des Dienens, mit Demut und Bußetun. Er war ein überzeugter Koinobite, ein Fürsprecher der Gemeinschaft. »Das Alleinleben hat das Ziel, den Bedürfnissen des einzelnen zu dienen. Doch steht dies in deutlichem Widerspruch zum Gesetz der Liebe . . . Gott gab sich in seiner großen Liebe zum Menschen nicht damit zufrieden, das Wort zu predigen, sondern als klares, deutliches Beispiel von Demut in der Vollkommenheit der Liebe erniedrigte er sich und wusch die Füße seiner Jünger. Und wessen Füße wirst du waschen? Im Vergleich zu wem wirst du der letzte sein, wenn du allein lebst?«
Der Mönchsgemeinschaft empfahl Basilius eine Rangordnung der Gebote, lange Stunden des Betens, die um Mitternacht anheben sollten, Schweigen, Enthaltsamkeit, Demut. Disziplin und Gehorsam sind besonders hervorgehoben.

devait être dictée par les Saintes Ecritures. Mais contrairement à Pacôme, il n'exigeait pas qu'ils sachent par cœur la moitié de la Bible. Il estimait que l'enseignement devait venir du supérieur versé dans l'Ecriture sainte «qui doit tout savoir ce qui est nécessaire pour enseigner à tous la volonté de Dieu.» L'élève interroge, le maître répond – c'est le prototype des règles monastiques.
Basile a été le premier à mettre par écrit les règles de la vie monastique. Ce sont des conseils et des commentaires spirituels de l'Ecriture sainte qui constituent le point de départ de toutes les règles monastiques ultérieures, des règles de saint Benoît également. Les règles de saint Basile définissent une forme de vie alliant l'amour fraternel et le respect mutuel à l'ascétisme du service, à l'humilité et à la pénitence. C'était un cénobite convaincu, un avocat de la vie communautaire. «La vie en solitaire a pour but de servir les besoins de l'individu. Ce qui est en opposition flagrante à la loi de l'amour... Dans son grand amour de l'homme, Dieu ne s'est pas contenté de prêcher, il s'est abaissé et a lavé les pieds de Ses disciples, donnant ainsi un parfait exemple de l'humilité de l'amour parfait. Et quels pieds laveras-tu? Par rapport à qui seras-tu le dernier si tu vis seul?»
Basile recommanda à la communauté monastique une liste de règlements qu'il établit selon un ordre de priorités en insistant particulièrement sur les longues heures consacrées à la prière qui devait commencer à minuit, sur le silence, l'abstinence, l'humilité, la discipline et l'obéissance. Les moines devaient également témoigner un amour fraternel à ceux qui vivaient en dehors du monastère. Les moines de l'ordre de saint Basile s'occupèrent ainsi activement d'œuvres sociales, d'hôpitaux, de léproseries et d'ateliers dans lesquels les pauvres pouvaient gagner leur subsistance. L'architecture de ces immenses monastères, nécessaires pour des tâches aussi variées,

scriptures. In contrast to Pachomius, however, he did not demand that they should know half the Bible by heart, but regarded it as more important that they should follow the instructions of their learned abbot "who must know everything necessary for teaching everyone the will of God." The pupil asks, the teacher answers – that is the prototype of the monastic rule.
Basil was the first to write down rules for monastic community life. They consisted of spiritual advice and commentaries on the scriptures. They formed the exordium for all later rules, including that of Saint Benedict. Basil's rule defined a form of life combining brotherly love and mutual repect with the asceticism of service, humility and penitence. He was a convinced coenobite, an advocate of community life. "Living alone has the aim of serving the needs of the individual. But this is in strong contrast to the law of love... In His great love of man, God was not satisfied with simply preaching, but abased Himself by washing the feet of His disciples, giving a clear example of the humility of perfect love. And whose feet will you wash? In comparison with whom will you be lowest if you live alone?"
Basil recommended that a monastic community should have a list of regulations in order of priority; placed special emphasis on many hours of prayer, which should begin at midnight, and on silence, abstinence, humility, discipline, and obedience. The monks were also expected to practise brotherly love towards people living outside the monastery. This meant that the monks following the Rule of St. Basil were keen social workers; they ran schools for orphans, hospitals, leper colonies, and workshops in which the poor could earn their living.
The architecture of the vast monasteries which were required for such a wide range of activities contained much that was characteristic of similar buildings in later centuries,

Brüderliche Liebe sollten die Mönche aber auch den Mitmenschen außerhalb des Klosters angedeihen lassen. So waren die Basilianer eifrige Sozialarbeiter, unterhielten Waisenschulen, Hospitäler, Leprosenhäuser und Werkstätten, in denen sich die Armen ihr Brot verdienen konnten. An der Architektur der riesigen Klöster, die für so vielfältige Aufgaben nötig waren, ist bereits vieles von der Bauweise späterer Jahrhunderte vorgezeichnet, zum Beispiel die berühmte Klostermauer, Abgrenzung gegenüber der Welt.

## Die Meinung des heiligen Augustinus

Wie Basilius so war auch der heilige Augustinus (354–430) ein Koinobite. Ein Gespräch über den heiligen Antonius hatte den Anstoß zu seiner Bekehrung zum Christentum gegeben. In einem seiner bedeutendsten Werke, den an Gott adressierten »Bekenntnissen«, schildert der fruchtbare theologische Schriftsteller diese Begebenheit, wobei er als erster Autor des Abendlandes in einer Autobiographie die Ichform verwendet: »Eines Tages nun besuchte uns zu Hause, mich und den Alypius, ein gewisser Ponticianus, als Afrikaner unser Landsmann, der bei Hof ein hohes Amt bekleidete. Ich weiß nicht, was er von uns wollte. Wir setzten uns zusammen, um zu plaudern. Zufällig bemerkte er auf einem Spieltisch, der vor uns stand, ein Buch. Er nahm's, schlug's auf und fand ganz wider sein Erwarten den Apostel Paulus. Als ich ihm mitgeteilt, daß ich auf jene Schriften das größte Interesse verwendete, entspann sich ein Gespräch, wobei er selbst von dem ägyptischen Einsiedler Antonius erzählte, dessen Name bei deinen Dienern ruhmvoll erstrahlte, uns aber bis zu jener Stunde unbekannt geblieben war. Von da an wandte sich sein Bericht der Vielzahl der Klöster zu und zu den fruchtbaren

renferme déjà de nombreuses caractéristiques des constructions des siècles ultérieurs, ainsi par exemple le célèbre mur du couvent, ligne de démarcation entre la communauté et le monde.

## L'opinion de saint Augustin

Comme saint Basile, saint Augustin (354-430) était également un cénobite. Une discussion à propos de saint Antoine avait décidé de sa conversion au christianisme. Dans un de ses ouvrages les plus importants, dans les «Confessions» qu'il adresse à Dieu (dans lequel il est le premier auteur occidental à utiliser la première personne du singulier dans une autobiographie), cet écrivain fécond décrit l'événement: «Un jour, nous reçumes la visite, Alypius et moi, d'un certain Ponticianus, notre compatriote puisqu'Africain, qui occupait à la cour une charge importante. Je ne sais pas ce qu'il nous voulait. Nous nous assîmes pour bavarder. Il avisa un livre qui se trouvait sur une table de jeu devant nous, le prit, l'ouvrit et trouva, contrairement à son attente, l'apôtre Paul. Lorsque je lui dis que ces écrits m'intéressaient au plus haut point, une discussion s'engagea au cours de laquelle il se mit lui-même à parler de l'ermite égyptien Antoine dont le nom était glorieux parmi ceux de Tes Serviteurs, mais qui nous était inconnu jusque-là. Puis il se mit à parler des nombreux monastères et des ermitages féconds dans le désert, dont nous ne savions rien. Je fus rempli d'un terrible sentiment de honte lorsque Ponticianus nous raconta tout cela. Lorsqu'il eut terminé… il s'en alla. Je me précipitai vers Alypius, le visage et l'esprit en désarroi et m'écriai: ‹Qu'avons-nous entendu? Qu'est-ce cela? Les ignorants se lèvent et s'emparent du ciel, et nous avec notre savoir sans cœur?›… Je me jetai à terre sous un figuier et laissai libre cours à mes larmes. Et voilà que j'enten-

for example the monastery wall, the line of demarcation between the community and the world.

## St. Augustine's enlightenment

Saint Augustine was also a coenobite, like Saint Basil. A discussion about Saint Antony provided the final inspiration for his conversion to Christianity. In one of his most important works, his "Confessions," addressed to God (in which he was, by the way, the first Western author to use the first person singular form in an autobiography) this prolific writer describes how inspiration came: "One day we were visited at home, Alypius and I, by a certain Ponticianus, an African, and therefore a compatriot of ours, who held a high office at court. I do not know what he wanted of us. We sat down together for a chat. He happened to notice a book lying on a gaming-table in front of us. He took it up, opened it, and found, quite contrary to his expectations, the Apostle Paul. When I told him that I was extremely interested in those writings a discussion began in the course of which he himself told of the Egyptian hermit Antony, whose name stands out gloriously among those of Thy servants, but who had remained unknown to us until that moment. Then he went on to tell of the many monasteries and of the fruitful hermitages in the desert, about all of which we knew nothing.
I was overcome by a terrible feeling of shame as Ponticianus told us these things. When he had finished… he left. But I went storming up to Alypius, my face and my spirit quite out of joint, and cried: "What have we just heard? What is this? The ignorant rise and grasp Heaven for themselves, and we, with our heartless learning? …I threw myself onto the ground under a fig tree, and wept freely. And behold, I heard a voice from

Einöden der Wüste, von dem allen wir nichts wußten.

Ein entsetzliches Schämen beraubte mich aufs heftigste der Fassung, als Ponticianus solches uns erzählte. Als er geendet . . ., ging er fort. Ich aber stürmte verstörten Angesichts und Geistes zu Alypius und rief: ›Was lassen wir da über uns ergehen? Was ist das? Hast du es gehört? Die Ungelehrten stehen auf und reißen den Himmel an sich, und wir mit unserer Bildung ohne Herz? . . .‹ Ich warf mich unter einem Feigenbaum zu Boden und ließ den Tränen freien Lauf. Und siehe, da hörte ich aus dem Nachbarhaus eine Stimme, als ob ein Knabe oder Mädchen, ich weiß es nicht, singenden Tones spräche und oftmals wiederholte: ›Nimm, lies! Nimm, lies!‹ Sogleich verwandelte sich meine Miene, und angespannt begann ich nachzudenken, ob Kinder bei irgendwelchem Spiel dergleichen zu singen pflegten, doch ich entsann mich nicht, so etwas je an einem Ort gehört zu haben. Und ich erhob mich und wußte keine andere Deutung, als daß ein Gotteswort mir anbefehle, die Schrift zu öffnen und das erste Stück zu lesen, worauf mein Auge fiele. Ich hatte nämlich von Antonius gehört, daß er durch eine Evangelienlesung, zu der er wie durch Zufall kam, sich mahnen ließ, als ob an ihn gerichtet wäre, was gelesen wurde . . . Ich kehrte daher eilends an den Ort zurück, wo Alypius noch saß: Dort nämlich hatte ich die Briefe des Apostels hingelegt, als ich dort aufgestanden war. Ich griff mit Hast danach, ich schlug sie auf und las in Schweigen die Stelle, worauf zuerst mein Auge fiel: ›Nicht in Gelagen und in Zechereien, nicht in Schlafkammern und Unzucht, nicht in Haß und Hader, sondern ziehet den Herrn Jesus Christus an, und pflegt das Fleisch nicht zur Erregung eurer Lüste.‹ . . . Gleich beim Schluß dieses Satzes ergoß ein Strahl von Sicherheit sich in mein Herz, und alle Finsternis des Zweifels war zerstoben.«

dis une voix venant de la maison voisine, je ne sais si c'était celle d'un garçon ou d'une fille, qui répétait sur un ton chantant: ‹Prends, lis! Prends, lis!› Immédiatement, mon humeur changea et j'essayai de me rappeler si les enfants avaient l'habitude de chanter ainsi en jouant, mais je ne pus me souvenir avoir jamais entendu quelque chose de semblable. Je me levai et ne pus trouver d'autre interprétation que celle d'un signe de Dieu, Dieu me demandant d'ouvrir les Ecritures et de lire le premier passage qui tomberait sous mes yeux. J'avais entendu dire qu'Antoine justement avait entendu par hasard la lecture de l'Evangile et qu'il l'avait prise pour un message, un avertissement qui lui était adressé personnellement... Je retournai en hâte à l'endroit où Alypius était encore assis; c'était là en effet que j'avais laissé la lettre de l'apôtre lorsque je m'étais levé. Je m'en emparai fébrilement, je l'ouvris et lus en silence le premier passage qui tomba sous mes yeux: ‹... pas d'orgies ni de beuveries, pas de coucheries ni de débauches, pas de querelle ni de jalousie, mais revêtez-vous du seigneur Jésus Christ et n'ayez cure de la chair et de ses convoitises.› Dès la fin de cette phrase, un rayon de certitude pénétra mon cœur et l'obscurité du doute s'évanouit.»

## Unité et amour

Après avoir fait connaissance à Milan avec la forme de vie monacale, Aurelius Augustinus s'en fit l'avocat et, à son retour en Afrique, en 387, il fonda avec des amis un monastère à Tagaste. A la fin de sa vie, vingt monastères avaient été fondés dans la région. Lorsque les moines durent fuir l'Afrique du Nord après sa conquête par les vandales, ils se dispersèrent en Italie du Sud, en Espagne et en France emportant avec eux les règles de saint Augustin. Celles-ci passent pour être les plus anciennes règles monastiques

a neighbour's house, as if a boy or a girl, I know not which, were speaking in a sing-song voice, and frequently repeating: 'Take, read! Take read!' My mood changed straightaway, and I tried hard to remember whether children were accustomed to sing such words in a game, but I could not recall ever having heard anything like it anywhere. And I rose, and could think of no other interpretation but that God's word was telling me to open the scripture and read the first piece that I saw. I had heard it said of Antony, namely, that he had by chance heard a reading of the Gospel and had taken it as a message and admonition directed to him... I therefore hurriedly returned to the place where Alypius was still sitting: that was where I had put down St. Paul's Epistles as I had got up. I hastily took it up, opened it, and read in silence the first passage upon which my eye fell: '... not in rioting and drunkenness, not in chambering and wantonness, not in strife and envying. But put ye on the Lord Jesus Christ, and make not provision for the flesh, to fulfil the lusts thereof.' Straightaway at the end of this sentence, a beam of certainty entered my heart, and all the darkness of doubt had fled."

## Unity and love

After Aurelius Augustinus had made acquaintance with the monkish form of life in Milan he began to advocate it, and, following his return to Africa in 387, he founded a monastery in Tagaste together with friends. By the end of his life, twenty monasteries had been founded in the area. When the monks had to flee North Africa after its conquest by the Vandals, they spread over southern Italy, Spain, and France, taking the Rule of St. Augustine with them. This Rule is the oldest in the Occident. Many of the ideas embodied in the Rule of St. Benedict, who

## Eintracht und Liebe

Nachdem Aurelius Augustinus in Mailand mit der mönchischen Lebensform bekannt geworden, trat er für sie ein und gründete nach seiner Rückkehr nach Afrika im Jahre 387 mit Freunden ein Kloster in Tagaste. Bis zu seinem Tode hatten sich in der weiteren Umgebung bereits zwanzig Klöster etabliert. Als die Mönche nach der Eroberung des Landes durch die Vandalen aus Nordafrika fliehen mußten, zerstreuten sie sich über Süditalien, Spanien und Frankreich. In ihrem Reisegepäck hatten sie die Regeln des heiligen Augustinus. Diese Regeln gelten als die ältesten Mönchsregeln des Abendlandes. Viele Gedanken aus der Regel des heiligen Benedikt, dem des Augustinus Idealbild der urchristlichen Gemeinschaft einleuchtete, haben hier ihre Wurzeln. Eindringlicher noch als Basilius fordert Augustinus die Mönche zu brüderlicher Liebe auf. Seine Regel beginnt mit den Worten: »Das ist es, was wir euch im Kloster gebieten: Das erste Ziel eures gemeinsamen Lebens ist, in Eintracht zusammenzuwohnen und ›ein Herz und eine Seele‹ in Gott zu haben. Lebt also in Eintracht und Liebe beisammen!«

Augustinus sah in der Klostergemeinschaft weniger eine Schule, die Leistungen fordert, als die in Liebe geeinte Brüderschaft. Indessen dünkte ihm auch die Arbeit als wesentlicher Bestandteil eines guten Lebens auf Erden, zumal sie, wie schon die älteren Väter erkannt hatten, die wirksamste Prophylaxe darstellt gegen Depressionen, jenes weithin grassierende klösterliche Laster, die Empfindung von Leere und Nutzlosigkeit.

Als 755 in Metz eine Klostergemeinschaft entstand, nahm der Begründer Elemente sowohl der Augustiner- wie der Benediktinerregel in seine Vorschriften auf. Diese Kombination wurde im Jahre 816 durch die Synode in Aachen für alle Bischofsstifte verbindlich gemacht. Aber auch die reine Regel des

d'Occident. Un grand nombre d'idées contenues dans les règles de saint Benoît, qui trouva convaincante la conception d'Augustin de la communauté chrétienne primitive, ont leurs racines ici. Augustin insiste encore plus que Basile sur l'amour fraternel. Ses règles commencent en ces termes: «C'est ce que nous vous commandons de faire dans le monastère: le premier objectif de votre vie communautaire doit être de vivre ensemble dans l'unité et de n'être qu'un seul cœur et une seule âme en Dieu. Vivez donc ensemble dans l'unité et l'amour!»

Pour Augustin, la communauté monastique était moins une école qui demande des résultats qu'une communauté de frères unis dans l'amour. Il considérait également le travail comme un élément essentiel d'une bonne vie sur la terre d'autant plus qu'il constitue, comme l'avaient déjà compris ses aînés, la prophylaxie la plus efficace contre les dépressions, ce mal d'ennui, ce sentiment de vide et d'inutilité qui est un vice courant de la vie monastique.

Lorsque fut fondée à Metz en 755 une communauté monastique, le fondateur emprunta pour son règlement des éléments à la fois aux règles d'Augustin et de Benoît. Un mélange qui fut rendu obligatoire par le synode d'Aix-la-Chapelle pour toutes les fondations épiscopales. La véritable règle augustinienne continua toutefois d'être observée dans de nombreux couvents. Au XIIe siècle, elle fut adoptée par les Prémontrés, au XIIIe siècle par les Dominicains. Ainsi que par les ermites de Saint-Augustin, les Récollets, les Augustins déchaussés, les moniales ermites et toutes les congrégations de chanoines, à la fin du XVIe siècle au total 4500 couvents de religieux. A l'époque de la guerre de Trente ans, il y avait quarante-trois ordres et vingt-huit congrégations qui vivaient selon les directives spirituelles de saint Augustin.

found Augustine's concept of the early Christian community convincing, have their roots here. Augustine was even more insistent on the value of brotherly love than Basil. His Rule begins with the words: "This is what we command you to do in the monastery: the first aim of your communal life must be to live together in unity, and to have 'a heart and a soul' in God. Therefore, live together in unity and love!"

To Augustine, the monastic community was not so much a school, with the emphasis on achievements, as a community of brothers united in love. He also looked upon work as an essential part of a good life upon earth, especially since it represented, as the older fathers had already recognized, the most effective prophylactic against depression, that feeling of emptiness and uselessness, which is a common vice of monastic life.

When a monastic community was founded at Metz in 755, the founder included elements of both the Augustine and the Benedictine Rules in his regulations. This combination was made binding for all episcopal foundations by the Synod of Aachen in 816. But the pure Augustinian Rule continued to be followed in many monasteries. In the twelfth century it was adopted by the Premonstratensians and in the thirteenth by the Dominicans. Others to adopt this Rule were the Augustinian Hermits or Friars, and the Augustinian Canonesses and Canons, also known as Austin or Regular Canons, and all Collegiate foundations, the male houses alone totalling 4,500 at the end of the sixteenth century. By the Thirty Years' War there were forty-three orders and twenty-eight congregations which lived according to the Rule of Saint Augustine.

Augustinus lebte in vielen Klöstern fort.
Im zwölften Jahrhundert machten sie sich
die Prämonstratenser, im dreizehnten die
Dominikaner zu eigen. Hinzu kamen die
Augustinerherren und -chordamen, die Augu-
stinereremitenvereinigungen und alle Kanoni-
kerstifte, Ende des sechzehnten Jahrhunderts
allein 4500 männliche an der Zahl. Zur Zeit
des Dreißigjährigen Krieges waren es schließlich dreiundvierzig Orden und achtundzwanzig
Kongregationen, die ihr Leben nach der
Regel des heiligen Augustinus ausrichteten.

## Frühe Modelle des Kirchenbaus

Bis ins vierte Jahrhundert hinein waren die
christlichen Kirchen in der Regel schlichte
Rechteckräume, wie sie, mit einer kleinen
Apsis ausgestattet, durch die Jahrhunderte
charakteristisch für die überwiegende Mehrzahl dörflicher Gotteshäuser bleiben sollten.
Schon bald nach der Christianisierung wuchsen
in ganz Europa solche dörflichen Pfarrkirchen
aus dem Boden. Oft waren sie klein und
unscheinbar, wiesen sich nur durch den aufge-
setzten Dachreiter mit dem Glöckchen als
Gotteshaus aus. Nicht selten waren sie zugleich Wehrkirchen, dienten mit Turm, Graben und Zugbrücke den Dorfbewohnern
sowohl als Zufluchtsort wie zur militärischen
Verteidigung.
In der frühchristlichen Kirche gab es im
allgemeinen zwei Bereiche. Meist an der
Westseite (in Rom an der Ostseite) lagen
Vorbauten wie Höfe, Atrium, Vorhalle oder
die Säulenhalle des Eingangsportikus. Der
Hauptbau, in dem sich die Gemeinde versam-
melte, enthielt das Allerheiligste mit dem
Altar und dem Platz für die Priesterschaft.
Der Bischofsthron stand für gewöhnlich auf
einem Podium in der Mitte der Apsis, die
sich in ganzer Breite zum Kirchenschiff hin
öffnete. Vor der Apsis stand der Altar. In
den Kirchen des Ostreichs war die Apsis

## Les premiers modèles d'églises

Jusqu'au IVe siècle, la plupart des églises
chrétiennes furent de simples salles rectangulaires qui, avec une petite abside, devaient
pendant des siècles, rester le modèle caractéristique de la grande majorité des églises
de village. Ces églises paroissiales de village
firent leur apparition dans toute l'Europe
peu après la christianisation. Souvent petites
et d'aspect modeste, elles ne se distinguaient
comme églises que par un petit clocher. Il
n'était pas rare qu'elles soient fortifiées et
que, équipées d'une tour, d'un fossé et d'un
pont-levis, elles servent aux villageois de
lieu de refuge et de défense. Les premières
églises chrétiennes étaient généralement
composées de deux sections. Les annexes
comme les cours, l'atrium, le narthex ou
le portique étaient habituellement construites
sur la façade ouest (à Rome sur la façade
est). L'édifice principal, dans lequel se réunis-
sait la congrégation, renfermait le tabernacle
avec l'autel et l'endroit réservé au clergé.
Le trône de l'évêque était habituellement
placé sur une estrade au milieu de l'abside
qui s'ouvrait sur toute sa largeur sur la nef.
L'autel était placé devant l'abside. Dans
les églises orientales, l'abside était souvent
entourée d'une couronne de salles annexes
qui servaient de sacristies ou de baptistères.
A l'époque de Constantin, un nouveau modèle
d'église prestigieuse fit son apparition: la
première basilique chrétienne. Dotée également d'un parvis carré, ses trois ou cinq
nefs de différentes hauteurs étaient séparées
par des files de colonnes. Il y avait parfois
un transept. L'abside semi-circulaire se trouve
sur un des petits côtés avec devant l'autel
pour la célébration de la communion. La
chaire est encore inconnue; un pupitre, l'am-
bon, sert pour la lecture des Saintes Ecritures
et pour entonner les psaumes. La basilique
a une charpente exposée ou revêtue d'un
plafond en bois. Elle est éclairée par des

## Early kinds of church buildings

Until the fourth century, most Christian
churches were simple, rectangular rooms
of the kind that, with a small apse added,
were to be characteristic of the large majority
of village churches throughout the centuries.
Such parochial village churches were built
all over Europe soon after Christianization.
They were often small and modest, and distin-
guishable as churches only by a small bellcote
on the roof. It was not unusual for them
to be fortified; equipped with tower, ditch,
and drawbridge, they then served as a place
of refuge and defence for the villagers. The
early Christian churches generally consisted
of two sections. Annexes such as courtyards,
atrium, narthex, or portico, were mostly
built on the west side (in Rome on the east
side). The main building, in which the congregation gathered, contained the tabernacle
with the altar and space for the clergy. The
bishop's throne was usually placed on a dais
in the middle of the apse, which opened
to the full width of the nave. The altar was
placed before the apse. In the Eastern
churches, the apse was frequently enclosed
in a ring of adjoining rooms which served
as sacristies or as baptismal chapels.
In Constantine's era a new kind of prestigious
church building appeared: the early Christian
basilica. This, too, had a square forecourt.
Its nave and two or four aisles of varying
height were separated from one another
by rows of pillars. Sometimes there was also
a transept. At the east end was the semicircular apse with the altar before it for the cele-
bration of Holy Communion. The pulpit
was still unknown; a reading desk called
an ambo was used for readings of the scriptures and for leading the singing of the psalms.
The basilica had exposed rafters or a flat
wooden ceiling. It was lit by windows above
the nave pillars.
Creative imagination knew no bounds in

nicht selten mit einem Kranz von Nebenräumen umrahmt, die als Sakristeien oder auch als Taufkapellen dienen konnten.

In der Ära Konstantins tauchte plötzlich ein neues Modell für den repräsentativen Kirchenbau auf: die frühchristliche Basilika. Auch sie hat einen quadratischen Vorhof. Ihre drei oder fünf Schiffe unterschiedlicher Höhe sind durch Säulenreihen voneinander getrennt. Manchmal gibt es ein Querhaus. An einer der Schmalseiten ist die halbrunde Apsis, davor der Altar für die Eucharistiefeier, das heilige Abendmahl. Die Kanzel ist noch unbekannt, für die Lesung der Heiligen Schrift und zum Vorsingen der Psalmen benützt man ein Lesepult, Ambo genannt. Die Basilika hat einen offenen oder auch mit einer Flachdecke verkleideten Holzdachstuhl. Fenster oberhalb der Säulen des Mittelschiffs lassen das Licht herein.

Schöpferische Phantasie wußte dieses Grundmodell vielfach zu variieren, wobei sich die damaligen Baumeister für das Äußere der Kirchen kaum interessierten. Die Wände blieben schmucklos, einzig belebt durch die Portale und durch die zumeist rundbogigen Fenster der Seitenschiffe sowie des Oberlichtgadens, der oberen Mauer der Basilika. Türme baute man erst im fünften Jahrhundert als Treppenhäuser oder auch als Glockenträger. Nach der Legende soll der Bischof Paulinus von Nola in Kampanien die Glocken erfunden haben. Er regierte zwischen 409 und 431. Nachweislich gab es in den christlichen Kirchen seit dem sechsten Jahrhundert bescheidene Glocken. Im Mittelalter nannte man die kleinen »nolae«, die großen »campanae«.

fenêtres situées au-dessus des colonnes du vaisseau principal. Une fantaisie créatrice sut apporter de multiples variantes à ce modèle de base quoique les architectes de l'époque ne se soient guère intéressés à l'aspect extérieur des églises. Les murs étaient sans ornement, coupés uniquement par les portails et les fenêtres généralement en demi-cercle des nefs latérales ainsi que par les fenêtres hautes dans le vaisseau principal. Les tours ne furent construites qu'au Ve siècle comme cages d'escalier ou comme clochers. D'après la légende, les cloches ont été inventées par saint Paulin, évêque de Nole en Campanie de 409 à 431. Il est prouvé que de simples cloches ont existé dans les églises chrétiennes depuis le VIe siècle. Au Moyen Age, les petites étaient appelées «nolae», les grandes «campanae».

varying this basic model, although the builders of that period took scarcely any interest in the exterior of their churches. The walls were left undecorated, and were broken only by the portals and by the windows with generally rounded arches in the aisle walls or in the clerestory. Towers, which were not built until the fifth century, served to house staircases or belfries. According to legend, bells were invented by Paulinus, Bishop of Nola in Campania from 409 to 431. Simple bells are known to have existed in Christian churches since the sixth century. In the Middle Ages the small bells were called "nolae", the large ones "campanae".

◀ **Wurmlinger Kapelle bei Tübingen,** Südwürttemberg. »Droben stehet die Kapelle, schauet tief ins Tal hinab« (Ludwig Uhland). Sie erhebt sich auf einem Kegel am Ende des Spitzberges, von Tübingen aus zu Fuß zu erreichen, und wurde wohl mehr durch die Dichter berühmt, die sie wegen ihrer Lage besungen haben, als durch ihren künstlerischen Wert. Das einfache Kirchlein wurde 1682 neu gebaut, von dem Vorgängerbau ist nur noch die romanische Krypta aus dem 12. Jahrhundert teilweise erhalten mit schönen Würfelkapitellen, ähnlich denen in Alpirsbach. Im Mittelalter zog der »Große Jahrtag«, von einem Grafen Anselm gestiftet, das Volk alljährlich zum Wurmlinger Berg: Am Montag nach Allerseelen veranstalteten die Pfarrer des Landkapitels Tübingen-Sülchen hier ein großes Festessen, bei dem auch die Armen etwas abbekamen. Endgültig wurde diese Stiftung erst 1816 aufgehoben.
Das Ministerialengeschlecht von Wurmlingen verzweigte sich im Spätmittelalter sehr stark, alle aber führten im Wappen den Lindwurm, von dem im Volksmund der Name Wurmlingen stammt.

◀ **Chapelle de Wurmlingen près Tübingen,** Wurtemberg du Sud. Cette petite église toute simple construite en 1682 est plus célèbre par sa situation pittoresque qui a été immortalisée par le poète Ludwig Uhland que par sa valeur artistique. La crypte en partie conservée d'une construction précédente du XIIe siècle contient quelques beaux chapiteaux cubiques.

◀ **Wurmlingen Chapel, near Tübingen,** South Württemberg. This simple little church, built in 1682, is renowned more for its picturesque position, which has inspired poets like Ludwig Uhland, than for its artistic merits. The partly preserved crypt of a previous church of the 12th century contains some fine cushion capitals.

▶ **Tübingen mit Stiftskirche St. Georg,** Südwürttemberg. Auf der Stadtmauer in der Sonne sitzend, unter sich den Neckar und die Stocherkähne der Studenten, hinter sich die gedrängte Häuserfront, das ehrwürdige Stift und die Stiftskirche – so kann man sich in Tübingen wohlfühlen. Ein Gefühl von Romantik ist noch möglich in dieser Stadt, in den engen Gassen, auf dem Marktplatz, und auch auf dem Schloß, in das man durch das prächtige Friedrichstor gelangt, läßt es sich gut sein. Berühmte Dichter, Philosophen, Theologen haben in Tübingen gelebt und gewirkt. Aus dem evangelischen Stift gingen Hegel, Schelling, Mörike und Hauff hervor. Friedrich Hölderlin verbrachte in dem nach ihm benannten Turm am Neckar seine langen Jahre der geistigen Umnachtung.
Die Burg Twingia wird 1078 erstmals urkundlich erwähnt, als Heinrich IV. sie belagerte, aber nicht einnehmen konnte. Den Grafen von Tübingen gelang es, ihren Besitz beachtlich zu vermehren und 1146 die Pfalzgrafenwürde zu erlangen. Nachdem 1342 die Grafen von Württemberg Stadt und Herrschaft Tübingen erwarben, diente auch ihnen die Burg noch als Residenz. Prägender aber wurde für die Stadt die 1477 von Graf Eberhard im Bart gegründete Universität. Er holte dazu das Sindelfinger Chorherrenstift nach Tübingen und ließ für sie von 1470 bis 1483 die Georgskirche neu bauen. Vom Vorgängerbau des frühen 13. Jahrhunderts blieben nur die Untergeschosse des Turmes stehen. Im Chor, der seit 1550 als Grablege des gesamten württembergischen Herzoghauses diente, befinden sich eine ganze Reihe von Tumben, davon die künstlerisch wertvolle der Gräfin Mechthild, ein Werk des Hans Multscher aus Ulm (um 1450).
Herzog Ulrich führte die Reformation in Tübingen ein, machte die Universität durch eine neue Verfassung zu einem festen Stützpunkt für die neue Lehre und wandelte 1536 das Augustinerkloster, das seit 1257 bezeugt ist, in das evangelische Stift um. Als Herzog Karl Eugen 1781 dann die Stuttgarter Akademie gründete, verlor die Universität zunächst an Bedeutung, doch das 19. Jahrhundert brachte wieder neuen Aufschwung, Neubauten sowie vor dem Lustnauer Tor ein ganzes Universitätsviertel.

▶ **Tübingen avec l'église collégiale Saint-Georges,** Wurtemberg du Sud. Le château cité pour la première fois en 1078, la collégiale et l'université fondée en 1477, sont les éléments marquants de cette ville qui a pu conserver en grande partie son cachet de ville ancienne. De grands philosophes et poètes tels que Hegel, Schelling, Mörike et Hauff ont fréquenté le collège protestant et Friedrich Hölderlin vécut les longues années de son aliénation mentale dans la tour qui donne sur le Neckar et qui porte son nom.

▶ **Tübingen with the Collegiate Church of St. George,** South Württemberg. The castle, first documented in 1078, the Collegiate Church, and the university, founded in 1477, are the most striking features of this town, which has preserved much of its original character. A number of great philosophers and poets such as Hegel, Schelling, Mörike and Hauff attended the Protestant College here, and Friedrich Hölderlin spent the long years of his insanity in a tower, now called after him, by the River Neckar.

◀ **Ehemaliges Zisterzienserkloster Bebenhausen,**
Südwürttemberg. An der Straße von Tübingen nach Stuttgart, direkt am Eingang zum Schönbuch liegt das Kloster
Bebenhausen, eine fast vollständig erhaltene Anlage.
Die Hauptbauten gruppieren sich um den Kreuzgang
(1471-1496) mit Brunnenkapelle: Im *Norden* die Kirche,
ursprünglich ohne Turm, der Chor flach geschlossen.
Im 14. und 15. Jahrhundert lockert sich nicht nur die
strenge Ordensmoral der Zisterziensermönche, man will
auch mehr Schmuck. In der östlichen Chorwand wird
Platz gemacht für ein Prunkfenster (um 1340), und wenn
schon nur ein Dachreiter, wie es die Ordensregel vor-
schreibt, dann eben ein besonders schöner (1407-1409).
Im *Osten* des Kreuzganges ein Trakt mit drei ähnlich
gestalteten Hallen aus der 1. Hälfte des 13. Jahrhunderts:
Kapitelsaal und Parlatorium, beide dreischiffig, und die
vierschiffige Brüderhalle, sehr gedrückte Räume mit kurzen, stämmigen Rundpfeilern, darüber schwere und
wuchtige Kreuzrippengewölbe. Im Obergeschoß befinden
sich die Zellen der Mönche. Ein Verbindungsgang führt
von diesem Trakt zum Herrenhaus. Im *Südflügel* das
Sommerrefektorium, ein schöner, heller, nach dem Vorbild des Klosters Salem erbauter Raum aus der Blütezeit
der Gotik (1335), mit drei schlanken Achteckpfeilern,
die in die Rippen eines Sterngewölbes auslaufen. Im
*Westen* das Winterrefektorium (1470). Und zwischen beiden Eßsälen – im Sommer wie im Winter gleichermaßen
praktisch – liegt die Klosterküche.
Ein innerer Mauerring (um 1300) umschließt diesen Teil
des Klosters, außerhalb liegen mehrere Wirtschaftsgebäude; eine äußere Ringmauer aus dem 15. und 16. Jahrhundert unterstreicht noch einmal die Geschlossenheit der
Anlage, die sich den unterschiedlichen Anforderungen
der Jahrhunderte anpassen ließ: als Kloster, zunächst
für Prämonstratenser von Pfalzgraf Rudolf von Tübingen
1187 gegründet, seit 1190 bis zur Reformation jedoch
von den Zisterziensern bewohnt; als evangelische Klosterschule von 1560 bis 1807, aus der auch der Philosoph
Schelling hervorging; im 19. Jahrhundert als Jagdschloß
und heute als Staatliches Forstamt, Hölderlinarchiv und
Museum.

◀ **Ancien monastère de Cisterciens de Bebenhausen,**
Wurtemberg du Sud. Deux remparts soulignent l'unité
de ce monastère presque entièrement conservé où les
principaux bâtiments sont groupés autour du cloître gothique avec sa chapelle à fontaine: l'église romane couronnée par un beau clocher; dans l'aile Est la salle capitulaire, le parlatorium et le frater, des pièces très basses
avec des voûtes massives à croisée d'ogives; et enfin
le réfectoire d'été dans l'aile Sud dont les piliers octogonaux élancés sont surmontés d'une belle voûte en étoile.

◀ **Former Cistercian Monastery at Bebenhausen,** South
Württemberg. Two surrounding walls emphasize the
compact layout of this almost completely intact monastery complex, in which the main buildings are grouped
round the cloister with its fountain chapel: the Romanesque church, crowned with its lovely bellcote; in the
eastern wing the chapter house, parlatorium and frater
– very low rooms with massive ribbed vaulting; and finally, the summer refectory in the south wing, whose slim,
octagonal pillars are surmounted by fine rib vaulting.

◀ **Ehemaliges Benediktinerkloster Alpirsbach,** Südwürttemberg. Die Grafen Adalbert von Zollern, Rutmann von Hausen und Alwig von Sulz stifteten das Kloster 1095. Die ersten Mönche kamen aus St. Blasien, doch bald hatte das Kloster Äbte aus Hirsau, dem Zentrum der Cluniazensischen Reform für Deutschland. 1535 hielt die Reformation Einzug; um 1563 wurde ein Klosteramt zur Verwaltung des Kirchengutes mit evangelischem Abt an der Spitze gebildet, das bis 1810 existierte.
Die Klosterkirche aus der ersten Hälfte des 12.Jahrhunderts – eine dreischiffige, flachgedeckte Säulenbasilika mit gleich hohem Querschiff – stellt ein fast unversehrt gebliebenes Beispiel der Hirsauer Baukunst dar. Der kräftige Turm stammt in seinen Untergeschossen noch aus romanischer Zeit, die Aufbauten sind jedoch gotisch. Auch die Sakristei wurde erst um 1230 angebaut, das Klostergebäude mit Kreuzgang erst um 1480/90. Gemäß dem Reformgedanken von Cluny ist das Innere der Kirche streng gegliedert und schlicht. In der Hauptapsis sind drei niedrige, bemalte Rundnischen ausgebildet zur Unterbringung der von der Reform geforderten Vielzahl der Altäre. Von der romanischen Ausstattung erhalten sind noch Reste der Wandmalereien, steinerne Altartische, eine hölzerne Sitzbank sowie das Beschlagwerk der Westtüre mit bronzenem Löwenkopf. Der Flügelaltar (um 1520) ist ein Werk der schwäbischen Malschule und wird Syrlin d. J. zugeschrieben.

◀ **Ancienne abbaye bénédictine à Alpirsbach,** Wurtemberg du Sud. L'église abbatiale de la première moitié du XIIe siècle représente un exemple pratiquement intact de l'Ecole de Hirsau. L'intérieur, conformément à l'esprit de Cluny, est austère et sobre. Pour pouvoir installer le grand nombre requis d'autels, trois niches peintes ont été aménagées dans l'abside principale.

◀ **Former Benedictine Monastery at Alpirsbach,** South Württemberg. The monastery church (1st half of the 12th century) represents an almost completely preserved example of the Hirsau building style. The interior, in keeping with the Cluny reform doctrine, is austere and simple. To accomodate the required large number of altars three painted round niches are let into the wall of the main apse.

▶ **Walterichskapelle in Murrhardt,** Nordwürttemberg. Um 1230, vierhundert Jahre nach dem Tode des Klostergründers Walterich, wurde zu Ehren des Lokalheiligen eine Kapelle an die Klosterkirche angebaut. Sein Grab kam erst bei Ausgrabungen 1963 in der Walterichskirche auf dem Friedhof zutage. Man stellte aber fest, daß es im 13. Jahrhundert schon einmal geöffnet wurde, vermutlich um für die neugebaute Kapelle eine Reliquie zu entnehmen. Die mit wunderbarer göttlicher Fügung und Traumstimmen arbeitende Gründungslegende läßt doch erkennen, daß Walterich ein Verwandter Kaiser Ludwigs des Frommen war und mit seiner Hilfe an diesem Ort, wo schon die Römer ein Kastell unterhalten hatten, ein Kloster gründete; ein Benediktinerkloster, dessen Umwandlung in ein weltliches Chorherrenstift Herzog Ulrich 1509 verhinderte und dem seit 1552 evangelische Äbte vorstanden. Übriggeblieben von der Klosteranlage ist nur noch die Kirche (heute Stadtkirche) und wenige Gebäude, die zum Teil für andere Zwecke verändert wurden.
Doch wenden wir uns noch einmal der Walterichskapelle zu, diesem spätromanischen Kunstwerk. Die Form: rechteckig und an den vier Seiten übergiebelt, darüber ein Rautendach. Die Apsis im Osten bildet fast einen Dreiviertelkreis. Reicher plastischer Schmuck überzieht die Außenwand, gefüllte Rundbogenfriese, Blattwerk und Ranken, besonders prächtig das Apsisfenster. In den Innenraum mit Rippengewölbe und flachen Wandnischen führt vom Westen her ein kleines Prunkportal. Die Klosterkirche selber ist ein spätgotischer, 1434 begonnener Neubau, bei dem die beiden Osttürme des Vorgängerbaus aus dem 12. Jahrhundert übernommen wurden.

▶ **Chapelle de Walterich à Murrhardt,** Wurtemberg du Nord. Dans le premier tiers du IXe siècle, Walterich, un parent de l'empereur Louis le Pieux, fonda avec l'aide de l'empereur une abbaye bénédictine sur l'emplacement d'un ancien fort romain. En l'honneur du fondateur dont le nom était auréolé de légendes, les moines ajoutèrent à leur église vers 1230 cette petite chapelle, un joyau de l'architecture de la fin de la période romane. L'édifice rectangulaire couronné sur ses quatre côtés de pignons a à l'est une abside qui forme presque un trois quarts de cercle. D'abondantes sculptures dans l'encadrement des fenêtres et des portails et le long des frises ornent l'extérieur.

▶ **Walterich's Chapel at Murrhardt,** North Württemberg. In the first third of the 9th century, Walterich, a relative of Emperor Louis the Pious, founded a Benedictine monastery with the Emperor's support on the site of a former Roman fort. In about 1230, the monks added this small chapel, an architectural jewel of the late Romanesque period, to their church in honour of the legendary founder. At the east end of the rectangular building, crowned on all sides by gables, is the apse, whose ground plan forms almost three-quarters of a circle. The exterior is decorated with intricate stone carvings round the windows and doorways and along the frieze.

▶ **Wallfahrtskirche auf dem Schönenberg, Ellwangen,**
Nordwürttemberg. Wenn der Wallfahrer durch eine Lin-
denallee, vorbei an Rosenkranzkapellen, auf dem Schönenberg angelangt ist, kann er noch einen Blick einfan-
gen von den zwei schlanken, achteckigen Türmen, den
geschwungenen Giebeln und den umlaufenden Pilastern,
bis er sich endlich auf einer der Kirchenbänke niederläßt,
um zu beten – wie schon die Wallfahrer, die dreihundert
Jahre vor ihm hierher kamen und eine Loretokapelle
(1639 von Jesuiten erbaut) mit einer Nachbildung der
Altöttinger Muttergottes vorfanden. Um ein Gelübde bei
einem Brandunglück in Ellwangen zu erfüllen, wurde
1681 eine große Wallfahrtskirche errichtet. Baumeister
waren die Bregenzer Michael und Christian Thumb.
Weiß der Wallfahrer davon? Er sieht den Hochaltar aus
schwarzem und blauem Marmor; auf dem Altargemälde
Maria in den Himmel auffahren; Wandpfeiler, die nach
oben führen und sich dort, in der Mitte des Gewölbes,
mit ihrem Gegenüber verbinden; Stuck – nein: Linien,
Blüten, Blätter, Früchte, Figuren, Muscheln, alles in zarten Farben – das bringt den Wallfahrer auf andere Gedanken. Aber die Fresken mit Marienleben und Gleichnis-
sen aus der Lauretanischen Litanei fangen sie wieder
ein und drängen zur Andacht. Geht er dann durch die
seitliche Chorkapelle in die alte Loretokapelle, zum Anfang zurück, steht er vor einer Pietà aus Ton. Jetzt ist
es Zeit, seine Sorgen und Nöte bei der Muttergottes abzu-
laden.
Ellwangen ist ein katholischer Ort von Anfang an. An
einem alten Verbindungsweg zwischen Rhein und Donau
gründeten der Franke Hariolf und sein Bruder Erlolf,
Bischof von Langres, um 764 ein Benediktinerkloster.
Es sollte nicht nur die Ostgrenze des Frankenlandes für
die Karolinger verstärken, sondern auch das Christentum
befestigen. Um 1136 werden Klostersiedlung und Dorf
Ellwangen zusammengeschlossen und erhalten im
13. Jahrhundert eine neue Ummauerung. Ellwangen,
1229 erstmals als civitas erwähnt, bleibt aber unter der
Herrschaft der Äbte. Vorübergehend ist Ellwangen auch
Sitz eines Generalvikariats, eines Priesterseminars und
einer katholisch-theologischen Universität.

▶ **Eglise de pélerinage sur le Schönenberg, Ellwangen,**
Wurtemberg du Nord. Avec la Contre-Réformation, les
Jésuites vinrent également à Ellwangen qui, dès le début,
avait été placé sous l'autorité d'une abbaye bénédictine.
Ils édifièrent en 1639 une chapelle mariale sur le Schönenberg à laquelle on accède par une chapelle latérale
dans la grande église de pélerinage construite en 1681
et qui renferme une image miraculeuse, une pietà en
céramique.

▶ **Pilgrimage Church on Schönenberg, Ellwangen,** North
Württemberg. With the Counter Reformation the Jesuits
also came to Ellwangen, which had always been ruled
by a Benedictine Monastery. In 1639 they built a Loreto
Chapel on Schönenberg hill, which is accessible through
a side chapel in the large pilgrimage church newly built
in 1681, and which contains a shrine in the form of a
ceramic pietà.

**◀ Benediktinerkloster Neresheim,** Nordwürttemberg.
Auf dem Härtsfeld, der Hochfläche der Schwäbischen
Alb zwischen Ulm und Nördlingen, erhebt sich das Benediktinerkloster mit der Klosterkirche über der Stadt Neresheim. Graf Hartmann von Dillingen und seine Frau
Adelheid gründeten das Kloster 1095. Seine Familie und
später die Grafen von Oettingen behielten in den folgenden Jahrhunderten die Schutzherrschaft. Im 13. Jahrhundert, zur Zeit seiner größten Ausdehnung, gehörten dem
Kloster sieben Dörfer und weiterer Streubesitz. Erst 1763
gelang es dem Kloster, sich aus der Vogtei der Grafen
zu lösen; es wurde Reichsstift und kam dann 1803 im
Zuge der Säkularisierung an den Fürsten von Thurn und
Taxis. 1920 wurde es aufgrund einer Schenkung von
Fürst Albert von Thurn und Taxis wieder mit Benedikti-
nermönchen aus Beuron neu besiedelt.
Das romanische Münster, durch Kriege und Brände
mehrmals verwüstet, mußte schließlich im 18. Jahrhundert
abgebrochen werden; nur der Glockenturm blieb stehen.
Der berühmte Baumeister der Würzburger Fürstbischöfe,
Balthasar Neumann, erhielt den Auftrag für den Neubau
der Münsterkirche, und 1745 begann man mit den Bauar-
beiten. Doch schon 1753 starb Balthasar Neumann, und
die weitere Ausführung blieb hinter seinen Plänen zurück.
So wagten sich die späteren Baumeister nicht an die
höheren Steinkuppeln heran, sondern nahmen Holzkon-
struktionen zu Hilfe und flachten die Wölbungen ab.
Ebenso konnten auch die reiche Ausstattung und die
Fassade nicht im geplanten Umfang ausgeführt werden.
Trotzdem gilt die Kirche als Inbegriff deutsch-barocker
Kirchenkunst. Eingeschlossen in einen einfachen Langbau mit Kreuzflügeln in der Mitte, stellt der Innenraum
eine Verschmelzung von Langbau und Rundbau, Basilika
und Halle dar. Die Raumgrenze wirkt zweischalig aufgrund der nur durch schmale Sockel von der Wand abge-
rückten Pfeiler. Die fünf Kuppeln, davon die größte in
der Mitte über der Vierung, sind mit Fresken des Tiroler
Malers Martin Knoller ausgestattet. Erst 1792, ein Jahr-
zehnt vor der Säkularisierung, fand die abschließende
Weihe der Kirche statt. Einsturzgefahr machte eine stati-
sche Sicherung des Gebäudes, verbunden mit einer Re-
novierung von 1968 bis 1975, notwendig.

**◀ Abbaye bénédictine de Neresheim,** Wurtemberg du
Nord. Le célèbre architecte Balthasar Neumann mourut
avant que cette église, dont il avait fait les plans, soit
achevée. Ses successeurs n'osèrent pas construire les
hautes coupoles en pierre prévues et aplatirent quelque
peu les voûtes. Néanmoins, l'église est devenue la quintessence de l'art sacré baroque allemand. L'intérieur
réunit les éléments oblongs et circulaires, la basilique
et le type halle.

**◀ Benedictine Monastery at Neresheim,** North Württemberg. The famous architect Balthasar Neumann died before this church, designed by him, was finished. His suc-
cessors did not dare to carry out the projected higher
stone domes, and flattened them somewhat. The church
nevertheless became to be regarded as the quintessence
of German Baroque church architecture. The interior
combines elements of the oblong and circular, basilica
and hall.

◀ **Ehemaliges Zisterzienserkloster Maulbronn,** Nordwürttemberg. Der Weg nach Maulbronn lohnt sich. Der eine wird hier eine fast vollständig erhaltene mittelalterliche Klosterstadt finden, der andere Anschauungsmaterial für kunstgeschichtliche Entwicklungen. Man kann sich aber auch auf Physik, Alchemie, Dichtung einlassen, Wege nachgehen, die ein Kepler, Hölderlin oder Hesse von Maulbronn aus gegangen sind, und erschauern ob dem schlimmen Ende des Doktor Faustus aus dem nahegelegenen Knittlingen, der im Faustturm des Klosters gelebt haben soll.

Was für Menschen wurden hier geformt, seit 1147 die ersten Zisterzienser mit ihrem Maultier an diesen Ort kamen, das Land kultivierten, den Schilfsandstein bearbeiteten und ihre Kirche bauten? Warum haben sich die Mönche so stark von den Laienbrüdern abgesondert, beim Essen, beim Schlafen und selbst in der Kirche durch eine richtige Mauer? Wozu diese Arbeitsteilung: die einen arbeiten, die anderen beten, meditieren und denken? Was haben sie in dem düsteren Querschiff gemacht? Gegen wen mußten sie sich schützen, als sie die Anlage 1360 ummauerten, mit Türmen, Zugbrücke, Wehrgraben, Wehrgang? Wie fühlt man sich, wenn man sich in einer so herrlichen Brunnenkapelle waschen kann oder hier sitzt (oder mußten die Mönche stehen oder gar knien?) und einem Bart und Tonsur geschnitten werden? Wie schmeckten wohl Gemüse, Hülsenfrüche, Fische – frisch aus dem Klosterteich – im Herrenrefektorium, unter dem herrlichen Rippengewölbe mit Blick aus hohen romanischen Fenstern? Überhaupt: Welche Haltung, welches Denken gibt sich Ausdruck in diesem so vielfältig geformten Stein? Man sagt, in Maulbronn könne man die »Entwicklung der künstlerischen Formen im Mittelalter erkennen«, z. B. im Kreuzgang vom romanischen Südflügel durch den frühgotischen Westflügel mit zweigeteilten Fenstern zum Nord- und Ostflügel mit viergeteilten Fenstern, oder an der aufgelösten Wand zwischen Kreuzgang und Kapitelsaal. Doch wer hilft, das mit Leben zu füllen? Trotzdem hier noch der »Kulturfahrplan« für Maulbronn: 1147 wird die Zisterziensergründung in Eckenweiher (Mühlacker) hierher verlegt. 1148 Schutzbulle von Papst Eugen III. Bereits 1151 können Mönche nach Bronnbach, 1157 nach Schöntal geschickt werden. Durch Schenkungen auch schon großer Grundbesitz. 1372 übertrug Karl IV. die Schutzvogtei an den Pfalzgrafen, der damit die Bischöfe von Speyer und die Herren von Enzberg als Schutzherren ablöste. Er benützte das Kloster als Stützpunkt in seinem Kampf gegen Württemberg. Mit der Eroberung durch den Herzog Ulrich 1504 kam das Kloster schließlich ganz an Württemberg. Ulrich führte 1534 bis 1537 die Reformation ein, und Herzog Christoph verwandelte es in eine Klosterschule zur Vorbereitung auf das Theologiestudium, die bis heute existiert. Eine bürgerliche Siedlung entstand erst 1809, seit 1886 Stadt, der der alte Marstall des Klosters noch heute als Rathaus dient.

◀ **Ancienne abbaye cistercienne de Maulbronn,** Wurtemberg du Nord. Maulbronn est une ville médiévale presque entièrement conservée. On peut y étudier l'évolution des formes architecturales du roman au gothique dans la merveilleuse chapelle de la fontaine, dans le cloître ou l'église. Du séminaire protestant qu'abrite l'abbaye depuis la Réformation sont sortis des hommes célèbres comme Kepler, Hölderlin et Hesse. Le docteur Faust aurait vécu dans une des tours fortifiées du couvent.

◀ **Former Cistercian Monastery at Maulbronn,** North Württemberg. Maulbronn is an almost completely intact medieval monastery town. Here the visitor can study the development of architecture from the Romanesque to the Gothic periods – in the wonderful fountain chapel, the cloister, or the church. The famous Protestant monastery school, which has been in existence since the Reformation, has produced famous men such as Kepler, Hölderlin, and Hesse. It is also said that Doctor Faustus lived in one of the monastery's towers.

▶ **Ehemaliges Zisterzienserkloster Schöntal,** Nordwürttemberg. In die freundliche Jagstlandschaft liegt das Kloster eingebettet. Den Anblick beherrscht die Kirche mit ihrer stattlichen Westfassade und den Doppeltürmen. Aus Maulbronn kamen die ersten Mönche hierher in das 1157 von Wolfram von Bebenburg gegründete Kloster; von König Sigismund erhält das Kloster 1418 die Reichsunmittelbarkeit, doch 1495 übernimmt der Erzbischof von Mainz die Schutzherrschaft. 1525 wüten die Bauern hier, angeführt von Jörg Metzler, und auch Götz von Berlichingen schließt sich ihnen an. 1562 findet er im Kreuzgang des Klosters, der Grablege der Grafen von Berlichingen, seine letzte Ruhe. Nach einer vorübergehenden Säkularisierung erlebte das Kloster im 17. und 18. Jahrhundert eine Blütezeit, deren sichtbares Zeichen der Neubau der Kirche und der Neuen Abtei ist. Von 1811 – wenige Jahre nach der Säkularisierung – bis 1975 beherbergte es ein evangelisches Seminar, aus dem unter anderem die Schriftsteller Max Eyth, Albrecht Goes und Gerd Gaiser sowie der Theologe Blumhardt hervorgingen. Zwar wurde bereits im 14. Jahrhundert die erste Kirche durch einen Neubau in zisterziensischen Formen ersetzt, doch blieb dieser unvollendet, und Abt Knittel von Lauda (1636-1673) ließ sie schließlich abbrechen. Johann Leonhard Dientzenhofer machte die Pläne für den Neubau (Baubeginn 1708). Die großflächigen Deckenfresken in den Chorjochen stammen von Luca Antonio Colomba, der Hochaltar (1773) von dem Dillinger Bildhauer Johann Michael Fischer, die Alabasteraltäre im Langhaus (1628 und 1644) von Michael und Achilles Kern. Sie zählen zu den Höhepunkten deutscher Bildhauerkunst im 17. Jahrhundert. Der Westbau der Kirche, als eine Art Ehrenhalle gestaltet, enthält die Standbilder der Wohltäter des Klosters. Erwähnenswert auch noch das reizvolle Treppenhaus in der Neuen Abtei – eine architektonische Leistung; denn trotz der aufwendigen Anlage beansprucht die Konstruktion nur sehr wenig Raum.

▶ **Ancienne abbaye cistercienne de Schöntal,** Wurtemberg du Nord. L'imposante façade occidentale et les double tours dominent les bâtiments abbatiaux. L'église du type halle à trois nefs a été construite de 1708 à 1736 d'après les plans de Johann Leonhard Dientzenhofer. Les autels en albâtre dans la nef (1628 et 1644) comptent parmi les chefs-d'oeuvre de la sculpture allemande du XVIIe siècle. Götz von Berlichingen est enterré dans le cloître du couvent. Des écrivains comme Gerd Gaiser et Max Eyth ont fréquenté le séminaire qui a existé de 1811 à 1975.

▶ **Former Cistercian Monastery at Schöntal,** North Württemberg. The impressive west facade and the double towers dominate the monastery complex. The hall church with nave and two aisles was built between 1708 and 1736 to plans by Johann Leonhard Dientzenhofer. The alabaster altars in the nave (1628 and 1644) are among the highlights of German 17th century stone carving. Götz von Berlichingen is buried in the monastery cloister, and the seminary, which existed from 1811 to 1975, produced writers like Gerd Gaiser and Max Eyth.

▶▶ **Sogenanntes Templerhaus in Neckarelz,** Nordbaden. Burg, Kirche oder Kloster? Auf jeden Fall kein Templerhaus. Die Verbindung des Gebäudes zum Orden der Templer stellte sich als Irrtum heraus. In dem geschichtsträchtigen Ort Neckarelz, 773 im Lorscher Codex »Alatia« genannt, weisen zahlreiche Funde auf eine schon vorgeschichtliche und römische Besiedelung. Eine fränkische Verwaltungsburg wird erstmals für 976 bezeugt. Danach ging sie offensichtlich in staufischen Besitz über, denn 1188 schenkte Kaiser Friedrich I. seinem Sohn Konrad die Reichsburg. Die Johanniter – ältester geistlicher Ritterorden, dessen Mitglieder sowohl der Ritterehre als auch den Mönchstugenden Armut, Keuschheit und Gehorsam verpflichtet waren und dessen besondere Aufgaben vor allem in Krankenpflege, Schutz christlicher Pilger und Ausbreitung des Christentums bestanden – diese Johanniter gründeten eine Niederlassung in Neckarelz, übernahmen 1297 die Burg und richteten sie für ihre Zwecke her: einschiffig mit drei Geschossen; Wirtschaftsräume im Keller, im Hauptgeschoß die Kirche, darüber im Obergeschoß Kapitelsaal und Schlafsaal (Dormitorium) für die Ordensritter. Der Turm, bis zum Dachfirst reichend und wohl aus staufischer Zeit, erhielt seinen Oberbau mit Helm erst im 18. Jahrhundert. An die ehemalige Burg erinnern auch noch Graben, Mauer und Brücke, der einzige Zugang zur Kirche. 1350 erwarben die Herren von Hirschhorn (um 1430 von Pfalzgraf Otto von Mosbach mit dem Erbtruchsessenamt belehnt) das Gebäude, das dann bis 1707 als Zehentstadel diente. 1731 bis 1734 wurde es zur katholischen Pfarrkirche umgebaut.

▶▶ **La «maison des Templiers» à Neckarelz,** Nord du pays de Bade. Il ne s'agit pas en fait ici d'une maison des templiers mais de celle des chevaliers de Saint-Jean qui, en 1297, s'installèrent dans un château des Hohenstaufen et le transformèrent pour leurs besoins. Dans le bâtiment à trois étages, ils aménagèrent des communs, une église ainsi qu'une salle capitulaire et un dortoir. Par la suite, l'édifice servit un certain temps de grenier à dîme et, en 1731, il a été transformé en église paroissiale catholique.

▶▶ **The so-called Templer House at Neckarelz,** North Baden. It is, in fact, not a Templer house, but belonged to the Knights of St. John, who took over a Hohenstaufen castle in 1297, and converted it to their own use, accomodating domestic rooms, church, chapter house and dormitory in the three-storied building. In a later period it served for a while as a tithe house, and in 1731 it was converted to become the Catholic parish church.

## Die Kirchen schmücken

Im Inneren der Basilika sind die Wände mit Marmor verkleidet. Insbesondere die Obergadenwände, die Apsis und das Sanktuarium, der Altarraum, sind mit Stuckarbeiten, Fresken oder Mosaiken geschmückt. Beherrschende Elemente der Innenarchitektur sind die Säule und der mal rechteckige, mal quadratische Pfeiler, das Gebälk oder häufiger die Archivolten, bandartig gegliederte Stirnbögen, die oft nicht unmittelbar auf dem schon verschwenderisch ausgestatteten Kapitell ruhen, sondern auf dem sogenannten Kämpfer, der einem Pyramidenstumpf gleicht. Gemeinsam tragen sie die Obergadenwände, die nicht nur das Gepräge der Basilika, sondern auch das des mehrräumigen Zentralbaus wesentlich mitbestimmen. Berühmte Beispiele für den frühen Basilikenstil: die im sechzehnten Jahrhundert abgebrochene St. Peterskirche sowie die 1823 abgebrannte Kirche St. Paul vor den Mauern in Rom und San Appolinare in Classe bei Ravenna. Reste einer der ältesten Anlagen aus der ersten Hälfte des vierten Jahrhunderts, die aus zwei parallel erbauten dreischiffigen Hallen bestand, sind im venetianischen Aquileia erhalten.

## Rundbau und Langbau

Die Entwicklung des abendländischen Kirchenbaus wurde aus zwei ganz verschiedenen Architekturlandschaften gespeist, die sich wechselseitig befruchteten: aus der römischen mit ihrer äußerlich unscheinbaren Langbasilika und aus der östlichen mit ihren gewölbten Zentralbauten, wie sie vor allem in Konstantinopel ausgebildet wurden. Unter einem Zentralbau versteht man größere Achteck- oder Rundbauten. Seine Grundmuster sind der Kreis und alle dem Kreis einfügbaren Formen wie Polygon (Vieleck), griechisches, also gleicharmiges Kreuz; seltener kommen Ellip-

## L'ornementation des églises

A l'intérieur de la basilique, les murs sont revêtus de marbre. Les murs des fenêtres hautes, l'abside et le sanctuaire, le chœur ornés de stucs, de fresques ou de mosaïques. Les éléments dominants de l'architecture intérieure sont les colonnes et les piliers parfois rectangulaires, parfois carrés, la charpente ou plus fréquemment les archivoltes, les voussures des arcades qui souvent ne reposent pas sur le chapiteau à l'ornementation déjà abondante, mais sur l'imposte qui ressemble à une pyramide tronquée. Ensemble, ils supportent la claire-voie qui est non seulement la caractéristique dominante de la basilique mais également de tout l'édifice central avec toutes ses salles. Sant'Apollinare in Classe près de Ravenne représente un très bel exemple de ce style. D'autres exemples célèbres étaient l'église Saint-Pierre à Rome qui fut démolie au XVIe siècle et l'église Saint-Paul-hors-les-Murs détruite par un incendie en 1823. Des vestiges de l'un des plus anciens édifices de la première moitié du IVe siècle qui était composé de deux vaisseaux parallèles ayant chacun deux nefs latérales se trouvent à Aquilée, en Vénétie.

## Rectangles et rotondes

L'évolution de l'architecture occidentale des églises a été alimentée par deux sources différentes: la romaine avec sa basilique rectangulaire extérieurement sans prétention et l'orientale avec ses édifices à plan central qui se développèrent principalement à Constantinople. Les édifices à plan central sont octogonaux ou circulaires. Leur modèle de base est le cercle et toutes les formes qui s'inscrivent dans le cercle, comme le polygone, la croix grecque, c'est-à-dire à branches égales; les ellipses sont plus rares. Le corps

## Church decoration

The walls of the basilicas were faced with marble inside. Stucco work, frescoes, or mosaics were used in particular to decorate the clerestory level, the apse, and the sanctuary. The dominant internal architectural features were the pillars and the piers, which were sometimes rectangular, sometimes square, the timberwork, or more frequently, the archivolts – the under-curves of arches, and the mouldings decorating them –, which often did not rest on the already highly decorated capital, but on a kind of impost, resembling a flattened pyramid. Together they carry the clerestory, which is a dominating feature not only of the basilica, but also of the entire central building with all its rooms. Sant' Appolinare 'in Classe' near Ravenna, is a fine example of this style. Other famous examples were St. Peter's Church in Rome which was demolished in the sixteenth century, and St. Paul's Church just outside the city walls, which burned down in 1823. Fragments of one of the oldest buildings from the first half of the fourth century, which consisted of two parallel naves each with two aisles, have survived in Aquileia, now in the Province of Udine.

## Rectangles and rotundas

The development of occidental church architecture was inspired by two different sources: the externally unpretentious Roman rectangular basilica, and the centrally planned Eastern churches, which evolved especially in Constantinople.
Central plan buildings are octagonal or round. They are based on the circle and all those forms which can be enclosed in a circle, such as the polygon, and the Greek cross, with its four equal arms; ellipses are less common. The middle building is often

sen vor. Oft ist der Mittelbau rundum von angebauten Kapellen umarmt. Der Zentralbau hat sich aus den antiken Mausoleen entwickelt, die hier und da schon sehr monumental angelegt waren. Aber auch antike Tempel boten sich als Vorbild an, schließlich die Nymphäen, Nymphenheiligtümer, sowie als Baderäume dienende Rotunden. Der berühmteste Zentralbau des alten Rom ist das zu Beginn des zweiten nachchristlichen Jahrhunderts entstandene Pantheon. War die Basilika bis in das Zeitalter Justinians hinein die überall bevorzugte Bauform für das christliche Gemeindehaus, so wurde der Zentralbau gern für spezifische rituelle Zwecke benutzt, nämlich als Baptisterium oder Taufhaus und für die christliche Gedächtnis- oder Grabkirche, die mit dem Anwachsen des Märtyrerkults vermehrtes Interesse fand. Als Gemeindehaus erschien der Zentralbau ungeeignet, da die Gottesdienstordnung eine zentrale Aufstellung des Altars nicht zuließ. Hingegen konnten Taufbecken oder Grabmal, der einzelne Täufling oder der einzelne Dahingegangene, durchaus die Mitte des Raumes einnehmen.

Im Gegensatz von Basilika und Zentralbau spiegelt sich die Vielfalt der treibenden Kräfte in der christlichen Kunstentwicklung. Ist im Langbau die ganze Raumgestaltung wie die obere Lichtbahn des Hauptschiffes dazu angetan, den Blick auf den Altar zu lenken, dominiert hier eine vertikale Zielstrebigkeit, so ist die maßgebliche Linie des Zentralbaus das Mittellos. Dieser Raum fordert nicht zum Durchschreiten auf, er vermittelt vielmehr das Grundgefühl des Geborgenseins, der Ruhe und Erhebung. Der Blick wird nach oben geführt, wo das einströmende Licht der Kuppel ewige Seeligkeit, Erlösung verheißt. Sehr früh schon hatte der Zentralbau seine Krönung in einer runden oder polygonalen Kuppel gefunden. Zu welcher Prachtentfaltung sich das architektonische Crescendo der Gewölbe von den Apsiden über Halbkup-

central est souvent entouré de chapelles annexes. Le plan central s'est développé à partir du mausolée antique qui avait parfois une ampleur monumentale. Mais les temples antiques serviront également de modèles tout comme les nymphées, ces rotondes qui étaient des temples consacrés aux nymphes mais servaient en même temps pour le bain et comme lieu de repos. Le plus célèbre des édifices à plan central de l'ancienne Rome est le Panthéon construit au début du IIe siècle après J.-C. Tandis que la basilique est restée la forme d'édifice préférée pour les églises paroissiales chrétiennes jusqu'à l'époque de Justinien, le plan central fut utilisé pour des buts rituels particuliers, pour les baptistères, les églises commémoratives ou mausolées qui, avec l'extension du culte des martyrs, suscitèrent un intérêt accru. Le plan central paraissait inapproprié pour la maison paroissiale car la liturgie n'autorisait pas une disposition centrale de l'autel. Par contre, le baptistère ou le tombeau pouvait fort bien occuper le centre de la salle.

Le contraste entre la basilique et l'église à plan central reflète la variété des forces motrices dans le développement de l'art chrétien. Tandis que la forme basilicale oblongue, la structure de l'édifice avec la lumière dispensée par la claire-voie contribuent à diriger l'attention sur l'autel, que dominent les lignes verticales, dans le plan central l'impression qui prévaut est celle de paix, de protection, d'exaltation. Ce genre de salle n'invite pas le visiteur à la traverser, le regard est dirigé vers le haut, là où la lumière qui pénètre à travers le dôme semble promettre la rédemption, la félicité éternelle. Très tôt, le plan central s'est vu couronné par une coupole ronde ou polygonale. La Hagia Sophia, construite au VIe siècle à Constantinople, est un merveilleux exemple de la magnificence que peut atteindre le crescendo architectonique des voûtes, des absides et des demi-coupoles jusqu'à l'immense dôme principal.

surrounded by subsidiary chapels. The central plan developed from the Classical mausoleum, which was occasionally extremely monumental. But Classical temples were also a source of inspiration, as were the nymphea – rotundas serving as temples of the nymphs and also as baths or pleasure-houses. The most famous centrally planned building of ancient Rome was the Pantheon, built at the beginning of the second century AD. While the basilica remained the preferred form of building for the Christian parish churches constructed until the time of Justinian, the central plan was used for specific ritual purposes – for baptisteries, and for Christian memorial churches or mausoleums, which became increasingly popular with the growth of the martyr cult. The central plan was considered unsuitable for parish purposes, as the liturgy did not permit a central position for the altar. On the other hand, a font for the individual candidate for baptism or a tomb could certainly be placed in the middle of the room.

The contrast between basilica and centrally planned church reflects the variety of driving forces in the development of Christian art. While in the oblong basilica form, the whole structure, including the line of light provided by the clerestory, contrives to direct attention forwards to the altar, the centrally planned church is dominated by verticality, by the line rising to the top of the central dome. This kind of room does not challenge the visitor to stride through it, but rather induces a feeling of protection, of peace, and exaltation. The gaze is directed upwards, where the light flowing into the dome seems to promise eternal bliss, salvation. The centrally planned church developed its crowning feature in the form of a circular or polygonal dome at a very early stage in its development. The magnificent effect that can be achieved by the architectural crescendo of the vaulting, rising through apses and semi-cupolas to the supreme glory of a tremendous main

peln bis zu einer gewaltigen Hauptkuppel zu steigern vermag, zeigt die im sechsten Jahrhundert erbaute Hagia Sophia in Konstantinopel.

Das Mittelalter hat den Zentralbau aus der altchristlichen Kunst übernommen. Bedeutendstes Beispiel ist die im Jahre 805 geweihte Palastkapelle Karls des Großen in Aachen, die der gut zweihundertfünfzig Jahre älteren Kirche San Vitale in Ravenna nachempfunden ist. Als Baptisterium bleibt dieser Bautyp auch im späteren Mittelalter beliebt. In der Renaissance erfährt er eine erneute Aufwertung, wovon nicht zuletzt der Neubau der Peterskirche in Rom Zeugnis ablegt. Michelangelo, der um die Mitte des sechzehnten Jahrhunderts Bauleiter von St. Peter wurde, hat das ursprünglich allzu verschachtelte Grundrißschema Bramantes später vereinfacht. Auch auf den Langhausbau gewann der Zentralbau wachsenden Einfluß: Seitliche Kapellen erweiterten das Mittelschiff, und der Vierungsraum erhielt durch eine gewaltige Kuppel solche Dominanz, daß das Langhaus wie eine Vorhalle zum Kuppelraum wirkte. Die Verschmelzung der beiden Grundtypen des Kirchenbaus wurde im Barock systematisch weiterentwickelt, aber auch zahlreiche reine Zentralbauten sind noch in dieser Epoche entstanden.

## Der Vater des abendländischen Mönchtums

»Es lebte ein Mann, der führte ein verehrungswürdiges Leben; es war Benedikt. Er war einem vornehmen Geschlecht zu Nursia entsprossen und wurde nach Rom geschickt, um dort zu studieren. Aber als er dabei viele auf dem Abgrund der Laster versinken sah, verschmähte er das Studium, verließ Vaterhaus und Vermögen und begehrte in dem Verlangen, Gott allein zu gefallen, das Ordenskleid.« So begann Papst Gregor der Große

Les architectes médiévaux ont emprunté l'idée du plan central à l'art chrétien primitif. L'exemple le plus important est donné par la chapelle du palais de Charlemagne consacrée en 805 à Aix-la-Chapelle, une imitation de la basilique de San Vitale à Ravenne qui fut construite deux bons siècles et demi auparavant. Ce genre de construction fut également très prisé pour les baptistères à la fin du Moyen Age et, à l'époque de la Renaissance, il connut un regain d'intérêt dont témoigne la basilique de Saint-Pierre de Rome.

Michel-Ange qui, vers le milieu du XVIe siècle, dirigea les travaux de reconstruction de Saint-Pierre a simplifié le plan original, trop compliqué de Bramante. Le plan central exerça également une influence croissante sur le plan basilical: des chapelles latérales élargirent le vaisseau principal et la croisée obtint par l'adjonction d'une coupole imposante une telle importance que la nef en fut pratiquement réduite à un rôle de vestibule. Le mélange des deux formes fondamentales de la construction des églises fut développé systématiquement à l'époque du baroque, mais de nombreuses églises à plan central pur ont également été construites pendant cette période.

## Le patriarche des moines d'Occident

«Il était une fois un homme qui vivait une vie digne de respect: c'était Benoît. Issu d'une famille noble de Nursie, dans les monts Sabins, il fut élevé à Rome. Mais lorsqu'il vit combien sombraient dans les abîmes du vice, il renonça à ses études, abandonna la maison paternelle et sa fortune et revêtit l'habit du moine, animé du désir de plaire uniquement à Dieu.» C'est ainsi que le pape Grégoire le Grand commence le deuxième livre de ses «Dialogues» rédigés entre juin 593 et octobre 594 et qui est consacré exclusive-

dome, is demonstrated by the sixth-century Hagia Sophia in Constantinople (Istanbul). Medieval builders took up the idea of the central plan from the early Christian period. The most important example of this is provided by Charlemagne's Palace Chapel in Aachen, consecrated in 805, and based on the church of San Vitale in Ravenna, which was built a good two and a half centuries earlier. This type of building was also retained in the later Middle Ages for baptisteries, and experienced a fresh lease of life during the Renaissance, the new St. Peter's Cathedral in Rome being a striking example. Michelangelo, who became the architect of St. Peter's in the middle of the sixteenth century, simplified the original, complex ground plan designed by Brabante. The central plan also had an increasing influence on the basilica form: side chapels extended the nave, and the crossing was lent such an emphasis by a massive dome that the nave was reduced almost to the status of a vestibule leading to it. The combining of the two basic forms of church building was systematically developed during the Baroque age, but numerous pure central plan churches were also built during that period.

## The Patriarch of western monasticism

"There was once a man who led a worthy life: it was Benedict. He came of a distinguished family at Nursia, in the Sabine Hills, and was sent to Rome to study there. But when he saw so many sinking into the abyss of vice he renounced his studies, left his father's house and his fortune, and put on monkish robes in the desire to please God alone." This was how Pope Gregory the Great began the second book of "Dialogues", which he wrote between June 593 and October 594, and which was devoted entirely

das zweite Buch seiner zwischen Juni 593 und Oktober 594 verfaßten »Dialoge«, das ausschließlich den Wundern und dem ihm nur vom Hörensagen bekannten äußeren Leben des Gottesmannes Benedikt gewidmet war. Gregor wollte keine eigentliche Biographie schreiben, sondern »zum Lobpreis des Erlösers« einige von den Wundern Benedikts erzählen. Indessen stellt sein Werk die einzige Quelle dar, die uns über Leben und Wirken des Mönchsvaters ins Bild setzt, wobei das Porträt schon legendäre Züge aufweist.

Der Römer Benedikt (480–547) stammte also aus dem Städtchen Nursia in den Sabiner Bergen, war in Rom mit dem berühmten Schriftsteller und Philosophen Boëthius befreundet, zog sich aber schon mit etwa zwanzig Jahren aus dem weltlichen Treiben zurück, lebte drei Jahre lang als Eremit in einer Höhle. Berichte von seinen Wundertaten ließen die Menschen aufhorchen, zogen Jünger an, und schon frühzeitig wurde der Plan einer Klostergründung erwogen. Aber der erste Versuch mißglückte. Daraufhin wanderte Benedikt mit einigen Gefährten gen Süden und rief im Jahre 529 auf dem Bergesrücken von Monte Cassino das erste Benediktinerkloster ins Leben. Just in diesem Jahr schloß in Athen die letzte antike Universität ihre Pforten. So sollten die Klöster jahrhundertelang, nämlich bis zur Gründung der ersten abendländischen Universitäten, die hohen Schulen des Mittelalters repräsentieren.

Zu Lebzeiten war Benedikt, der Patriarch und eigentliche Begründer des abendländischen Mönchtums, nur einer unter vielen italienischen Äbten gewesen. Obwohl er auf Grund seiner Heiligkeit und seiner Wundertaten hohes Ansehen genoß, gründete er weder einen Orden noch beeinflußte er die Geschicke der Kirche. Seinen unsterblichen Ruhm dankt er allein seiner kurzen Regel, die weitgehend aus älteren Quellen gespeist, ja teilweise wörtlich abgeschrieben ist. Galt Benedikt noch bis 1933 als deren

ment aux miracles et à la vie de Benoît, homme de Dieu, que Grégoire ne connaissait d'ailleurs que par ouï-dire. Grégoire ne voulait pas écrire une véritable biographie mais raconter certains miracles de saint Benoît «à la gloire du Sauveur». Mais son livre qui est empreint de légende constitue maintenant la seule source d'information sur la vie et l'œuvre du patriarche des moines. A Rome, Benoît (480-547) fut un ami du célèbre écrivain et philosophe Boèce mais dès sa vingtième année il se retira de l'agitation du monde et vécut pendant trois ans en ermite dans une grotte. Au bruit de ses miracles, des disciples se rassemblèrent et il fut bientôt question de fonder un monastère. Mais la première tentative fut un échec. Avec quelques compagnons, Benoît se dirigea alors vers le sud et en 529 établit le premier monastère bénédictin à Mont-Cassin. La même année, la dernière université classique fermait ses portes à Athènes. A partir de ce moment-là et jusqu'à la fondation des premières universités occidentales quelques siècles plus tard, les monastères allaient être les écoles du Moyen Age.

De son vivant, Benoît, le patriarche et le véritable fondateur du monachisme occidental, ne fut qu'un abbé parmi d'autres abbés italiens. Et bien qu'il ait été vénéré à cause de sa sainteté et de ses miracles, il ne fonda jamais d'ordre ni n'influença le destin de l'Eglise. Sa gloire immortelle est uniquement basée sur la règle qui porte son nom, qui s'inspire en grande partie des règles antérieures et les reproduit parfois textuellement. Si jusqu'en 1933, saint Benoît est passé pour en être le seul auteur, on sait aujourd'hui que deux tiers du texte proviennent de sources antérieures, en particulier de la règle de saint Augustin et de la Regula Magistri d'un auteur inconnu. Saint Benoît toutefois a considérablement simplifié et clarifié les textes qu'il a utilisés de sorte que le résultat est incontestablement son œuvre et reflète

to the life of the Man of God Benedict and the wonders he wrought, although Benedict was only known to him by hearsay. Gregory did not intend to write a biography proper, but to tell of some of Benedict's miracles "to the glory of the Saviour". And yet his book, which reads more like a legend than a biography, is the only source of information we have on the life of this influential man. While in Rome, Benedict (480–547) was a friend of the famous writer and philosopher Boethius, but, at the age of about twenty, he withdrew from the bustle of the world, and lived in a cave as a hermit for three years. Reports of miracles wrought by him attracted attention and disciples, and soon there was talk of founding a monastery. But the first attempt was a failure. Benedict then went southwards with a few companions, and, in 529, established the first Benedictine monastery on the hill of Monte Cassino. In the same year the last Classical university closed down in Athens. From this point on, until the foundation of the first western universities centuries later, the monasteries were to carry the torch of learning.

In his lifetime, Benedict, the patriarch and real founder of western monasticism, was only one of many Italian abbots. Although he was highly respected because of his miracles and his holiness, he neither founded an order nor influenced the history of the Church. His immortal fame is based solely on the short Rule, his Regula monachorum, which largely derives from older models, and in parts is even a literal copy of them. Benedict was considered to be its only author until 1933, but it is now known that about two thirds of the text comes from earlier sources, in particular from the Rule of St. Augustine and the so-called Regula Magistri, by an unknown author. However, Benedict decisively reduced and clarified the sources he used, so that the result is indubitably an original intellectual product, and reflects

alleiniger Verfasser, so weiß man heute, daß neben anderen insbesondere die Regel des Augustinus sowie die sogenannte Regula Magistri eines noch unbekannten Verfassers etwa zwei Drittel seines Textes ausmachen. Indessen hat er die Schriften, die er verwendete, ganz entscheidend gestrafft und verdeutlicht, und so ist das Ergebnis schließlich doch das ureigene Geisteskind Benedikts, spiegelt sein besonderes Gespür für das Maßvolle, für Transparenz, nicht zuletzt die praktische Vernunft des Gottesmannes. Er verschmolz in den dreiundsiebzig Kapiteln den Gedanken der frommen Weltflucht mit altrömischer Gemeinschaftsethik, lieferte einen nützlichen Leitfaden für alle Fragen des klösterlichen Lebens, huldigte ungeachtet seiner hohen ideellen Forderungen bisweilen einem gesunden Pragmatismus. Neben den Gelübden der Armut, der Keuschheit und des Gehorsams wurde vor allem die Arbeit zur Pflicht gemacht. Die Mönche sollten an einsamen Orten siedeln, beten und arbeiten, alles Lebensnotwendige selbst erzeugen. Nächstenliebe und ein einfaches Leben in harmonischer Wohngemeinschaft wurde von Benedikt höher bewertet als Streben nach persönlicher Vollkommenheit. Eine seiner wichtigsten Forderungen hielt die Mönche dazu an, seßhaft zu sein, ihr ganzes Leben in ein- und demselben Kloster zu verbringen. Die strenge Tagesordnung, in der die Zeiten für Gebet, Arbeit, Studium, den äußerst knapp bemessenen Schlaf sowie Zeiten und Mengen von Speisen und Getränken genau festgelegt waren, mag aus unserer Sicht ein Leben kaum vorstellbarer Unterwürfigkeit und Monotonie offenbaren. Immerhin wurde Rücksicht genommen nicht nur auf Alte und Junge, Schwache und Kranke, sondern auch auf die unterschiedlichen Temperamente innerhalb der pluralistischen Brüdergemeinde. Benedikt war ein zu guter Psychologe, um nicht zu wissen, daß man die Menschen nicht über einen Kamm scheren kann.

son sens particulier de la mesure et de la clarté. Dans les soixante-treize chapitres de sa règle, il unit l'idée de la pieuse renonciation au monde à l'éthique communautaire des anciens Romains, offre un guide utile pour tous les aspects de la vie monastique et, malgré ses idéaux élevés, fait preuve parfois d'un pragmatisme des plus sains. Le travail y est proclamé une obligation aussi importante que les vœux de pauvreté, de chasteté et d'obéissance. Les moines devaient s'établir en un lieu isolé, prier, travailler et produire tout ce qui était nécessaire à leur vie. L'amour du prochain et une vie simple dans une communauté harmonieuse étaient considérés par saint Benoît comme plus importants que le souci de perfection personnelle. Benoît tenait particulièrement à ce que les moines s'établissent et passent toute leur vie dans le même monastère. L'horaire très strict, qui prévoyait exactement le temps réservé à la prière, au travail et à l'étude, n'autorisait que très peu de sommeil et fixait les moments des repas ainsi que la quantité des mets et des boissons, peut nous donner l'image d'une vie de soumission et d'une monotonie presque incroyables. Pourtant, il y était tenu compte non seulement des vieux et des jeunes, des faibles et des malades mais également des tempéraments différents à l'intérieur de cette communauté fraternelle pluraliste. Benoît était trop bon psychologue pour ne pas savoir que l'on ne peut traiter tout le monde de la même façon.
Voici quelques exemples tirés de sa Règle et qui, selon le pape Grégoire, se distingue et par sa sage modération et la clarté de son style. Elle est rédigée dans ce latin vivant qui était au VIe siècle le langage courant des couches moyennes et supérieures en Italie, en Gaule et en Espagne; une langue qui se distinguait autant du latin des moines, de la langue des classiques et de la majorité des Pères de l'Eglise que du langage affecté,

his special feeling for moderation and clarity, and his common sense. In the seventy-three chapters of his Rule he combines the concept of pious renunciation of worldly things with Classical Roman communal ethics, provides a useful guide to all aspects of monastic life, and, despite his high ideals, at times demonstrates a healthy pragmatism. Work was proclaimed a duty as important as the vows of poverty, chastity, and obedience. The monks were recommended to settle in an isolated place, pray, work, and produce all the necessities of life for themselves. Charity, and a simple life in an harmonious community were counted as more important than aiming at personal perfection. One of Benedict's most important demands is that monks should settle down, and spend their whole lives in one and the same monastery. The strict daily routine, which precisely defines the times for prayer, work, and study, allows for very little sleep, and also stipulates the times for meals and the amounts of food and drink to be taken, may seem to us a life of almost unimaginable submissiveness and monotony, but factors like age and youth, weakness and sickness, and even differences in temperament within the pluralistic brotherhood were taken into consideration. Benedict had too great an understanding of human nature to believe that his fellow-men could all be treated the same.
Here are a few examples taken from his Rule which, according to Pope Gregory, is distinguished by wise moderation and also by clarity of style. It is written in that lively form of Latin which was the normal language of communication among the middle and upper classes of Italy, Gaul, and Spain: a language that is as remote from the language of the monks and from that of the Classics and most of the Fathers of the Church as it is from the stilted and difficult language of the literary men, grammarians, and rhetoricians of the age.

Hier nun ein paar Beispiele aus seiner Regel, die sich nach Papst Gregor durch weise Mäßigung, aber auch durch verständliche Rede auszeichnet. Sie ist in jenem lebendigen Latein geschrieben, das im sechsten Jahrhundert die Umgangssprache der mittleren und gehobenen Schichten Italiens, Galliens und Spaniens war; eine Sprache, die sich vom Mönchslatein, von der Sprache der Klassiker und der Mehrzahl der Kirchenväter ebenso unterscheidet wie von der geschraubten, schwer faßlichen Sprache der Literaten, Grammatiker und Rhetoriker jener Zeit.

## Die starken, herrlichen Waffen des Gehorsams

Benedikts Vorwort: »Höre, mein Sohn, den Lehren des Meisters und neige das Ohr deines Herzens, nimm des Vaters Mahnung willig an und erfülle sie durch die Tat. So wirst du durch die Mühe des Gehorsams zu dem zurückkehren, von dem du dich in der Trägheit des Ungehorsams entfernt hast. So richtet sich denn jetzt mein Wort an dich: an jeden, der dem Eigenwillen entsagen und die starken und herrlichen Waffen des Gehorsams ergreifen will, um dem wahren König, Christus, dem Herrn, zu dienen . . . Wir müssen also Seele und Leib bereiten, um Kriegsdienste zu leisten im Gehorsam gegen die Gebote . . . Wir wollen also eine Schule für den Dienst des Herrn gründen. Bei dieser Gründung ist es unsere Absicht, nichts Hartes, nichts Schweres anzuordnen. Sollten jedoch Vernunft und Billigkeit zur Besserung von Fehlern und zur Bewahrung der Liebe da und dort etwas strengere Anforderungen stellen, so verlaß nicht gleich voll Angst und Schrecken den Weg des Heils. Sobald man aber im klösterlichen Leben und im Glauben Fortschritte macht, weitet sich das Herz, und man geht den Weg der Gebote Gottes in unsagbarer Freude der Liebe . . .«

difficilement compréhensible des hommes de lettres, des grammairiens et des rhétoriciens de l'époque.

## Les armes puissantes et glorieuses de l'obéissance

L'avant-propos de saint Benoît: «Ecoute, mon fils, l'enseignement du maître et ouvre l'oreille de ton cœur, accepte de bon gré les admonitions et mets-les en pratique. Ainsi, par le travail de l'obéissance, retourneras-tu à ce dont tu t'étais éloigné par l'indolence de la désobéissance. C'est pourquoi je te le dis: à toi, à quiconque est prêt à renoncer à sa propre volonté et à prendre les armes puissantes et glorieuses de l'obéissance pour servir le véritable Roi, le Christ, le Seigneur... Nous devons donc préparer l'âme et le corps, pour accomplir le service militaire de l'obéissance aux Commandements... Nous voulons donc fonder une école pour le service du Seigneur. En fondant cette école, il est de notre intention de ne rien ordonner de sévère ou de rigoureux. Mais si la raison et la justice devaient exiger ici et là des règles plus strictes pour l'amendement des fautes et la préservation de l'amour, n'abandonne pas immédiatement, plein de peur et d'angoisse, la voie du salut. Car dès que l'on progresse dans la vie monastique et la foi, le cœur s'ouvre et l'on suit la voie des commandements de Dieu rempli de la joie ineffable de l'amour...» Benoît recommandait la souplesse, l'adaptation aux personnes et aux circonstances dans la répartition des besoins vitaux: «Comme il est dit dans les Ecritures: il a été donné à chacun ce dont il avait besoin... Que celui qui a donc besoin de moins remercie Dieu et ne soit pas triste; mais que celui qui a besoin de plus s'humilie à cause de sa misère et ne s'enorgueillisse pas parce qu'on le prend en considération. De cette manière, tous les membres vivent en paix. Et surtout, il

## The strong and glorious weapon of obedience

Benedict's foreword: "Hear, my son, the teaching of the Master, and open the ear of thy heart, accept the Father's admonition willingly, and put it into practice. Thus, through the labour of obedience, thou willst return to that from which thou hast distanced thyself in the indolence of disobedience. So I now say to thee: to everyone who is prepared to renounce his own will and to grasp the strong and glorious weapon of obedience in order to serve the true King, Christ the Lord... We must prepare body and soul for the military service of obedience to the Commandments... We mean to found a school of the Lord's service. It is our intention, when founding this school, to order nothing harsh or rigorous. But, should reason and justice call for somewhat stricter rules here or there for the improvement of faults and the preservation of love, do not straightway desert the path to Salvation in fear and alarm. For as soon as one progresses in monastic life and in faith, the heart expands, and one follows the path of God's Commandments in the unutterable joy of love..." Benedict recommends flexibility, and the consideration of persons and conditions in the distribution of the necessities of life: "As it says in the Scriptures: each was given what he needed... He who needs less should thus thank God and not be sad; but he who needs more should humble himself because of his wretchedness and should not be proud because he is shown special consideration. In this way all the members live in peace. Above all, the evil of murmuring should never be succumbed to, for no reason whatever, neither in speech nor in thought... The brothers should be given clothes that are in keeping with the situation and climate of the place they are living in: for in cold regions one needs more, in warm regions less. It is therefore the business of

In der Verteilung des Lebensnotwendigen empfiehlt Benedikt Flexibilität, Anpassung an Personen und Umstände:

»Wie es in der Schrift heißt: Jedem wurde zugeteilt, was er nötig hatte . . . Wer also weniger braucht, danke Gott und sei nicht traurig; wer aber mehr braucht, demütige sich wegen seiner Armseligkeit und überhebe sich nicht, weil man auf ihn Rücksicht nimmt. Auf diese Weise bleiben alle Glieder in Frieden. Vor allem darf aus keinem Grund, in keinem Wort und keiner Andeutung das Übel des Murrens aufkommen . . . Man gibt den Brüdern Kleider, die der Lage und dem Klima des Wohnorts entsprechen; denn in kalten Gegenden braucht man mehr, in warmen weniger. Es ist also Sache des Abtes, darauf Rücksicht zu nehmen . . Jeder hat seine besondere Gabe von Gott, der eine diese, der andere jene. Deshalb bestimmten wir nur mit einer gewissen Ängstlichkeit das Maß der Nahrung für andere. Indessen glauben wir mit Rücksicht auf die Unzulänglichkeit der Schwachen, daß eine Hemina (etwa ein Viertelliter) Wein für jeden Tag reichen sollte. Wem Gott aber die Kraft gibt, sich davon zu enthalten, der wisse, daß er einen besonderen Lohn empfangen wird. Sollten jedoch die Ortsverhältnisse, Arbeit oder Sommerhitze mehr fordern, so ist das dem Ermessen des Oberen überlassen . . . Zwar lesen wir, der Wein sei überhaupt nichts für Mönche; da man aber die Mönche unserer Zeit nicht davon überzeugen kann, sollten wir uns wenigstens dazu verstehen, nicht bis zur Sättigung zu trinken, sondern weniger; denn der Wein bringt sogar die Weisen zum Abfall. Wo es die Ortsverhältnisse mit sich bringen, daß nicht einmal das oben angegebene Maß aufzubringen ist, sondern weniger oder gar nichts, sollen die Brüder, die dort wohnen, Gott preisen und nicht murren. Vor allem mahnen wir dazu, daß man das Murren unterlasse.«

ne faut en aucun cas, pour quelle que raison que ce soit se laisser aller au mécontentement ni en parole ni par allusion… On donne aux frères des vêtements qui correspondent à la situation et au climat du lieu; car dans les régions froides, on a besoin de plus, dans les régions chaudes de moins. Il appartient dont à l'abbé d'y veiller… Chacun a reçu un don particulier de Dieu, l'un ceci, l'autre cela. Aussi c'est avec une certaine crainte que nous fixons la quantité de nourriture qui convient aux autres. Toutefois, nous pensons, en tenant compte des imperfections du faible qu'une hemina (environ un quart de litre) de vin devrait suffire pour chaque jour. Mais celui qui a reçu de Dieu la force de s'en abstenir, celui-là sait qu'il sera particulièrement récompensé. Si les conditions locales, le travail ou la chaleur de l'été exigent plus, cela est laissé à l'appréciation du supérieur… Nous lisons certes que le vin n'est absolument pas pour les moines; mais comme nous ne pouvons pas convaincre de cela les moines de notre époque, nous devons au moins veiller à ne pas boire jusqu'à satiété, mais moins; car le vin peut même corrompre le sage. Si les conditions locales sont telles que la quantité mentionnée ci-dessus ne peut être obtenue, les frères qui vivent à cet endroit doivent louer le Seigneur et ne pas murmurer. Par dessus tout, nous les exhortons à ne pas murmurer.»

the Abbot to attend to this… Everyone has his proper gift from God; one after this manner and another after that: wherefore we have some scruple in fixing a measure for other men's meat and drink. Yet, considering the fragility of the weaker brethren, we hold that a hemina (about half a pint) of wine daily is enough for each monk. But let them to whom God has given the power to abstain, know that they shall have their own reward. If, however, either the need of the monastery, or the labour, or the summer heat, call for more than this, then let it be left to the Prior's choice… We read that wine is altogether unfit for monks; but because the monks of our age cannot be persuaded of this, let us at least agree that we drink not to satiety, but somewhat sparingly, since wine makes even wise men fall off. Where, however, local conditions make it impossible to find the aforesaid measure, but only less, or none whatever, then let the brethren of that place bless God and murmur not. For this we prescribe above all things, that there be no murmurs among them.''

▶ **Ehemalige Benediktinerabteikirche Amorbach,** Unterfranken. Die Anfänge des Klosters liegen im Dunkeln. Von der Legende, nach der der erste Abt Amor, als Schüler des irisch-schottischen Missionars Pirmin von dem nahegelegenen Amorsbrunn herübergekommen und 734 das Kloster Amorbach gegründet habe, läßt der kritische Historiker nicht viel übrig: Aus später belegten grundherrlichen und vogteilichen Rechten des Abtes in und um Amorbach schließt man, daß das wohl im 8. Jahrhundert vom fränkischen Adel gestiftete Kloster bereits bei seiner Gründung reich ausgestattet wurde. Durch gefälschte Schenkungsurkunden Pippins und Karls des Großen sicherte sich 993 der Bischof Bernward von Würzburg bei Kaiser Otto III. den Zugriff zum Kloster. Wohl aufgrund dieser Fälschung wird es von Würzburg hingenommen, daß die Herren von Dürn wahrscheinlich von Kaiser Friedrich Barbarossa im 12. Jahrhundert die Klostervogtei mit den umliegenden Ortschaften als Lehen erhalten. 1272 verkauft Ulrich III. von Dürn nach seiner Burg Wildenberg auch Amorbach an den Erzbischof von Mainz. Das Kloster blieb noch unter der Jurisdiktion der Diözese Würzburg, bis es 1656 auch zu Mainz kam. In den Bauernkriegen wurden Klosteramtsstuben und Klosterkeller geplündert. Ein Teil der Amorbacher schloß sich den Aufständischen an, wodurch das nach Selbständigkeit strebende Städtchen früher erkämpfte Privilegien einbüßte. Amorbach wurde Sitz des mainzischen Amtmannes und des Zehntgerichts.

Ins 18. Jahrhundert fällt der Neubau des Klosters sowie der Kirche (1742-1747 nach den Plänen des Mainzer Hofarchitekten Maximilian von Welsch). Von der romanischen Kreuzbasilika bleiben nur die beiden Türme, die Umfassungsmauern und der Grundriß erhalten. Nach der Säkularisierung residieren die Fürsten von Leiningen in den Klostergebäuden; die Münsterkirche wird zur Hofkirche, später dann zur evangelischen Pfarrkirche. Wären nicht die beiden Türme – mit barocken Hauben versehen –, gewänne man den Eindruck, über die zweiflügelige Treppe eher zu einem Schloß als zu einer Kirche hinaufzusteigen. Die Fassade, gegliedert durch doppelte Pilaster und abgeschlossen durch einen Volutengiebel, besteht ganz aus Buntsandstein. Im Innern hebt sich der überraschte Blick unwillkürlich nach oben, um zu sehen, woher die Helligkeit des Raumes kommt: von den hohen Arkaden mit Rundfenstern, von dem gekröpften Gesims in ihrer Wirkung gleichsam unterstrichen. Der Blick wird von da über die Joche zum Gewölbe geleitet, dessen Fresken, von Matthäus Günther aus Augsburg geschaffen, die Legende des Ordensheiligen Benedikt erzählen. Die Stuckarbeiten an Wänden und Altären stammen von den beiden Wessobrunner Meistern Johann Michael Feichtmayr und Johann Georg Üblherr. Dieselben Künstler waren auch im Würzburger Käppele am Werk. Gleich verspielt und luftig sind die prächtige Kanzel von Johann Wolfgang v. d. Auvera, die Orgel über der Rocaille-Balustrade und das schmiedeeiserne Gitter von dem Würzburger Schlosser Marx Gattinger. Es trennt Langhaus und Chorgeviert voneinander ab.

▶ **Ancienne église abbatiale bénédictine d'Amorbach,** Basse-Franconie. Les bâtiments abbatiaux qui ont été reconstruits de 1742 à 1747 offrirent après la sécularisation une excellente résidence aux princes de Leiningen et l'église devint l'église de la cour. N'étaient les tours de la construction romane précédente, on pourrait se croire dans un château lorsque l'on monte le double escalier. L'intérieur de l'église est étonnamment clair grâce à la lumière qui pénètre par les hautes arcades et les fenêtres rondes. La magnifique chaire et la grille en fer forgé ont des formes déliées.

▶ **Former Benedictine Abbey Church at Amorbach,** Lower Franconia. After the secularisation, the monastery, which had been newly built from 1742–1747, provided an excellent residence for the noble Leiningen family, and the church made a fine court church. Only the towers from the previous, Romanesque building counter the impression, as you climb the sweeping double staircase to the church, that you are entering a palace. Inside, the church is suprisingly light, illuminated through the high arcades and the round windows. The splendid pulpit and the wrought-iron gates are playful and airy.

▶ **Dom zu Speyer,** Pfalz. Allen Versuchen der Zeit zum Trotz, dieses Bauwerk, die größte romanische Kirche Deutschlands, zu zerstören – wie 1689 und noch einmal 1794 durch die Franzosen – oder ihm den Stil einer anderen Zeit überzustülpen, steht der Dom heute da, wie er seinen Erbauern vorgeschwebt haben mag. Kaiser Konrad II., der zu dieser riesigen Pfeilerbasilika in ihrer vollen Länge von 133 Metern, flacher Mittelschiffdecke und kreuzgratgewölbten Seitenschiffen um 1030 den Grundstein legte, wurde im unfertigen Dom beigesetzt, ebenso sein Sohn, Kaiser Heinrich II. Erst Heinrich IV. (1046-1106) erlebte die Endweihe 1061, veranlaßte jedoch schon zwanzig Jahre später einen Umbau. Der Rhein unterspülte das Hochufer und machte eine Verstärkung der Fundamente notwendig. Neben der Neugestaltung des Chores und der Neugliederung der Wände und Kapellenanbauten ist die bedeutendste Veränderung – epochemachend in der deutschen Architekturgeschichte – die Einwölbung des riesigen, flachgedeckten Mittelschiffes.
Bei der Restauration 1957–68 wurde der Versuch unternommen, die romanische Architektur so ursprünglich wie möglich wieder aufscheinen zu lassen, wie sie die Krypta, die auch als die schönste Unterkirche der Welt bezeichnet wird, die Jahrhunderte hindurch fast unversehrt bewahren konnte. Mit der Neuordnung der Grablege in der Vorkrypta haben nun vielleicht auch die Kaiser, Könige und Bischöfe endlich ihre letzte Ruhe gefunden. Auf vielfältige Weise waren der Dom und die Stadt Speyer mit den Kaisern verbunden. Von hier aus trat Heinrich IV. den berühmten Gang nach Canossa an; Bernhard von Clairvaux feuerte 1146 mit seiner Predigt im Dom zur Teilnahme am Kreuzzug an und konnte auch Konrad III. dazu bewegen; die Domschule galt als Diplomatenschule des Reiches. Angehörige des Speyrer Klerus taten Dienst beim Kaiser, als Gesandte und Reichskanzler.

▶ **Cathédrale de Spire,** Palatinat. La plus grande église romane d'Allemagne, dont l'édification a commencé en 1030 sous l'influence des empereurs saliques, donne aujourd'hui encore cette impression de majesté visée par ses constructeurs. La merveilleuse crypte, le tombeau de nombreux empereurs, rois et évêques, a survécu presque intacte aux épreuves des siècles. C'est sous l'empereur Henri IV (qui est parti de Spire pour se rendre en tenue de pénitent à Canossa) que l'immense toit, plat à l'origine, du vaisseau central a été voûté – une initiative qui a fait date dans l'histoire de l'architecture allemande.

▶ **Speyer Cathedral,** Palatinate. The largest Romenesque church in Germany. Built from 1030 under the influence of the Salian emperors, it must surely still make very much the same impression as it did originally. The splendid crypt, which serves as a sepulchre for countless emperors, kings, and bishops, has survived the centuries almost intact. It was under emperor Henry IV (who set out from Speyer on his penitential journey to Canossa) that the original flat roof of the nave was vaulted over in 1080 – an epoch-making feat in German architecture.

▶▶ **Achatiuskapelle in Grünsfeldhausen,** Nordbaden. Vom Schwemmsand befreit, in den die unmittelbar am Bachrand gelegene Kapelle immer mehr versunken war, und gründlich restauriert, kann sie ihre drei Achtecke – Zentralraum, Turm, Chor – wieder voll zur Geltung bringen. Sie ist um 1200 entstanden an einem Ort, der früher vielleicht einmal ein Quellheiligtum war. Ihren Patron, den heiligen Achatius, ließ nach der Legende der römische Kaiser Hadrian mit anderen Märtyrern auf dem Berg Ararat in die Dornen treiben.
Der Ort Grünsfeldhausen hat wie das benachbarte Grünsfeld im Verlaufe seiner Geschichte viele Herren gesehen. Durch Heirat, Aussterben, Verpfändung, Verkauf waren sie im Besitz vor allem der Grafen von Rieneck (bis ins 14. Jahrhundert), der Landgrafen von Leuchtenburg (bis 1645) und Würzburg. Der Fürst von Leiningen, zu dem die Orte 1803 kamen, trat sie gleich wieder an den Fürsten von Salm-Krautheim ab, und seit 1838 gehören sie zu Baden.

▶▶ **Chapelle d'Achatius à Grünsfeldhausen,** Nord du pays de Bade. Cette chapelle avec ses trois octogones – salle centrale, tour et choeur – a été édifiée vers 1200. Construite tout près d'un cours d'eau, elle avait été pratiquement ensevelie au cours des siècles, mais au début du siècle elle a été dégagée et soigneusement restaurée.

▶▶ **Achatius Chapel at Grünsfeldhausen,** North Baden. This chapel, with its three octagons – central room, tower, and chancel – dates back to about 1200. Built directly next to a stream, it almost completely silted up in the course of time until it was dug out and thoroughly renovated at the beginning of this century.

**◀◀ Wallfahrtskirche Käppele in Würzburg,** Unterfranken. Wer noch nicht müde ist von der Fülle von Sehenswürdigkeiten, die Würzburg zu bieten hat, oder vom Frankenwein, der kann sich auf den Kreuzweg machen, der in aufwendigen Treppen und Terrassen zur Wallfahrtskirche auf dem Nikolausberg südlich der Feste Marienberg führt. Sie ist ein Werk Balthasar Neumanns, der seit 1719 am Bauprogramm der Würzburger Fürstbischöfe mitwirkte. Die alte Gnadenkapelle, 1653 für ein kleines Vesperbild erbaut und 1684 vergrößert, bleibt als Anhängsel des Neubaus (1747-1750) erhalten. Reizvolle Zwiebeldächer sind dem Zentralbau mit Doppelturmfassade, dem Chor und den Kapellen an den Flanken wie Hauben übergestülpt. Das Innere mit den schönen Stukkaturen von Johann Michael Feichtmayr, mit den großzügigen Deckenfresken des berühmten Augsburger Malers Matthäus Günther, mit der sich in das Raumganze einfügenden Orgel und der Empore spiegelt nicht nur den Gestaltungsreichtum der Künstler wieder, sondern auch eine Kirche, die Macht, Reichtum und Prunk liebt.

**◀◀ Le Käppele, église de pélerinage à Würzburg,** Basse-Franconie. D'immenses escaliers et des terrasses mènent à cette église édifiée de 1747 à 1750 par Balthasar Neumann sur le Nikolausberg (au sud de la citadelle de Marienberg). De ravissants toits bulbeux couvrent cette église à plan central qui a gardé en annexe une ancienne chapelle de 1653.

**◀◀ Käppele Pilgrimage Church, Würzburg,** Lower Franconia. Spacious flights of stairs and terraces lead up to this church built by Balthasar Neumann between 1747 and 1750 on Nikolausberg (to the south of Marienberg Fortress). Charming bulbous roofs cover the centrally organized building which has retained an old shrine of 1653 as an annexe.

**◀ Ehemaliges Benediktinerkloster Holzkirchen,** Unterfranken. Von den Klostergebäuden und der Kirche, die zu verschiedenen Zeiten entstanden sind, auf ein im Laufe der Jahrhunderte sich entfaltendes Klosterleben zu schließen, wäre ein Irrtum. Die Blütezeit des Benediktinerklosters – Mitte des 8. Jahrhunderts von dem fränkischen Grafen Throand gestiftet und 775 von Karl dem Großen der Abtei Fulda übertragen – ist eng verbunden mit der Macht des Fuldaer Klosters im Mittelmaingebiet. Versteckte Zeugnisse aus dieser Zeit finden sich in Resten des Kreuzganges (um 1200) mit reichem Säulenschmuck, in romanischen Plastiken aus dem 12. und 13. Jahrhundert, vermauert in den Wänden der Kirche, und in romanischen Bauteilen im Erdgeschoß des Südflügels.
Mit dem schwindenden Einfluß Fuldas im Hochmittelalter läßt auch die Bedeutung des Klosters nach. Die Grafen von Wertheim übernehmen die Klostervogtei, heben 1552 die Propstei schließlich ganz auf und ziehen die Güter ein. Auch der Versuch des Fürstbischofs von Würzburg, Julius Echter, im Zuge der Gegenreformation das Kloster wieder hochzubringen, scheitert. Trotz dieser Bedeutungslosigkeit des Klosters läßt Propst Bonifatius von Hutten 1728 bis 1730 noch eine neue Kirche bauen, in der Kunsthistoriker den konsequentesten Zentralbau Balthasar Neumanns sehen: ein Oktogon mit hohem, umlaufendem Sockel, eckbetont durch Pilaster, ebenso acht Säulenakzente im Innenraum, der zu einem reinen Kreis geschlossen ist. Geschmückt ist der Raum mit feinem Bandelwerkstuck. Über der Kuppel ein Zeltdach mit Laterne.
Heute ist das Kloster Domäne der Grafen von Castell, nachdem es 1802 säkularisiert und zunächst von den Fürsten Löwenstein-Wertheim-Rochefort eingezogen worden war.

**◀ Ancienne abbaye bénédictine à Holzkirchen, Basse-Franconie.** Malgré le déclin depuis le haut Moyen Age de l'abbaye fondée au milieu du VIIIe siècle, le prieur Boniface de Hutten fit ériger de 1728 à 1730 une nouvelle église qui est considérée par les historiens de l'art comme l'édifice à plan central le plus important de Balthasar Neumann. L'octogone avec le socle qui en fait le tour renferme une salle circulaire ornée de ravissants stucs.

**◀ Former Benedictine Monastery at Holzkirchen,** Lower Franconia. Although the monastery, founded in the middle of the 8th century, had steadily declined since the High Middle Ages, Prior Bonifatius von Hutten had a new church erected (1728 to 1730) which is now considered to be Balthasar Neumann's purest centrally organized building. The octagon with plinth running all round it, encloses the circular interior. It is ornamented with delicate stucco work.

◀ **Wallfahrtskirche in Dettelbach** am Main, Unterfranken. »Im Sande« und »in vineis« (in den Weinbergen) heißen die Ortsangaben für die Wallfahrtskirche in Dettelbach – ein Ort, Frommen und Weinkennern gut bekannt. Als »Dhetilabah« taucht es im 8. Jahrhundert in einer Urkunde erstmals auf, ein Königsgut, dessen Zehntabgabe die Karolinger dem neugegründeten Bistum Würzburg schenkten. 1484 erhält das Dorf vom Würzburger Bischof Rudolf von Scherenberg die Stadtrechte. Von den 52 Türmen der in dieser Zeit gebauten trapezförmigen Stadtmauer sind immerhin noch 36 erhalten. Bald begann auch die Wallfahrt zu einer kleinen Kirche nordöstlich der Stadt mit einem um 1504 gefundenen Vesperbild. Der baufreudige Fürstbischof Julius Echter von Würzburg (1573-1617) setzte sich hier durch einen Neubau im sogenannten »Juliusstil« (eine Verbindung von Bauelementen der Spätgotik und der Renaissance) ein Denkmal und machte den Ort zu einem der besuchtesten Wallfahrtsorte in Mainfranken. Von der früheren Kirche blieb der Chor mit seinem schönen Netzgewölbe erhalten. Im kreuzförmigen Kirchenschiff mit Sterngewölben und Maßwerkfenstern beansprucht der große Gnadenaltar (1778/79 von Augustin Bossi) links neben dem Chor die ganze Aufmerksamkeit, als wollte er den Durchgang durch den schmalen, hohen Chorbogen verwehren. Er widersetzt sich der Symmetrie des übrigen Innenraumes. Anders die Kanzel von Michael Kern aus Forchheim (1626). Nicht umsonst gilt sie als eine der schönsten Steinmetzarbeiten der Renaissance. Von ihm stammt auch das prächtige und aufwendige Westportal. Für die 1616 hierher berufenen Franziskaner wurde die vierflügelige Klosteranlage gebaut.

◀ **Eglise de pélerinage à Dettelbach** sur le Main, Basse-Franconie. Construite en 1610 sous le prince-évêque de Würzburg, Julius Echter, l'église est située au milieu de vignobles et de champs de céréales à proximité de la petite ville de Dettelbach aux nombreuses tours. L'alliance dans cet édifice des éléments du gothique tardif et de la Renaissance constitue le «style Julius» du nom du prince-évêque. Les bâtiments conventuels à quatre ailes ont été construits en 1616 pour les Franciscains venus s'installer à cet endroit.

◀ **Pilgrimage Church at Dettelbach** on the Main, Lower Franconia. Built in 1610 under the Würzburg Prince Bishop Julius Echter, the church lies surrounded by vineyards and fields of grain near the little town of Dettelbach, with its many towers. The combination of Late Gothic and Renaissance elements in this building is called ''Julius style'', after the bishop. The four-winged monastery complex was constructed in 1616 for the Franciscans who settled here.

105

▶ **Wallfahrtskirche Kappel,** Oberfranken. Für gewöhnlichen Gesellenlohn hat Georg Dientzenhofer, der älteste der bekannten sechs Baumeisterbrüder, diese originelle Barockkirche entworfen. Die Baukosten mußten nämlich aus Almosen und Opfergaben der Wallfahrer bestritten werden. Entsprechend lange war auch die Bauzeit (1685 begonnen, 1689 erst im Rohbau fertig). Der Zustrom der Wallfahrer hatte im 17. Jahrhundert so zugenommen, daß auf Betreiben des Pfarrers von Münchenreuth und des Klosters Waldsassen die frühere Kapelle, zu der seit 1527 eine Wallfahrt bezeugt ist, ersetzt wurde.
Ein wirklich würdiger Wohnsitz für die Heilige Dreifaltigkeit: Die Dreizahl durchdringt alle architektonischen Maße und Beziehungen. Grundlage ist ein gleichseitiges Dreieck, dessen (gedachte) Seiten sich zu drei halbrunden Raumkörpern (Konchen) auswölben. Die Ecken des Dreiecks bilden innen drei starke Rundsäulen, außen drei Türme. Über der Mitte schließen sich die Dächer der Konchen kegelförmig zusammen, und unten umgreift ein überdachter Passionsgang noch einmal die Rundungen der Konchen und Türme. Jede Linie schwingt in sich zurück, verweist auf die Mitte und erregt, wie das Trinitätsdogma selbst, das Gemüt.

▶ **Eglise de pélerinage de Kappel,** Haute-Franconie. le chiffre trois détermine toutes les dimensions et les rapports architectoniques dans cette église originale de style baroque bâtie en 1685 par Georg Dientzenhofer pour le salaire habituel d'un compagnon. Elle est dédiée à la Sainte-Trinité et a été édifiée à la place d'une ancienne chapelle pour pouvoir accueillir un plus grand nombre de pélerins.

▶ **Kappel, Pilgrimage Church,** Upper Franconia. The figure three determines all the architectonic measurements and proportions in this unusual Baroque church which was built by the well-known architect Georg Dietzenhofer in 1685 for a normal mason's wages. It is dedicated to the Holy Trinity, and was built in place of a former chapel to accomodate the increasing number of pilgrims.

▶ **Kreuzgang des Karmelitenklosters in Bamberg,** Oberfranken. Die Karmelitermönche auf dem »Knöcklein«, einem der sieben Hügel Bambergs, die heute noch meditierend durch diesen Kreuzgang wandeln, können natürlich lesen und schreiben. Nicht so die Mehrzahl der Nonnen im 14. Jahrhundert. Für sie waren die Kapitellplastiken ein Bilderbuch aus Stein, das die ganze Symbolik des damaligen religiösen Lebens aufbot, um die Nonnen vom Bösen, von Haß, Streit, Wollust und Unkeuschheit abzuschrecken und zu christlicher Tugend zu erziehen. Man könnte meinen, Bernhard von Clairvaux habe in seiner Streitschrift gegen den Bauluxus diese Plastiken vor Augen gehabt, wäre sie nicht schon 1124 verfaßt: » ...so viel, das wunderbare Mannigfaltigkeit verschiedenartiger Geschöpfe erscheint überall, daß man eher in den gemeißelten als in den geschriebenen Werken liest; sich lieber den ganzen Tag damit beschäftigt, derlei zu bestaunen, als das Gesetz Gottes zu bedenken. Bei Gott! Wenn man sich der Albernheiten schon nicht schämt, warum gereuen dann nicht die Kosten?«
Hier in Bamberg muß diese Vielfalt an Motiven von mehreren Steinmetzen stammen. Der Kreuzgang wurde während der Amtszeit des Bamberger Bischofs Lambert von Brunn (1377-1399) in dem 1157 von der Pfalzgräfin Gertrud von Stahleck gestifteten Zisterzienserinnenkloster gebaut. Um dem Kreuzgang ein ehrwürdiges Aussehen zu geben, griffen die Bauherren auf den romanischen Baustil zurück: Kapitelle in Kelchblockform, Säulenbasen mit Ecksporen und die Kapitellplastiken. Ursprünglich mit flachem oder leicht schrägem Dach versehen, wurden die Kreuzgangflügel im 15. und 17. Jahrhundert eingewölbt. Den dafür notwendigen Stützpfeilern fielen mehrere Säulen zum Opfer, der Schwung der Arkaden war gestört. Doch viel schwerwiegender waren die baulichen Eingriffe nach der Säkularisierung 1803. Zur Einrichtung einer Registratur durch die bayerische Militärverwaltung wurden alle Säulen des Westflügels herausgerissen und zum Teil auf den Schuttplatz geworfen. Und auch das 2. Bataillon des 5. bayerischen Infanterieregiments, das sich 1858 in den Klostergebäuden einquartierte und den Klostergarten als Exerzierplatz benutzte, ist offensichtlich nicht zimperlich mit den Kapitellplastiken umgegangen. Mehrere Säulen und Kapitelle schließlich wurden von Kunstsammlern gekauft und herausgebrochen. Erst bei einer Restaurierung 1934 und 1935 durch die Karmeliter, die das Kloster 1903 erworben hatten, kamen sie fast alle wieder an ihren alten Platz, wurden freigelegt oder fehlende Säulen durch Nachbildungen ergänzt.
Der Turm der Klosterkirche ist nur einer unter den vielen Türmen Bambergs, der Stadt, die auch heute noch auf Schritt und Tritt an ihre über tausendjährige Geschichte erinnert. 902 wird erstmals das »castrum Babenberh« erwähnt. Es befindet sich im Besitz der mächtigsten ostfränkischen Adelsfamilie, der Babenberger. Durch Fehden, Schenkung, Vererbung gelangt es schließlich an Heinrich, Herzog von Bayern, der 1007 als König Heinrich II. zur Sicherung der Königsgewalt und als Stützpunkt der Slawenmission hier das Bistum Bamberg errichtet. Es soll die »Hauptstadt des Erdkreises« werden. Und noch zu seinen Lebzeiten entstehen um den Dom (Vorläufer des im 13. Jahrhundert erbauten Domes) die Stifte St. Michael, St. Stephan, St. Jakob und St. Gangolf. Sie spielen als »Immunitäten«, Bezirke mit besonderen Vorrechten wie z. B. Steuerfreiheit, im 13. Jahrhundert eine wichtige Rolle im sogenannten Immunitätsstreit, als die eigentliche Bürgerstadt auf der Insel zwischen den Regnitzarmen sich dem Steuerdruck der Bischöfe widersetzt, 1435 aber schließlich doch unterliegt.
Reichs- und Hoftage, die Domschule, die Reichskanzlei, aus der fast alle Bischöfe des 11. Jahrhunderts hervorgingen, machen Bamberg tatsächlich zum politischen und geistigen Mittelpunkt des salischen Reiches. Schon 1014 war Papst Benedikt VIII. mit Heinrich II. in Bamberg, um das Paktum Ottonianum, das die Ordnung der Reichskirche sicherte, zu erneuern. Einer der Bamberger Bischöfe wird sogar Papst: Suidger als Clemens II. (1046-1047). Sein Grab im Bamberger Dom ist das einzige Papstgrab nördlich der Alpen. Um 1060 entsteht in Bamberg das Ezzolied, eine Weltchronik, und der Codex Udalrici stammt auch aus dieser Zeit. Im 13. Jahrhundert werden die Bischöfe direkt dem Schutz Roms unterstellt und können sich ein bedeutendes Territorium schaffen. Bischof Georg II. Schenk von Limpurg macht Bamberg zum Mittelpunkt des fränkischen Humanismus und verhindert die Veröffentlichung der Bannbulle gegen Luther (1520). Mit der Säkularisation 1802 kommt Bamberg an den neuzeitlichen Staat Bayern.

▶ **Cloître du monastère des Carmes, à Bamberg,** Haute-Franconie. Le roi Henri II voulait faire du «castrum Babenberh», mentionné pour la première fois en 902, la «capitale du globe»; il y établit en 1007 un évêché pour asseoir son autorité et comme base de mission dans les régions slaves. La ville se développa au pied de la cathédrale sur l'île entre les bras de la Regnitz. Les diètes impériales, l'école de la cathédrale et la chancellerie impériale firent de Bamberg le centre politique et intellectuel de l'empire salique.
Le cloître du monastère des Carmes a été construit au XIVe siècle dans le style roman. La grande variété des motifs des chapiteaux qui donne une vue d'ensemble du symbolisme de la vie religieuse de l'époque ne peut être que l'oeuvre de plusieurs sculpteurs.

▶ **Cloister of the Carmelite Convent at Bamberg,** Upper Franconia. King Henry II wanted to make ''castrum Badenberh''(first documented in 902) into the ''capital of the globe'', and established a bishopric here in 1007 to bolster his authority and to act as a base for missionizing work in the Slavonic countries. The town developed at the foot of the cathedral close on the island between the arms of the River Regnitz. The imperial diet, cathedral school, and state chancery made Bamberg into the political and intellectual centre of the Salian empire.
The cloister of the Carmelite Convent was built in the 14th century in the then already historical Romanesque style. The great variety of motifs carved on the capitals, providing a comprehensive survey of the religious symbolism of that period, must have been created by a number of masons.

▶ **Wallfahrtskirche Vierzehnheiligen**, Oberfranken. »Wir seynd die vierzehn nothhelfer, und wollen eine Kapellen haben, auch gnädiglich hier rasten: sey unser diener, so wollen wir hinwiederum auch deine diener seyn.« Das soll ein Kind, das Christuskind – umgeben von vierzehn anderen Kindern – dem Sohn des Klosterschäfers in einer Erscheinung 1446 gesagt haben auf einem Acker des Hofes Frankenthal, der zur Zisterzienserabtei Langheim gehörte. Und sie haben ihre Kapelle bekommen, entstanden in den Jahren 1448 bis 1457. Wunder, päpstliche Privilegien und Ablässe, Wallfahrten von Kaisern und Opfergaben machten Vierzehnheiligen nicht nur zu einem berühmten Wallfahrtsort, sondern auch zu einer wesentlichen Einnahmequelle für die Abtei Langheim und den Bamberger Bischof, der die Oberaufsicht hatte. Deshalb wundert es nicht, daß im 18. Jahrhundert Friedrich Carl von Schönborn, Fürstbischof von Bamberg und Würzburg, in dem sogenannten »Opfervertrag« mit der Abtei Langheim die Finanzierung des geplanten Neubaus einer Wallfahrtskirche regelte, noch bevor er einen der zur Auswahl stehenden Baupläne genehmigte.
Die Kirche, aus ockerfarbenem Sandstein gebaut, ist der großartig gelungene Versuch Balthasar Neumanns, aus den eigenmächtigen Veränderungen seiner Pläne von 1742 durch den Architekten Gottfried Heinrich Krohne doch noch ein Meisterwerk zu schaffen. Krohne hatte die Bauleitung, obwohl dessen eigene Pläne abgelehnt worden waren. Er verkürzte den Chor so stark, daß der Gnadenaltar nicht, wie von Neumann geplant, unter der Vierung stehen konnte. Er wurde entlassen und von einem Schüler Neumanns, Johann Jacob Michael Küchel, abgelöst, der auch die Entwürfe für den Gnadenaltar und die Kanzel lieferte. Neumann teilte dann in seinen Plänen von 1744 den Innenraum in drei Langhausovale ein, die an der Seite von zwei kleineren Längsovalen und den Kreisformen der Querschiffarme begleitet werden. Das Ergebnis: ein Ineinanderfluten von Ovalen, Kurven, das Äußerste an Wandauflösung, die Innenpfeiler sind nur über schmale Brücken mit der Außenwand verbunden; die Seitenschiffe – Kirchenräume um den Gnadenaltar in der Mitte des Raumes.

▶ **Eglise de pélerinage des Vierzehnheiligen (Quatorze Intercesseurs)**, Haute-Franconie. Les plans de Balthasar Neumann pour la construction d'une nouvelle église de pélerinage (1742) furent modifiés de façon arbitraire par l'architecte chargé de la construction. Mais Neumann parvint à éviter un désastre et créa un chef-d'oeuvre d'originalité en plaçant l'autel des Intercesseurs non pas dans le choeur comme prévu mais au centre de la nef. Le résultat: une merveilleuse interaction d'ovales, de courbes, une impression d'espace avec les collatéraux comme sources de lumière autour de l'autel.

▶ **The Pilgrimage Church of Vierzehnheiligen**, Upper Franconia. Balthasar Neumann's plans for a new pilgrimage church (1742) were arbitrarily changed by the architect in charge of construction, but Neuman turned what threatened to be a disaster into a masterpiece of originality, placing the shrine in the centre of the nave, instead of in the chancel as planned. The result: a marvellous interaction of ovals, curves, and airy space, with the aisles acting as sources of light round the shrine.

110

▶▶ **Ehemaliges Benediktinerkloster Banz**, Oberfranken. Als Krönung der über mehrere Ebenen ansteigenden, mächtigen Klosteranlage zeigt die Kirche übers Tal ihr Fassadengesicht. Dem Besucher, der durch das niedrige, reich verzierte Tor geht, bietet sich dann das Kloster von seiner schönsten Seite: Risalite – hervorspringende Fassadenteile – und Eckpavillons mit geschwellten Hauben.
Auch geschichtlich ist diese Anlage Höhepunkt einer Entwicklung. Die Stationen: eine noch wenig erforschte Ringwallbefestigung, eine Fliehburg aus dem 8. Jahrhundert, etwas nördlich vom heutigen Kloster gelegen; eine Burg der Schweinfurter Grafen, die von der Gräfin Alberada von Schweinfurt 1069 zur Gründung eines Benediktinerklosters an das Bistum Bamberg übergeben wurde; schließlich die 1695 begonnene neue Klosteranlage. Mit dieser wurde nach den Wirren des Bauernkrieges und des Dreißigjährigen Krieges, die Plünderung, Brand und schwere Schäden brachten, nach dem Übertritt von Abt und Konvent zum Protestantismus und nach einsetzender Gegenreformation eine neue Blüte des Klosterlebens auch äußerlich dokumentiert. 1710 bis 1713 entsteht die neue Kirche (Johann Leonhard Dientzenhofer), die Klostergebäude werden in der Zeit von 1695 bis 1772 errichtet (Johann Dientzenhofer, Balthasar Neumann, Johann Küchel). Unter dem Abt Gregorius Stumm (1731-1768) gilt Banz als das wissenschaftlich aufgeschlossenste und einflußreichste Kloster Frankens. Nicht aufgrund innerer Ursachen, sondern von außen wird diese Entwicklung durch die Säkularisation abgebrochen. 1814 kommt das Kloster in den Privatbesitz des bayerischen Königshauses und dient als Sommerresidenz. Später wohnen noch einmal Trappisten hier; heute ist die Gemeinschaft von den heiligen Engeln, ein Altenheim und eine Petrefaktensammlung im Kloster untergebracht.

▶▶ **Ancienne abbaye bénédictine de Banz**, Haute-Franconie. En 1069, la màrgrave Alberada de Schweinfurt donna son château sur la colline de Banz à des Bénédictins. L'imposant monastère à plusieurs niveaux avec son église visible de loin fut construit entre 1695 et 1772. Des architectes et des artistes renommés travaillèrent à son édification, ainsi les frères Dientzenhofer, Balthasar Neumann et Johann Küchel.

▶▶ **Former Benedictine Monastery at Banz**, Upper Franconia. In 1069, Countess Alberada of Schweinfurt presented her castle on the Banz hill to the Benedictines. The tremendous monastery complex, rising over several levels, and with its church visible for miles around, was constructed between 1695 and 1772. The monks engaged renowned architects and artists for the work, including the Dientzenhofer brothers, Balthasar Neumann, and Johann Küchel.

# Wie die Germanen sangen

Ein besonderes Kapitel ist der täglichen Handarbeit gewidmet: »Müßiggang ist der Feind der Seele. Deshalb sollten sich die Brüder zu bestimmten Zeiten mit Handarbeit, zu bestimmten Stunden dagegen mit heiliger Lesung beschäftigen . . . Wenn die Brüder jedoch wegen der Ortsverhältnisse oder infolge ihrer Armut die Ernte selbst einbringen müssen, dürfen sie nicht verdrossen sein; denn erst dann sind sie wirkliche Mönche, wenn sie von der Arbeit ihrer Hände leben, wie unsere Väter und die Apostel. Doch muß alles mit Maß geschehen wegen der Kleinmütigen.« Benedikt schließt mit den Worten: »Diese Regel haben wir geschrieben, damit wir durch ihre Beobachtung im Kloster eine gewisse unserem Stand entsprechende Tugend bekunden und einen Anfang im klösterlichen Leben machen . . . Darum sage ich zu jedem, der rasch zum himmlischen Vaterland gelangen will: Befolge mit der Hilfe Christi zunächst diese bescheidene Regel, die wir für Anfänger geschrieben haben. Dann wirst du schließlich unter Gottes Schutz die oben erwähnten Höhen der Lehre und der Tugend erreichen. Amen.«
Die »bescheidene Regel für Anfänger«, in die klösterliche Erfahrungen aus knapp drei Jahrhunderten eingebracht sind, wurde für mehr als die doppelte Zeit Gesetz und einzige Richtschnur der Mönche, noch heute gehorchen ihr viele Tausende. Sie wurde nicht über Nacht berühmt. Doch abgesehen von der Heiligen Schrift liegt keine der altchristlichen Abhandlungen in so zahlreichen Abschriften vor. Die berühmteste befindet sich seit mehr als elfhundert Jahren in der Stiftsbibliothek von St. Gallen. Nächst den Evangelien führten die Missionare die sogenannte »römische Regel« auf ihrer Wanderschaft mit sich. Im Verlauf des siebenten und achten Jahrhunderts fand sie bei den jungen Völkern der Angelsachsen und Franken weite Verbrei-

# La façon de chanter des Germains

Un chapitre spécial est consacré au travail manuel quotidien: l'oisiveté est l'ennemie de l'âme. Aussi les frères doivent-ils, à certains moments, s'occuper à des travaux manuels, à d'autres heures par contre à la lecture des Saintes Ecritures... Mais si les frères, en raison des conditions locales ou à cause de leur pauvreté, doivent eux-mêmes rentrer les récoltes, ils ne doivent pas être maussades; car ce n'est que lorsqu'ils vivent du travail de leurs propres mains, comme nos pères et les apôtres, qu'ils sont de véritables moines. Mais tout doit être fait avec mesure à cause des pusillanimes.» Benoît conclut en ces termes: «Nous avons écrit cette Règle afin que par son respect dans le couvent nous proclamions un certain degré de vertu en accord avec notre état et donnions un début à la vie monastique... C'est pourquoi je dis à quiconque veut arriver très rapidement à notre Patrie céleste: suis tout d'abord avec l'aide du Christ ces modestes règles que nous avons écrites pour les débutants. Avec la protection de Dieu, tu parviendras finalement aux sommets mentionnés auparavant du savoir et de la vertu. Amen.»
Les «modestes règles pour débutants» dans lesquelles se trouvaient emmagasinées les expériences monastiques de trois siècles devinrent pour une période deux fois plus longue la loi et le seul guide des moines et des milliers leur obéissent encore aujourd'hui. Elles ne devinrent pas célèbres du jour au lendemain. Mais, à l'exception de la Bible, aucun des premiers ouvrages chrétiens, n'a été reproduit à autant d'exemplaires. Le plus célèbre de ces manuscrits se trouve depuis plus de onze cents ans dans la bibliothèque du monastère de Saint-Gall. En plus de l'Evangile, les missionnaires emmenaient toujours avec eux dans leurs pérégrinations la «Règle romaine» ainsi qu'elle était appelée. Au cours du VIIe et VIIIe siècle, elle devint

# The way the Teutons sang

A special chapter is devoted to daily manual work:
"Idleness is the soul's enemy. That is why the brothers should occupy themselves at certain times with manual work, at other times with reading the Holy Scriptures... But if the brothers, due to local conditions or because of their poverty, have to bring in the harvest themselves, they should not be vexed; for they are only truly monks when they have to live from the labour of their hands, as did our fathers and the Apostles. But everything must be done in moderation because of the faint-hearted." Benedict closes with the words: "We have written this Rule so that by observing it in the monastery we proclaim a certain degree of virtue in keeping with our estate, and make a start with monastic life... Therefore I say to everyone who wishes to attain our Heavenly Fatherland as quickly as possible: first with the help of Christ, follow these modest rules which we have written for beginners. Then, with God's protection, thou willst ultimately attain the above-mentioned heights of knowledge and virtue. Amen."
The "modest rules for beginners", in which were distilled the monastic experience of three centuries, became the law and only guide for monks for a period that was to last twice as long. Many thousands still follow them. They did not become famous overnight. But, with the exception of the Bible, none of the early Christian writings is represented by so many manuscript copies. The most famous of these has been in the St. Gallen monastery library for eleven hundred years. In addition to the Gospel, the missionaries always took the so-called "Roman Rule" with them on their wanderings. In the course of the seventh and eighth centuries it became widely known among the young peoples called the Anglo-Saxons and the

tung. Es waren angelsächsische Benediktiner, die auf deutschem Boden das Christentum predigten. Als Stützpunkte ihrer Mission wurden in Echternach, Kaiserswerth, auf der Reichenau und in Fulda die ersten deutschen Klöster errichtet.

Sehr bildhaft schildert ein Missionar die verzweifelten Anstrengungen unserer Altvordern, kirchliche Gesänge einzuüben: »Unter den Nationen Europas wurden besonders die Germanen im Erlernen des kunstgemäßen Gesanges nicht müde. Sie machten aber den Fehler, daß sie die Gesänge nicht unverändert ließen. Sie mischten ihre eigenen Gesänge unter die gregorianischen. Dazu kommt ihre natürliche Wildheit. Bei ihrem mächtigen Körperbau besitzen sie gewaltige Stimmen. Was sie hören, vermögen sie nicht in zarter Weise wiederzugeben; vielmehr arten ihre an den Trunk gewöhnten heiseren Kehlen in natürliches Geschrei aus und bringen so Töne hervor, welche dem Gepolter eines vom Berge herabrollenden Karrens ähnlich sind, so daß die Zuhörer mehr betäubt als gerührt werden.«

Bald nach 787 ließ Karl der Große eine Abschrift der Regel herstellen, die in allen Klöstern bekannt gemacht wurde und nach seinem und dem Willen Ludwigs des Frommen als Grundlage für die Klosterreform im karolingischen Reich diente. Nach den Siegen Karls des Großen über die Sachsen waren auch die ersten Abteien im Sachsenland entstanden, Corvey und Herford. Bezeichnend für die damalige Wertung der Benediktinerregel war die Frage Kaiser Karls, ob wohl noch eine andere Regel in Gebrauch sei. Worauf die Gegenfrage aufkam, ob es denn vor Benedikt überhaupt schon Mönche in Europa gegeben habe.

très répandue par les jeunes peuples qu'étaient les Anglo-Saxons et les Francs. Ce sont des bénédictins anglo-saxons qui prêchèrent le christianisme sur le sol allemand. Ils fondèrent les premiers monastères allemands à Echternach, Kaiserswerth, Reichenau et Fulda comme sièges de leur mission.

Un missionnaire donne une description très imagée des efforts désespérés de nos ancêtres dans l'apprentissage des chants d'église: «Parmi les nations d'Europe, les Germains furent particulièrement zélés pour apprendre l'art du chant. Mais ils firent la faute de ne pas laisser inchangée la musique. Ils mêlèrent leurs propres chants aux chants grégoriens et, qui plus est, leur fougue naturelle. A cause de leur puissante stature, ils possèdent des voix très fortes. Ils ne peuvent reproduire ce qu'ils entendent sur des tons doux; au contraire, leurs gorges rauques habituées à boire produisent des grondements naturels qui ressemblent au vacarme d'un chariot dévalant une montagne, de sorte que les auditeurs sont plus assourdis qu'émus.»

Peu après 787, Charlemagne fit faire une copie de la Règle qui fut connue dans tous les monastères et qui, selon sa volonté et celle de Louis le Pieux, servit de base à la réforme monastique dans l'Empire carolingien. Après les victoires de Charlemagne sur les Saxons, les premières abbayes furent également fondées en Saxe: Corvey et Herford. L'importance de la Règle de saint Benoît à cette époque est illustrée par la question posée par Charlemagne, à savoir s'il y avait encore une autre règle en usage. Question à laquelle il fut répondue par une autre question: y avait-il eu en fait des moines en Europe avant Benoît?

Franks. It was Anglo-Saxon Benedictines who first brought Christianity to Germany. They founded the first German monasteries in Echternach, Kaiserswerth, Reichenau, and Fulda as bases for their work.

One missionary gives a graphic description of the desperate efforts made by our forefathers to learn church music: "Among the nations of Europe the Teutons were particularly zealous in learning the art of singing. But they made the mistake of not leaving the music unchanged. They mixed their own music with the Gregorian chant. Added to this was their natural wildness. Because of their mighty bodies they possess powerful voices. They cannot reproduce what they hear in gentle tones; on the contrary, their hoarse throats, used to drinking, produce a natural bellow, thus making sounds which resemble the rumbling of a cart rolling down a hill, so that listeners are deafened rather than moved."

Soon after 787, Charlemagne had a copy made of the Rule, which was then made known to all monasteries, and which, according to his and Louis the Pious' wishes, served as a basis for monastic reform throughout the Carolingian Empire. After Charlmagne's victories over the Saxons came the first monastic foundations in Saxony: Corvey and Herford. The importance of the Benedictine Rule at that time is illustrated by Charlmagne's question as to whether there was any other Rule in use, which was answered with another question as to whether there had been any monks in Europe before Benedict's time.

## Der Mönch als Handelsobjekt

Bei Benedikts Tod existierten bereits zwölf Klostergemeinschaften, die sich Monte Cassino angeschlossen hatten. Dessen Zerstörung durch die Langobarden (580–590) bewirkte die Flucht einiger Mönche nach Rom. Daß ein römischer Benediktinermönch, nämlich Gregor, Papst wurde, beschleunigte das Tempo, mit dem sich der Geist Benedikts im ganzen Abendland durchsetzte. Vor allem die Frankenkönige schickten sich damals an, die Klöster mit immer größeren Aufgaben zu betrauen. So entstand beispielsweise in Tours ein Klosterstaat, in dem zwanzigtausend Menschen lebten, viele von ihnen nicht ganz freiwillig, sondern auf Befehl ihres Herrn gleichsam zum Mönchstum verurteilt. Gefangene wurden ins Kloster gesteckt, andere Mönche wurden wie Soldaten aufgeboten oder auch wie Sklaven verkauft.
Solche Riesenklöster waren freilich so wenig im Sinne Benedikts wie die Art ihrer Rekrutierung. Sein Namensvetter, der Franke Benedikt von Aniane (um 750–821), fand für seine auf kleinere, straff organisierte Klöster ausgerichteten Reformbestrebungen die volle Unterstützung Karls des Großen. So wurde das von ihm begründete Kloster Inda bei Aachen, das spätere Kornelimünster, in vergleichsweise bescheidenem Ausmaß gehalten. In diese Musterabtei wurden aus jedem Kloster zwei Brüder geschickt, die sich in einer Art Fortbildungskurs über den neuesten Stand der reformerischen Erkenntnisse orientieren sollten. Als Kuriosum erscheint uns heute eines der Kapitel aus dem Aachener Erlaß von 816, wonach die Mönche warme Bäder, gleichwohl getrennt, überhaupt nur zu Weihnachten und an Ostern nehmen sollten.
In jene Zeit fällt die Gründung des Klosters Murrhardt im Schwäbischen Wald, von dem heute nicht mehr viel übrig ist als die um 840 geweihte, inzwischen noch und noch

## Le moine comme marchandise

A la mort de Benoît, il y avait déjà douze autres communautés monastiques qui suivaient la règle de Mont-Cassin. Sa destruction par les Lombards (580-590) dispersa les moines dont certains vinrent à Rome. Le fait qu'un moine bénédictin – Grégoire – devint pape accéléra la vitesse à laquelle l'esprit de Benoît se répandit dans tout l'Occident. Les rois francs en particulier confièrent aux couvents des tâches de plus en plus importantes. C'est ainsi par exemple que fut créé à Tours un Etat monastique dans lequel vivaient vingt mille personnes, dont un grand nombre pas tout à fait de plein gré car elles étaient en quelque sorte condamnées par leur seigneur à être moines. Les monastères servaient de prison; certains moines étaient employés comme soldats ou même vendus comme esclaves.
Ces immenses monastères tout comme leurs méthodes de recrutement n'étaient évidemment pas dans l'esprit de Benoît. Plus tard, son homonyme, le moine franc Benoît d'Ariane (v. 750-821) obtint le soutien total de Charlemagne pour un mouvement de réforme orientée vers la création de petits couvents bien organisés. C'est ainsi que le couvent d'Inda, devenu par la suite Kornelimünster, qu'il avait fondé près d'Aix-la-Chapelle, avait des dimensions relativement modestes. Deux moines par monastère étaient envoyés dans cette abbaye modèle afin de suivre une sorte de cours de perfectionnement et d'être ainsi tenus au courant des derniers développements de la réforme. Un des chapitres les plus curieux de l'édit d'Aix-la-Chapelle de 816 est celui qui prévoyait que les moines devaient prendre des bains chauds – individuellement bien entendu – uniquement à Noël et à Pâques.
C'est de cette époque que date l'abbaye de Murrhardt dans la Forêt souabe dont il n'existe plus aujourd'hui que l'église abba-

## The monk as merchandize

By the time that Benedict died there were already twelve other monastic communities following the same Rule as Monte Cassino. Its destruction by the Lombards (580–590) dispersed the monks, and some went to Rome. The fact that a Benedictine monk – Gregory – became Pope increased the tempo with which Benedictine's spirit spread through the whole of the West. The Frankish kings, in particular, began to entrust the monasteries with increasingly important tasks. In Tours, for examples, a monastic state developed in which twenty thousand people lived, many of them not entirely voluntarily, but condemned, as it were, by their ruler to become monks. The monasteries were used as prisons; some monks were employed as soldiers, or even sold, as if they were slaves.
Such immense monasteries were, of course, just as contrary to the Benedictine spirit as were the recruiting methods. Later, his namesake, the Frankish monk Benedict of Aniane (c. 750–821) was given the full support of Charlemagne for a reform movement, which aimed at smaller well-organized units. Thus, Inda Monastery, later called Kornelimünster, founded by him near Aachen, was relatively modest in size. Two monks from every monastery were sent to this 'model' abbey, to take part in a kind of further education course to bring them up to date on the most recent reform developments. One of the more curious provisions of the Edict of Aachen of 816 was that monks should take warm baths – individually, of course – only at Christmas and Easter.
It was in this period that Murrhardt Monastery was founded in the Swabian Forest; little of it has survived apart from the monastery church, consecrated in 840, but later gradually rebuilt, with its little Walterich Chapel nestling close to the north tower – a model of pure Romanesque architecture; a further fragment

umgebaute Klosterkirche mit der an ihren Nordturm geschmiegten kleinen Walterichskapelle, ein Musterbeispiel stilreiner Romanik; der sogenannte Fürstenbau, vom Kloster als standesgemäßes Quartier für hochnoble Gäste errichtet; und nicht zuletzt die schöne Legende seiner Entstehung. Danach hatte Kaiser Ludwig der Fromme, Sohn und Nachfolger Karls des Großen, von seinen Revoluzersöhnen gejagt, in den weiten schwäbischen Wäldern endlich eine Zuflucht gefunden, abwechselnd auf den Schlössern Hunnenburg und Wolkenburg am lieblichen Ufer der Murr. Zwischen den beiden Burgen sei ein »Waldbruderhäuslein oder Zellin« gestanden. Als der Kaiser in seiner Bedrängnis Gott um Hilfe bat, zeigte ihm jener im Traum den vor dem Kruzifix knienden Waldbruder, und eine Stimme sprach zu ihm: »Reite am nächsten Morgen die Murr abwärts, so wird dir der Einsiedler begegnen und dir mit seinem Rat dienen.«

## Am Beispiel des Klosters Murrhardt

Ludwig der Fromme folgte der Stimme, traf alles genau so vor, wie er es geträumt hatte. Der Waldbruder bewirtete ihn mit Rat und Trost und bat schließlich um die Erlaubnis, an dieser Stelle ein Kirchlein und eine Wohnung für sich und zwölf Brüder errichten zu dürfen. Und der Frankenkaiser erfüllte des Walterich Bitte, gab Brief und Siegel darauf und noch allerlei Schenkungen obendrein. Der historische Kern der Legende: Walterich entstammte dem fränkischen Hochadel, war möglicherweise direkt verwandt mit dem karolingischen Herrscherhaus, vielleicht ein Stiefbruder Ludwigs. Dank seiner Beziehungen zum Reichskloster Reichenau kamen von dorther die ersten Benediktinermönche nach Murrhardt.
Im fünfzehnten Jahrhundert führte in diesem Kloster der Abt Herbort, genannt Güttiggott,

tiale consacrée en 840 et reconstruite par la suite avec la chapelle de Walterich, un modèle du plus pur style roman, blottie à côté de sa tour nord; ainsi que le bâtiment des princes, appelé ainsi parce qu'il servait à l'origine à loger les nobles visiteurs; et bien sûr la jolie légende de sa fondation. Selon celle-ci, l'empereur Louis le Pieux, fils et successeur de Charlemagne, pourchassé par ses révolutionnaires de fils, aurait finalement trouvé refuge dans la grande Forêt souabe, séjournant alternativement dans les châteaux de Hunnenburg et Wolkenburg sur la rive idyllique de la Murr. «La maisonnette d'un cénobite» se serait trouvée entre les deux. Lorsque l'empereur s'adressa à Dieu dans sa détresse, le Seigneur lui fit voir en rêve l'ermite agenouillé devant le crucifix et une voix lui dit: «Descends demain la rivière à cheval; tu y rencontreras l'ermite qui saura te conseiller.»

## L'abbaye de Murrhardt

Louis le Pieux écouta la voix et tout se déroula comme dans son rêve. Le cénobite lui dispensa conseil et réconfort et lui demanda finalement la permission de construire à cet endroit une petite église et une maison pour lui et douze frères. Et l'empereur franc exauça la prière de Walterich en lui faisant une promesse solennelle qu'il accompagna de toutes sortes de cadeaux.
La toile de fond historique de la légende: Walterich était de la haute noblesse franque, peut-être directement parent de la maison carolingienne au pouvoir et un demi-frère de Louis. Grâce à ses relations avec l'abbaye impériale de Reichenau, les premiers moines bénédictins se rendirent de là à Murrhardt. Au XVe siècle, ce couvent était dirigé d'une main sévère par l'abbé Herbot, appelé Güttiggott. Les parties de chasse des comtes de Wurtemberg, qui ne logeaient que trop volon-

is the so-called Prince's Building, which originally served as quarters for noble visitors. The legend of the foundation of this monastery is worth retelling. It relates that Emperor Louis the Pious, fleeing from his revolutionary sons, had finally found refuge in the great Swabian Forest, staying alternately at Hunneburg and Wolkenburg Castles on the bank of the idyllic Murr River. There was a "woodland hermitage" between the two castles. When the Emperor prayed to God in his distress, the Lord showed him in a dream the forest hermit kneeling in front of a crucifix, and a voice spoke to him, saying: "Ride down the Murr tomorrow; there you will meet a hermit who will know how to advise you."

## Murrhardt Monastery

Louis the Pious obeyed the voice, and everything happened as foretold in his dream. The forest hermit provided both advice and comfort, and finally asked permission to build a church and a house for himself and twelve brothers at that spot. The Frankish emperor granted Walterich's request, giving him not only a charter, but a whole lot of gifts as well.
The historical core of the legend: Walterich came of a noble Frankish family, was possibly even directly related to the ruling Carolingian house, perhaps a step-brother of Louis, and, thanks to his connections to the Imperial Reichenau Monastery, the first Benedictine monks came to Murrhardt from there.
In the fifteenth century, this monastery was strictly ruled by Abbot Herbort, called Güttigott. He was most grieved by the Counts of Württemberg's intemperate hunting parties, which were often quartered in the Prince's Building. When it became too much for the Abbot, he complained to the Court in Stuttgart: "I should like to point out that Emperor

ein gestrenges, haushälterisches Regiment. Mordsmäßig verdrossen ihn die ausschweifenden Jagdgesellschaften der Grafen von Württemberg, die sich nur zu gern im Fürstenbau einquartierten. Als es ihm gar zu bunt wurde, beschwerte er sich in Stuttgart bei Hofe: »Ich wollte erwähnen, Kaiser Ludwig der Fromme habe zu Murrhardt ein Kloster gestiftet. Nun sehe ich aber, daß es ein Hundestall ist, denn meines gnädigen Herrn Hunde und Hundsbuben liegen darin. Meine Mönche dürfen nimmer singen; die Hunde heulen genug.« Doch es sollte noch schlimmer kommen. Wie überall, so wurden auch hier die Mönche des autoritären Regimes schließlich überdrüssig, das Klosterleben verweltlichte, geriet im Verlauf des fünfzehnten Jahrhunderts in immer krasseren Widerspruch zu den Forderungen des heiligen Benedikt. Aus den Benediktinerabteien Ellwangen und Komburg wurden weltliche Ritterstifte, und auch die Murrhardter Mönche zerbrachen sich den Kopf, »wie sie aus den Kutten kämen«. Sie kamen nicht. Zuletzt verkehrten ihre nach Rom entsandten Unterhändler den ganzen Handel in ein Schelmenstückchen – eines der kuriosesten Kapitel aus der Geschichte des Klosters. Herzog Ulrich, der Schirmherr, wollte sich mit der Umwandlung der Abtei einverstanden geben, sofern die geistlichen und weltlichen Lehen zu Württemberg kämen. Dazu mußte die Zustimmung des Papstes erkauft werden. Der Abt schickte seinen Prior mit einem Dekan vom Chorherrenstift Öhringen mit dem Geld nach Rom. Zwar gab der Papst zur Umwandlung seinen Segen, doch wo es um materielle Werte ging, blieb er ebenso interessiert wie der Herzog und verweigerte die Zuwendung der Lehen an Württemberg. Inzwischen hatten die Abgesandten die Gelegenheit beim Schopfe gepackt und das römische Dolce vita studiert: »Die Murrhardtischen langen zu Rom, banckhetirten, der seckel wurde leicht.« Aber die beiden wußten sich zu helfen. Auf der Rückreise

tiers dans le bâtiment des princes, l'importunaient énormément. Lorsque c'en fut trop pour l'abbé, celui-ci alla se plaindre à la cour à Stuttgart: «Je voudrais rappeler que l'empereur Louis le Pieux a fondé un monastère à Murrhardt. Mais je vois que c'est un chenil à présent car, mon gentil Seigneur, les chiens et les piqueurs l'occupent. Mes moines ne peuvent plus chanter; les chiens hurlent assez.» Mais les choses devaient encore empirer. Car, comme partout, les moines se lassèrent finalement du régime autoritaire et, au cours du XVe siècle, s'éloignèrent de plus en plus des idéaux de saint Benoît. Les abbayes bénédictines de Ellwangen et Komburg devinrent des maisons seigneuriales séculières et les moines de Murrhardt cherchèrent également «le moyen de se débarrasser de leur froc». En vain. Mais la façon dont ils essayèrent de parvenir à leurs fins et dont deux de leurs parlementaires dépêchés à Rome se remplirent les poches a fourni matière à un des chapitres les plus curieux et picaresques de l'histoire du couvent. Le duc Ulrich, le patron de Murrhardt était prêt à accepter la tansformation de l'abbaye à condition que le fief soit transféré au Wurtemberg. Pour cela, il fallait acheter la permission du pape. L'abbé envoya donc à Rome, avec l'argent, son prieur accompagné d'un doyen de l'église collégiale d'Ohringen. Le pape donna bien sa bénédiction pour la transformation mais étant tout aussi intéressé que le duc aux valeurs matérielles il refusa le transfert du fief au Wurtemberg. Entretemps, les émissaires avaient mis à profit l'occasion pour se livrer à une étude de la dolce vita romaine, ce qui fit qu'ils furent bientôt à court d'argent. Ils trouvèrent toutefois un moyen de se tirer d'affaire. Au retour, ils s'arrêtèrent à Augsbourg et engagèrent la bulle papale à la banque des Fugger. Cette transaction impie valut au prieur de Murrhardt d'échanger la sévérité du couvent contre les rigueurs de la prison de Hohen Asperg.

Louis the Pious founded a Monastery at Murrstadt. But it now resembles a dog kennel, for my gracious Lord's dogs and dog keepers are occupying it. My monks no longer need to sing: the dogs howl enough." But things were to go from bad to worse. For here, as everywhere, the monks gradually wearied of the authoritarian regime, and in the course of the fifteenth century moved further and further away from the ideals of St. Benedict. The Benedictine abbey at Ellwangen and Komburg were turned into secular chivalrous foundations, and the Murrhardt monks also tried to find a way of "getting out of their cowls." They did not succeed. But the story of how they went about it and how their two representatives feathered their own nests, provides one of the most curious and picaresque chapters in the history of the monastery. Duke Uldrich, the patron of Murrhardt was prepared to agree to the transformation of the abbey, provided the feudal tenure was transferred to Württemberg. To this end, the Pope's permission had to be bought. The Abbot sent his Prior with a Dean from the Collegiate Church at Öhringen to Rome with the money. The Pope did give his blessing to the idea of the transformation, but he was just as interested in the material values concerned as the Duke, and refused to allow the feudal tenure to be transferred to Württemberg. In the meantime, the envoys had broadened their minds by studying, and indulging in, the Roman dolce vita, with the result that they were soon short of cash. But they found a way out of their dilemma. On the way back they stopped over in Augsburg, and turned the Papal Bull into ready money at Fugger's bank. This impious transaction landed the Murrhardt Prior out of the monastic frying pan into the fire of the prison at Hohen Asperg.

machten sie in Augsburg Station und versetzten die ihnen vom Papst überreichte Bulle beim Bankhaus Fugger. Dieser unfrommen Transaktion halber geriet der Murrhardter Prior für zwei Jahre vom Regen des Klosters in die Traufe des Hohen Asperg.

## Kulturbringer und Kulturträger

Wenden wir uns nach diesem Abstecher in eine lästerliche Spätzeit nochmals dem Mittelalter zu. Das »ora et labora« der Benediktiner war nördlich der Alpen auf besonders fruchtbaren Boden gefallen. Vorrangige Aufgabe blieb die Arbeit am eigenen Seelenheil. Die einzig den Ausblick auf den Himmel gewährende Abgeschiedenheit des Klosterhofs war geradezu eine Einladung zu Konzentration und Meditation, die eine starke Verinnerlichung des religiösen Lebens bewirkten. Neben dem Gottes-Dienst aber entwickelten die Mönche außerordentliche Aktivitäten in allen möglichen Disziplinen, waren Träger der geistigen Kultur, förderten die Landwirtschaft, hatten maßgeblichen Anteil an der Mission. Die Benediktiner widmeten sich vor allem pädagogischen Aufgaben und wissenschaftlichen Studien. Wie die Zisterzienser, so waren sie Pioniere eines vorbildlichen Acker- und Gartenbaus, worin sie auch die Bauern unterwiesen: Sie führten neue Pflanzen ein, kultivierten Weinberge, veredelten Obstsorten, waren erfolgreiche Haustierzüchter. Sie rodeten Wälder und legten Sümpfe trocken. Vor allem aber entwickelten die Mönche unstillbaren literarischen Eifer. In ihren Schreibstuben kopierten sie die Manuskripte der lateinischen Klassiker und der Kirchenväter, retteten deren Gedankengut für die Nachwelt. Kalligraphie und eine zu höchster Meisterschaft ausgebildete Miniaturenmalerei, die in ihrer Farbigkeit und ihrem Goldglanz bestechend schönen sogenannten Illuminationen, waren ebenso verbreitet

## Les moines et la culture

Après cette brève incursion dans une période postérieure décadente, revenons encore une fois au Moyen Age. L'«ora et labora» des Bénédictins était tombé sur un sol particulièrement fertile au nord des Alpes. La tâche prioritaire restait le salut de l'âme de l'individu. Le cloître dont la vue donnait uniquement sur le ciel était un endroit idéal pour la concentration et la méditation qui aboutissaient à une forte introversion de la vie religieuse. Mais outre qu'ils étaient au service de Dieu, les moines développaient une activité des plus intenses dans toutes les disciplines possibles: ils encourageaient les arts, développaient l'argriculture et jouaient un rôle missionnaire important. Les Bénédictins se consacraient surtout à des tâches pédagogiques et à des études scientifiques. A l'instar des Cisterciens, c'étaient des pionniers d'une agriculture et d'une horticulture modèles: ils introduisirent de nouvelles plantes, cultivèrent la vigne, améliorèrent la qualité des fruits, obtinrent d'excellents résultats dans l'élevage des animaux domestiques. Ils érodèrent les forêts et asséchèrent les marais. Mais par dessus tout, les moines manifestèrent un zèle littéraire inextinguible. Dans leurs scriptoriums, ils copièrent les manuscrits des classiques latins et des Pères de l'Eglise, sauvant ainsi leur pensée à l'intention des générations futures. La calligraphie et la peinture de miniatures – l'art d'enluminer les manuscrits grâce à un merveilleux mélange de couleurs et d'or – atteignirent les plus hauts niveaux artistiques et étaient tout aussi répandues que la rédaction de prose et de vers en un latin élégant; les moines se distinguèrent même dans l'art de la reliure. La Chanson de Hildebrand (Hildebrandlied), le plus ancien poème épique allemand a été transcrit au monastère de Fulda, le Waltharilied à Saint-Gall. C'est là également que Notker le Bègue, mort en 912, écrivit la Gesta Caroli Magni

## Monks and culture

After this short diversion into a decadent later age, let us return to the Middle Ages again. The Benedictine "ora et labora" had fallen on particularly fruitful ground to the north of the Alps. First priority was still given to the spiritual welfare of the individual. The cloister, whose only view was of the heavens, provided an ideal place for concentration and meditation, which induced a strong introversion of religious life. But, in addition to serving God, the monks were extremely active in every branch of learning, supported the arts, promoted agriculture, and played a leading part in missionizing. The Benedictines devoted themselves particularly to pedagogical work and scientific studies. Like the Cistercians, they were pioneers of rational farming and gardening: they introduced new plants, established and cultivated vineyards, improved the quality of fruit, and were successful breeders of domestic animals. They cleared forests, and drained swamps. But, above all, the monks developed an extraordinary literary zeal. In their scriptoriums they untiringly copied the manuscripts of the Latin Classics and the Fathers of the Church, preserving them for later generations. Calligraphy and miniature painting – the art of illuminating manuscripts, using a brilliant mixture of colours and gold – attained the highest artistic levels, and were just as widespread as was the writing of elegant Latin prose and poetry; and the monks even distinguished themselves in the technique of bookbinding. The "Hildebrandslied" (the sole surviving fragment of Germanic heroic verse in Old High German) was copied at Fulda Monastery, the "Waltharilied" (a medieval Latin epos) at St. Gallen. In St. Gallen, too, the monk Notker Balbulus, who died in 912, wrote the "Gesta Karoli Magni", which is one of the most delightful collections of medieval stories. He was also remarkable for

wie das Schreiben eleganter lateinischer Prosa und Verse, und selbst als Buchbinder leisteten die Mönche Erstaunliches. In Fulda wurde das Hildebrandlied aufgezeichnet, das Waltharilied in St. Gallen. Ebendort schrieb der 912 gestorbene Notker Balbulus die »Gesta Karoli Magni«, die zu den köstlichsten Erzählungen des Mittelalters gehören. Als Erfinder der sogenannten »Sequenzen«, die den langen Kolorationen orientalischen Ursprungs einen syllabischen Text unterlegen, hat er auch die Entwicklung des Kirchengesangs wesentlich gefördert. Und Notker Labeo, auch Teutonicus genannt (um 950–1022), verfaßte in St. Gallen die erste deutsche Grammatik, seine Übersetzungen von Boëthius, Martianus Capella und Aristoteles sind sprachliche Meisterwerke des Althochdeutschen. Die Geschichtsschreibung florierte in den Klöstern, das Erbe der antiken Wissenschaften, der Medizin, Astronomie und Biologie wurde gepflegt. Die Medizin wurde überdies praktiziert: In ihren Spitälern umsorgten die Mönche durchreisende Pilger, Kranke, Aussätzige. Laienbrüderschaften übernahmen besondere Aufgaben: Die Ritterorden gaben den Pilgern bewaffnetes Geleit auf ihren Wegen ins Heilige Land oder bekämpften die Ungläubigen in Palästina, Syrien, Spanien. Wieder andere asketische Organisationen kauften christliche Sklaven von den Mohammedanern frei.

qui compte parmi les récits médiévaux les plus charmants. Inventeur des séquences musicales qui allient le mélisme d'origine orientale à un texte syllabique, il a apporté une importante contribution au développement de la musique sacrée. Et Notker le Lippu, appelé également l'Allemand (v. 950-1022) a rédigé à Saint-Gall la première grammaire allemande; ses traductions de Boèce, Martianus Capella et Aristote sont des chefs-d'œuvre littéraires en ancien allemand. L'historiographie fut florissante dans les monastères et l'héritage des sciences classiques, médecine, astronomie et biologie y fut préservé. La médecine était également pratiquée: dans leurs hôpitaux, les moines soignaient les pélerins de passage, les malades et les lépreux. Les frères convers avaient des tâches spéciales: les ordres de chevalerie fournissaient aux pélerins une escorte armée pour aller en Terre Sainte ou combattaient les incroyants en Palestine, Syrie et Espagne. D'autres organisations ascétiques s'occupaient d'acheter aux mahométans la liberté des esclaves chrétiens.

innovations in the musical 'sequence', which combined long melismas of oriental origin with a syllabic text, and thus made an important contribution to the development of church music. And – also in St. Gallen – Notker Labeo, also called Teutonicus (about 950–1022), compiled the first German grammar, and his translations from Boethius, Martianus Capella, and Aristoteles, are literary masterpieces in the Old High German language. The writing of history flourished in the monasteries, and the heritage of the Classical sciences of medicine, astronomy, and biology was preserved. Medicine was also practised: the monks used their hospitals to tend passing pilgrims, the sick, and lepers. Lay brotherhoods took on special tasks: the knightly orders provided pilgrims with armed escorts on their way to the Holy Land, or fought the unbelievers in Palestine, Syria, or Spain. Other ascetic organizations specialized in buying the freedom of Christian slaves from the Mohammedans.

▶ **Propsteikirche St. Michael in Fulda,** Hessen. Diese älteste Nachbildung der Grabeskirche in Jerusalem auf deutschem Boden (spätere Bauten z.B. Matthiaskapelle in Kobern und Kloster Ettal) und eine der ältesten deutschen Kirchen überhaupt wurde 820 bis 822 unter Abt Egil erbaut: ein Rundbau, eingeschossiger Umgang und rechteckig ummantelte Apsis. Nur die Krypta, ursprünglich Beinhaus, ist aus dieser Zeit erhalten. Ohne Schwierigkeiten ließ sich die Rotunde im 10. und 11. Jahrhundert zu einer kreuzförmigen Kirche mit Langhaus und wehrhaftem Westturm sowie einem südlichen Flügel erweitern (der nördliche Flügel, die Rochuskapelle, kam erst im 18. Jahrhundert dazu). Die Rotunde selber erhielt unter Wiederverwendung alter Kapitelle einen Kranz von acht Säulen und ein zweites Umgangsgeschoß mit Arkaden, die sich zum Mittelraum öffnen. 1618 erst wurde ihr der typische schlanke Spitzhelm aufgesetzt. Wandmalereien aus dem 11. Jahrhundert sind noch in der Rotunde erhalten.

Die Kapelle liegt nördlich über dem Domplatz, wo an der Stelle eines fränkischen Königshofes Sturmius 744 im Auftrag des heiligen Bonifatius das Benediktinerkloster Fulda gründete und von Karlmann das umliegende Königsland der »Buchonia« dazu erhielt. In der Basilika liegt Bonifatius begraben.

Berühmt wurde das Kloster durch seine Malschule, sein Kunsthandwerk und die Klosterschule. Der Niederschrift des Hildebrandsliedes verdanken wir das einzig erhaltene Zeugnis germanischer Heldenlieder. Einhart, der Biograph Karls des Großen, Otfried von Weißenburg, Verfasser einer Evangelienharmonie, sowie Walahfried Strabo, späterer Abt im Kloster Reichenau, waren Schüler des berühmten Rabanus Maurus, zunächst Leiter der Klosterschule und von 822 bis 844 Abt in Fulda.

▶ **Eglise du prieuré de Saint-Michel à Fulda,** Hesse. Construite en forme de rotonde en 820, c'est la plus ancienne copie sur le sol allemand de l'église du Saint-Sépulcre à Jérusalem et aussi l'une des plus anciennes églises d'Allemagne. Aux Xe et XIe siècles, elle a été agrandie par un vaisseau et une tour occidentale fortifiée. A proximité, le monastère de Fulda avec la cathédrale où se trouve le tombeau de St. Boniface était célèbre par ses peintres et son école. C'est ici que fut transcrite la Chanson de Hildebrand. Mais le monastère, qui fut l'un des plus grands propriétaires terriens au Moyen Age, joua également un rôle économique et politique important.

▶ **Priory Church of St. Michael in Fulda,** Hesse. Built as a round church in 820, this is Germany's oldest copy of the rotunda of the Church of the Holy Sepulchre in Jerusalem. and is one of Germany's oldest churches altogether. It had a nave and a fortified west tower added in the 10th and 11th centuries. The nearby monastery in Fulda, with the cathedral where St. Boniface is buried, was famous for its painters and its school. It was here that the 'Hildebrandslied' was written down. But the monastery, which was one of the largest landowners in the Middle Ages, was also an important economic and political force.

▶▶ **Ehemaliges Zisterzienserkloster Arnsburg,** Hessen. Erst nach der Säkularisation 1802 begann der ruinenhafte Verfall der mittelalterlichen Klostergebäude. Sie kamen an die Grafen Solms-Laubach, die Erben jener Münzenberger, deren Ahnherr Kuno von Münzenberg 1174 mit seiner Stammburg Arnsburg und dem dazugehörigen Dorf ein Zisterzienserkloster stiftete. 1197 zogen Mönche aus Eberbach hier ein.

Zu diesem Zeitpunkt wurde wohl auch schon mit dem Bau der riesigen Kirche in zisterziensischem Stil begonnen: eine Pfeilerbasilika mit quadratischem, gerade geschlossenem Chor und Kapellenumgang. Dieser wie auch die Kreuzrippengewölbe im Mittelschiff und die Obergaden sind nicht mehr erhalten, von den Kreuzgratgewölben der Seitenschiffe nur noch ein Teil. Doch lassen die stehengebliebenen Mauern immer noch etwas von der strengen und klaren Form der Romanik erahnen. Von den mittelalterlichen Klostergebäuden sind vor allem noch der quadratische Kapitelsaal mit seinen schönen Kelchblattkapitellen zu erwähnen. Der Kreuzganghof wurde 1958 als Kriegsopferfriedhof hergerichtet.

Im Mittelalter war Arnsburg das an Grundbesitz reichste und künstlerisch bedeutendste Kloster der Wetterau. Es hatte die Aufsicht über eine ganze Reihe von Zisterzienserinnenklöster und das Patronat über mehrere Pfarreien. Bis zu hundert Mönche und ebenso viele Laienbrüder lebten hier. Alle Versuche, die Reformation einzuführen, scheiterten, doch hat das Kloster im Dreißigjährigen Krieg sehr gelitten. Ausdruck des im 18. Jahrhundert wiederkehrenden Wohlstandes sind die barocken Neubauten, heute Schloß der Grafen von Solms-Laubach.

▶▶ **Ancienne abbaye cistercienne d'Arnsburg,** Hesse. Les vestiges de l'imposante église abbatiale tombée en ruines après la sécularisation donnent une idée des formes pures de l'art roman. Fondée à la fin du XIIe siècle, Arnsburg fut au Moyen Age l'abbaye la plus riche et, sur le plan artistique, la plus importante de la Wetterau. Parmi les bâtiments conventuels de cette époque, il faut surtout mentionner la salle capitulaire carrée avec ses beaux chapiteaux campanulés.

▶▶ **The former Cistercian Monastery of Arnsburg,** Hesse. The ruins of the huge monastery church, which fell into decay after the secularization, still display the clear Romanesque lines. Arnsburg, founded at the end of the 12th century, was the richest and artistically most important monastery in the Wetterau region in the Middle Ages. The square medieval chapter house, with its fine capitals, is well worth seeing.

▶▶▶ **Ehemaliges Augustinerchorherrenstift Schiffenberg** bei Gießen, Hessen. Die Skephenburg – der Name bezeugt hier den Sitz eines Schöffengerichtes für die umliegenden Rodungsdörfer – befindet sich im 12. Jahrhundert im Besitz der Gräfin Clementia von Geldern. Als Anhängerin der kirchlichen Reformpartei im Investiturstreit und der aufblühenden Augustinerbewegung gründet sie auf ihrem Witwensitz 1129 ein Augustinerchorherrenstift.

Aus verschiedenfarbigem Baumaterial – vulkanischer Lungstein, Basalt, weiße und rötliche Sandsteinquader – wird die schöne, harmonisch gegliederte Pfeilerbasilika erbaut, ursprünglich mit zwei Westtürmen und einem Vierungsturm, drei Chorapsiden, dreischiffig und flachgedeckt. 1323 wandelt Erzbischof Balduin von Trier das niedergehende Stift in eine Deutschordenskommende um, die der Ballei Magdeburg angegliedert ist. Die alte Propstei mit dem Fachwerkgeschoß entsteht etwa 1463, die Komturei 1493. An die Stelle der drei Chorapsiden tritt ein rechteckiger Chor, der zusammen mit dem Querhaus 1516 eingewölbt wird.

Doch mit dem Niedergang der Kommende seit der Reformation verfällt auch die Kirche. 1561 soll hier der letzte katholische Gottesdienst gehalten worden sein. Brüder lebten nicht mehr hier. Das südliche Seitenschiff wurde abgebrochen, so daß die Arkaden jetzt zum Hof hin offen sind, auch die westlichen Flankentürme wurden größtenteils zerstört. 1809 wurde das Anwesen Staatsdomäne.

▶▶▶ **Ancien couvent de chanoines de Saint-Augustin à Schiffenberg** près de Giessen, Hesse. Fondé en 1129 par les chanoines de Saint-Augustin, le monastère devint en 1323 une commanderie des chevaliers Teutoniques. Au déclin de celle-ci, la belle basilique aux proportions harmonieuses tomba également en ruines. Les tours occidentales furent en grande partie détruites et la nef latérale sud démolie de sorte que les arcades sont à présent exposées vers la cour.

▶▶▶ **Former Augustinian Canons' College at Schiffenberg** near Giessen, Hesse. Founded in 1129 by Augustinian Canons, the monastery was converted into a headquarters of the Teutonic Knights in 1323. When this declined, the fine, harmonious basilica also fell to ruin. The western towers were largely destroyed and the south aisle demolished, so that the arcades are now exposed to the open.

◀ **Evangelische Pfarrkirche in Sellnrod,** Vogelsberg, Hessen. In der Tradition des europäischen Fachwerkbaus bildet Hessen ein Gebiet von außerordentlicher Dichte und Geschlossenheit. Noch heute sind rund 250 Fachwerkkirchen erhalten. Holzreichtum und die altüberlieferte Fachwerkstruktur der Dörfer sind die Gründe für diese Häufigkeit. Während bei Pfarr- und Mutterkirchen die Steinbauweise schon früh das Holz verdrängte – Steinkirchen galten als repräsentativer und haltbarer –, hielt sich die Holzbauweise vor allem in den kleinen Filialkirchen. Mit dem Einzug der Reformation wurden bestehende Kapellen oft umgebaut und in Fachwerk ergänzt, und auch bei neuen Kirchen finden wir wieder diese Bauweise.
Um 1700, im Barockzeitalter, entstanden im Gebiet des Vogelsberges, darunter auch in Sellnrod, Fachwerkkirchen, die an Größe und formaler Gestaltung die früheren übertreffen und von späteren nicht mehr erreicht werden. Hier tauchen vor allem die Namen des Landbaumeisters Johann Ernst Müller aus Gießen und des ausführenden Zimmermanns Hans Georg Haubach aus Herbstein auf, während sonst über die Erbauer wenig bekannt ist. Auch die Kirche in Sellnrod, 1697/98 erbaut, ist ihnen zuzuschreiben. Sie hat den höchsten und schlanksten Dachreiter des Vogelsberges, und V-förmige Fachwerkstrebefiguren umsäumen außen zwei Geschosse. Das reich geschnitzte Portal trägt im Giebelfeld das landesherrliche Wappen. Im Innern die auf zwei Seiten übereinandergestaffelte Männerempore, deren Brüstung mit Ornamenten und Bildern geschmückt ist.

◀ **Eglise paroissiale protestante à Sellnrod,** Vogelsberg, Hesse. C'est l'une des quelque 250 église à colombage conservées en Hesse; elle fait partie des églises construites vers 1700 dans le Vogelsberg et qui dépassent toutes les autres par les dimensions et la perfection des formes. Elle a le lanterneau le plus élevé et le plus élancé du Vogelsberg et un portail occidental orné d'abondantes sculptures avec les armes du seigneur au-dessous du pignon. Les galeries à l'intérieur sont décorées de tableaux et d'autres ornements.

◀ **Sellnrod Protestant Parish Church,** Vogelsberg, Hesse. There are roughly 250 half-timbered churches preserved in Hesse, and Sellnrod is one of those built in the Vogelsberg district in about 1700 which are superior to all the others in size and formal perfection. Sellnrod has the tallest and slimmest bellcote in the area and a richly embellished west porch with a lordly coat of arms under the gable. The galleries inside are decorated with pictures and other ornaments.

◀ **Evangelische Pfarrkirche in Naurod** bei Wiesbaden, Hessen. 1342 hat der Ort schon ein eigenes Zehntgericht, vermutlich auch schon eine Pfarrei, die aber im Dreißigjährigen Krieg einging. Für die seit 1716 wieder selbständige Pfarrei entwarf der Architekt Johann Georg Bager diese Zentralkirche (Bauzeit 1717-1730): ein regelmäßiges Achteck, in sechs Seiten Fenster, in der siebten die Orgelempore und in der achten, gegenüber der Orgel und dem Altar, die Eingangstür. Neben der Tür führen zwei Aufgänge zu der rings umlaufenden, von acht viereckigen Pfeilern getragenen Empore. Die ursprüngliche Ausmalung der Kuppel ist nicht mehr vorhanden. Außen schlichte Gliederung durch gekuppelte Pilaster, nur die Türumrahmung fällt üppiger aus.
Offensichtlich war die Kirche schon früher bekannt, denn für den Bau einer neuen, katholischen Kirche vor dem großherzoglichen Palais in Darmstadt wurden die Nauroder Pläne angefordert.

◀ **Eglise paroissiale protestante à Naurod,** près de Wiesbaden en Hesse. Cette église à plan centré fut construite entre 1717 et 1730 d'après les plans de Johann Georg Bager pour la nouvelle paroisse. Dans l'octogone régulier, des piliers carrés supportent une tribune circulaire. Les peintures qui ornaient à l'origine le dôme ont disparu. La sobriété de l'extérieur de l'édifice est soulignée par des pilastres, seul l'encadrement du portail est plus orné.

◀ **The Protestant Parish Church at Naurod** near Wiesbaden, Hesse. This centrally-organized church was built to the plans of Johann Georg Bager between 1717 and 1730 for the newly established parish. A gallery, supported by rectangular pillars runs all round the central octagonal. The original painting in the dome has disappeared. The outside of the church is simply decorated with pillars; only the doorway is given more ornamental treatment.

▶ **Wernerkapelle in Bacharach,** Rheinland. Eine grausige Legende steht am Anfang der gotischen Kapelle: Juden sollen angeblich 1287 den Knaben Werner gefoltert und ermordet haben. Sein Leichnam sei an dieser Stelle – entgegen der Strömung – angeschwemmt worden. Für die einsetzende Wallfahrt begann man 1293 die Kunibertskapelle umzubauen, 1337 wurde der Chor geweiht, dessen Kleeblattform auf die Kölner Dombauhütte verweist (1759 abgetragen). Trotz Tausenden von Pilgern wurde sie nicht vollendet. 1426 sollte durch die Einleitung der Heiligsprechung Werners der Bau wieder in Gang gebracht werden. Als die Franzosen 1689 die Burg Stahleck sprengten, beschädigte herabstürzendes Gestein die Kapelle, die in der Folgezeit immer mehr verfiel. Die Ruine bestimmt in ihrer imposanten Größe zusammen mit der Pfarrkirche St. Peter und der Burg Stahleck das Gesicht des Städtchens Bacharach. Für einen Weinort wie diesen wäre die Herleitung seines Namens von Bacchi ara, Altar des Bacchus, sehr naheliegend; sie ist jedoch nicht gesichert. Eine Besiedelung in römischer Zeit konnte bisher noch nicht nachgewiesen werden, wohl aber seit merowingischer Zeit. Die Geschichte der Stadt ist eng mit der Burg Stahleck verbunden. Sie kam nach wechselnden Besitzern 1214 an die Wittelsbacher (bis 1806). Durch die heimliche Heirat von Agnes von Stahleck, Erbtochter des staufischen Pfalzgrafen Konrad, mit dem Sohn Heinrichs des Löwen 1194 versöhnten sich Staufen und Welfen miteinander. Auf einem der zahlreichen in Bacharach im 14. Jahrhundert stattfindenden Fürstentage wurde auch über die Wahl Ludwigs des Bayern zum deutschen König verhandelt.

▶ **Chapelle Sankt-Werner à Bacharach,** Rhénanie. Commencée en 1293 alors que Bacharach semblait devenir un lieu de pélerinage, cette chapelle dont la construction dépendait du chantier de la cathédrale de Cologne n'a jamais été terminée. Endommagée pendant la guerre palatine (1689), elle tomba en ruine mais du fait de sa situation entre l'église paroissiale de Saint-Pierre et le château de Stahleck, sa silhouette domine toujours la petite ville de Bacharach.

▶ **Werner Chapel at Bacharach,** Rhineland. Begun in 1293 when Bacharach showed signs of becoming a place of pilgrimage, this chapel, whose construction was the business of the Cologne cathedral lodge, was never finished. Damaged in the Palatine War (1689) it fell into ruins, but, positioned between the parish church of St. Peter and Stahleck Castle, it still dominates the little town of Bacharach.

▶ **Burgkirche in Ingelheim,** Rheinhessen. Bevor Kaiser Karl IV. 1375 das Gebiet um Ingelheim an die Kurpfalz verpfändete, war Nieder-Ingelheim – als römische Siedlung in fränkisches Königsgut übergegangen – Treffpunkt von Kaisern, Königen und Bischöfen. Karl der Große hatte vermutlich eine römische Villa zur Kaiserpfalz ausbauen lassen, fertiggestellt unter seinem Sohn Ludwig dem Frommen. Nach der Verpfändung verlor Nieder-Ingelheim seine Bedeutung als Pfalzort, und die Besiedelung im Spätmittelalter hat nur wenige Mauerreste von der Anlage übriggelassen. Dagegen entwickelte sich Ober-Ingelheim zum Hauptort des Ingelheimer Grundes. Mit der im 14. und 15. Jahrhundert erbauten gotischen Kirche – nur der Turm ist noch romanisch – entstand ein Wehrbezirk mit hohen Mauern, Toren und Türmen, verbunden mit einer Burg der Herren von Bolanden. In Kriegszeiten diente diese Anlage der Ingelheimer Bevölkerung als Fluchtburg.
Ältester Teil der Kirche, abgesehen vom Turm, ist der Ostteil des Langhauses mit drei Jochen und Kreuzrippengewölbe. Der Chor als Werk des Meisters von Diebach bei Bacharach entstand 1404, der westliche Teil des Langhauses in der Zeit von 1450 bis 1462. Im Mittelfenster des Chores ist ein Glasgemälde des 15. Jahrhunderts erhalten, und bei Restaurierungsarbeiten kamen in den Gewölben spätgotische Rankenmalereien wieder zum Vorschein.

▶ **Chapelle du château à Ingelheim,** Rhin-Hesse. Alors qu'il ne reste que des vestiges insignifiants du magnifique palais impérial construit par Charlemagne à Nieder-Ingelheim, la forteresse édifiée au Moyen Age à Ober-Ingelheim avec ses hauts murs, ses portes et ses tours est encore bien conservée. La chapelle gothique avec ses toits pittoresques a été construite aux XIV et XVe siècles mais la tour est encore romane.

▶ **Castle Chapel at Ingelheim,** Rhine-Hesse. While very little has survived of Charlemagne's magnificent imperial castle in neighbouring Nieder-Ingelheim, the fortress built in the Middle Ages at Ober-Ingelheim, with its high walls, towers, and gates, is well preserved. The Gothic chapel with its picturesque roof was built in the 14th and 15th centuries, but the tower is Romanesque.

▶ **Totenkapelle St. Michael in Kiedrich,** Rheingau. Im früheren Wallfahrtsort Kiedrich umgibt eine hohe Mauer den Kirchenbezirk, zu dem neben dieser Totenkapelle auch die Pfarrkirche und schöne Fachwerkhäuser gehören. Im 15. Jahrhundert blühte die Wallfahrt zu den Nothelfern gegen die Fallsucht (Epilepsie), dem heiligen Dionys und dem heiligen Valentin. Sie brachte genug Geld ein, um die Pfarrkirche, eine der schönsten und reichsten am Mittelrhein, zu erweitern und die Totenkapelle (um 1440) zu bauen. Von der zum Hof gewandten Außenkanzel wurden den Wallfahrern die Valentinsreliquien gezeigt. Im Erdgeschoß des steilen, spätgotischen Baues befindet sich das Beinhaus, im Obergeschoß eine netzgewölbte Kapelle, deren Chor aus einem Erker besteht. Erwähnenswert eine fast lebensgroße Doppelmadonna, zu deren Füßen sich ein siebenarmiger, schmiedeeiserner Kronleuchter ausbreitet.

▶ **Chapelle Saint-Michel, la chapelle des Morts à Kiedrich** sur le Rhin, Rheingau. La construction de la chapelle (vers 1440) de style gothique tardif a été financée par les aumônes apportées par les pélerins qui venaient en grand nombre invoquer les saints pour se préserver de l'épilepsie. Les reliques étaient présentées aux pélerins de la chaire extérieure. Le choeur de la chapelle à l'étage supérieur est en encorbellement.

▶ **St. Michael's Reliquary Chapel at Kiedrich** on the Rhine, Rheingau. The chapel was financed from alms received from the many pilgrims who came here to invoke the saints against epilepsy, and was built in about 1440. The relics were shown to the pilgrims from the exterior pulpit. The choir of the chapel in the upper storey is accomodated in an oriel.

▶▶ **Ehemaliges Zisterzienserkloster Eberbach,** Rheingau. Dank der guterhaltenen Anlage kann man hier das Beispiel eines typischen zisterziensischen Reformklosters im Mittelalter studieren. An die riesige Kirche, nur mit Dachreitern versehen, schließt sich nördlich zum einen das Haus der Laienbrüder an, zum anderen der Kreuzgang und die Mönchsgebäude. Dazwischen die Klostergasse, durch die beide Bereich streng voneinander getrennt wurden. So verlangte es die Ordensregel. In seiner Blütezeit war das Kloster reich begütert, 16 Frauenklöster unterstanden ihm, neue Klöster wurden gegründet, in Köln gab es eine Handelsniederlassung, hauptsächlich für den Absatz des Klosterweines. Bis zu dreihundert Mönche und Laienbrüder lebten hier, und die Anlage stellte eine Stadt im kleinen dar.
Als ältester Teil entstand die Kirche. 1145 begonnen, sollte sie ursprünglich nach burgundisch-romanischem Vorbild Tonnengewölbe erhalten sowie je drei Kapellen an den Querarmen. Nach einer Bauunterbrechung um 1160 wurde die Kirche jedoch mit Kreuzgratgewölben fertiggestellt und 1186 geweiht – ein in seiner Strenge und Schmucklosigkeit einheitlicher Bau und Ausdruck des zisterziensischen Reformgedankens. Die gotische Kapellenreihe am südlichen Seitenschiff kam erst Anfang des 14. Jahrhunderts dazu, als sich auch die Strenge der Reformklöster auflockerte.
Um 1200 entstand ein Teil der Mönchsgebäude, das Laienbrüderhaus sowie das Hospital. Im 13. und 14. Jahrhundert folgten der Kreuzgang und der Umbau des Kapitelsaals zu einem Einstützenraum mit achteckigem Mittelpfeiler und einem prächtigen Sterngewölbe. Durch die Aufstockung des Ostflügels entstand das Mönchsdormitorium, ein riesiger Saal von 73 Meter Länge, zweischiffig mit Kreuzrippengewölbe.
Nach der Aufhebung des Klosters dienten die Gebäude als Irrenanstalt, Gefängnis, Militärgenesungsheim, heute als Staatsweingut, doch können die historischen Räume wieder besichtigt werden.

▶▶ **Ancienne abbaye cistercienne à Eberbach,** Rheingau. Les bâtiments bien conservés donnent aujourd'hui encore une bonne idée de ce qu'était une abbaye cistercienne au Moyen Age non seulement à cause de l'immense église sans ornement avec lanterneau – la série de chapelles gothiques a été ajoutée au XVe siècle – mais également à cause de la séparation très stricte entre le domaine réservé aux moines et celui des frères lais. Il faut voir tout particulièrement la salle du chapitre avec sa splendide voûte en étoile et le dortoir des moines, une salle de 73 mètres de long.

▶▶ **Former Cistercian Monastery at Eberbach,** Rheingau. The well-preserved buildings still give a good impression of what a typical medieval Cistercian reform monastery must have been like, not only because of the huge, unornamented church with its bellcote – the row of Gothic chapels was added in the 15th century – but also because of its strict division between the clausura and the area for the lay brothers. The chapterhouse, with its magnificent rib vaulting, and the monks' dormitory, a huge room 240 ft long, are particularly well worth seeing.

▶▶▶ **Ehemalige Stiftskirche Dietkirchen** an der Lahn, Hessen. Nur die beiden Türme zwingen aus dieser Sicht zur Vorstellung »Kirche« statt »Burg«, aber in dem Bild der »Gottesburg« ist beides enthalten und charakterisiert den mit dem Felsen verwachsenen Bau wohl am treffendsten.
Die Kirche ist in dieser Form in der Zeit vom 11. bis 13. Jahrhundert entstanden; die einschneidendsten Veränderungen erfuhr sie im 12. Jahrhundert durch die Verbreiterung des Langhauses und den Umbau zu einer dreischiffigen Emporenbasilika, im 13. Jahrhundert durch die Einwölbung des Querhauses. Tiefer im Boden stößt man auf die Reste einer Basilika aus der Zeit vor 1000. Damals war Dietkirchen Archidiakonat für alle rechtsrheinischen Kirchen der Erzdiözese Trier. Graben wir noch tiefer, stoßen wir auf eine Steinkirche aus der Mitte des 8. Jahrhunderts. Ein Kollegiatsstift an dieser Stelle wird erstmals 841 bezeugt im Zusammenhang mit der Überführung der Gebeine des heiligen Lubentius (gestorben 440) aus Trier. Er soll hier missioniert haben. Unter dem Chor und dem Friedhof schließlich kommen Reste aus der Urnenfelderzeit (um 1000 v. Chr.) zutage.
Bei den Restaurationsarbeiten 1958/59 konnten eine Holzdecke mit frühbarocker Bemalung freigelegt und die ursprünglichen Emporenarkaden wiederhergestellt werden. Und so präsentiert sich uns die Kirche heute in ihrer wuchtigen romanischen Geschlossenheit und Strenge, innen wie außen.

▶▶▶ **Ancienne église collégiale de Dietkirchen** sur la Lahn, Hesse. La pierre et la roche se combinent ici pour former un véritable «château de Dieu». A part quelques transformations ultérieures, l'église a été édifiée du XIe au XIIIe siècle. Des fouilles ont mis au jour des vestiges de construction antérieures ainsi que des témoignages d'une colonie pré-chrétienne.

▶▶▶ **Former Collegiate Church at Dietkirchen** on the Lahn, Hesse. Masonry and rock combine here to form a veritable ''castle of God''. Despite a few later changes, the church is largely 11th to 13th century. Excavations have revealed vestiges of earlier buildings and signs of pre-Christian settlement.

◀ **Ehemalige Stiftskirche St. Georg zu Limburg** an der Lahn, Hessen. Farbig herausgeputzt, die Gliederungselemente Lisenen, Bogenfriese und Kapitelle betonend, gibt der Dom nach der Restaurierung von 1969 bis 1973 wieder einen Eindruck vom großartigen, festlichen Charakter dieser mittelalterlichen Gottesburg. Der Lahnfelsen läßt nicht viel Platz, und so drängt der Baukörper mit seinen sieben Türmen in die Höhe. Derselbe Effekt im Innern: Alles führt nach oben, der vierteilige Wandaufbau von den Pfeilerarkaden über Emporen und Triforien zu den Fenstern in den Scheidbögen der Rippengewölbe; die Dienste der Hauptpfeiler, die ohne Unterbrechung bis zum Ansatz des Gewölbes durchlaufen; schließlich der offene, helle Vierungsturm. Trotzdem vermittelt die von den Mittelschiffwänden um den Chor herumführende Gliederung der Wände den Eindruck eines Zentralraumes, ein typisches Element der mittelrheinischen Romanik. Frühgotisch (nach nordfranzösischem Vorbild) sind vor allem Spitz- und Kleeblattbogen, Knospenkapitelle sowie in der Wandbemalung der Übergang von Figuren zu Ornamenten. Bei der Restaurierung 1934/35 konnte die ursprüngliche Wandbemalung wieder freigelegt werden, die die architektonisch wichtigen Teile schmückte, Füllmauern jedoch freiließ. Bei der 1872-1877 vom preußischen Staat durchgeführten Restauration wurde vor allem die nachmittelalterliche Ausstattung weitgehend beseitigt. Die Gründung des Stiftes wird Graf Konrad Kurzbold aus dem Geschlecht der Konradiner zugeschrieben. Mit der Erlaubnis König Ludwigs des Kindes dazu und einer Schenkung wird Limburg 910 erstmals erwähnt. Wahrscheinlich war es Graf Heinrich von Isenburg (1179-1270), der dann den Neubau anstelle einer früheren Kirche errichten ließ.

Seine Bedeutung verdankte der Ort vor allem seiner Lage am Schnittpunkt mehrerer Straßen, die wichtigste davon die »strata publica«, die von Koblenz nach Thüringen führte. Das 942 erwähnte »castellum Lintpurc«, Sitz der Grafen des Niederlahngaues, diente wohl zur Sicherung dieser Straße. Als bedeutendste Stadt in diesem Gebiet zählte sie im 14. Jahrhundert mehrere tausend Einwohner. 1344 wurde sie an Kurtrier verpfändet und kam mit der Auflösung des Kurfürstentums Trier 1802 zu Nassau, mit dem Herzogtum Nassau 1866 zu Preußen. Seit 1827 ist Limburg Bischofssitz, die Stiftskirche St. Georg wurde zur Kathedrale erhoben.

◀ **Ancienne église collégiale de Saint-Georges à Limburg** sur la Lahn, Hesse. Les travaux de rénovation de 1969 à 1973 ont restauré la polychromie originale et le caractère solennel de cet édifice du XIIIe siècle. Des éléments du roman tardif de la région du Rhin central se fondent d'une manière unique avec des formes du gothique inspirées de constructions du Nord de la France.

◀ **Former Collegiate Church of St. George in Limburg** on the Lahn, Hesse. The renovation carried out between 1969 and 1973 restored the original colourfulness and festive character of the building. Here features of the Romanesque style of the central Rhine merge in a unique manner with Early Gothic forms of northern French provenance.

▶ **Zisterzienserkloster Marienstatt** im Westerwald, Rheinland. Ein im Winter blühender Weißdorn wies dem Abt Hermann den neuen Platz für sein Kloster, und Graf Heinrich von Sayn schenkte ihm dafür die Grundherrschaft Nister. In Kirburg, wo die Zisterzienser von Heisterbach 1215 eine Tochterabtei gegründet hatten, wollten die Mönche wegen Streitigkeiten mit Verwandten des Stifterpaares nicht mehr bleiben.
Der Bau der Kirche zog sich bis ins 14. Jahrhundert hin. Zuerst enstand der Chor, danach – wohl aufgrund einer Bauplanänderung – das höhere Lang- und Querhaus. Wie in Heisterbach finden wir auch hier den Chorumgang mit Kapellenkranz und die Strebepfeiler an den Außenwänden. Beide Kirchen wenden sich dadurch von der burgundischen Frühgotik zur französischen Hochgotik hin. Der Ursula-Altar aus der ersten Hälfte des 14. Jahrhunderts ist einer der ältesten Flügelaltäre Deutschlands. Sinken der Klosterzucht, Streitigkeiten mit den lutherisch gewordenen Grafen von Sayn sowie 1633 die Besetzung durch die Schweden schadeten dem Kloster erheblich. Von den mittelalterlichen Klostergebäuden ist nichts mehr erhalten, die heutigen Abteigebäude stammen aus dem 18. Jahrhundert. 1888 konnten die Zisterzienser die 1803 nach der Aufhebung des Klosters verkauften Gebäude wieder zurückerwerben.

▶ **Abbaye cistercienne de Marienstatt** dans le Westerwald, Rhénanie-Palatinat. Tout comme à Heisterbach, la maison mère de ce couvent fondé au début du XIIIe siècle, nous trouvons également dans l'abbatiale un déambulatoire avec une couronne de chapelles et des contreforts sur les murs extérieurs, des caractéristiques qui marquent le développement du gothique primaire bourguignon vers le gothique flamboyant français.

▶ **Cistercian Monastery at Marienstatt** in Westerwald, Rheinland-Palatinate. Founded at the beginning of the 13th century from Heisterbach. Like the church of its mother house, this church, too, has an ambulatory with a series of chapels, and flying buttresses supporting the outside walls – features that mark the development from the Burgundian Early Gothic to French High Gothic.

136

**◀ Ehemalige Stiftskirche St. Kastor in Koblenz,** Rheinland. Obwohl zwischen der ersten Weihe der Kirche 836 und einer zweiten im Jahre 1208 Um- und Neubauten liegen, hat das Bauwerk doch eine sehr einheitliche, romanische Gestalt. Nur das Sterngewölbe im Mittelschiff und in der Vierung stammt aus den Jahren 1496 bis 1499, von Meister Matthias eingezogen. In der reich geschmückten Nische des Wandgrabes von Erzbischof Kuno von Falkenstein (gestorben 1388) im Chor sind noch frühgotische Malereien erhalten.

Als 817 das Stift St. Kastor von Erzbischof Hetti von Köln und Ludwig dem Frommen gegründet wurde, hatte die Stadt Koblenz bereits eine lange Geschichte hinter sich: Unter Tiberius (14-37) als römisches Kastell an der großen Heerstraße Mainz – Köln gegründet und im 4. Jahrhundert unter Kaiser Konstantin mit einer starken Mauer umgeben, übernahmen die Merowinger im 5. Jahrhundert die Stadt und richteten im Kastell einen Königshof ein. St. Kastor entstand außerhalb der alten Befestigung. Hier verhandelten 842 die Bevollmächtigten der drei Söhne Ludwigs des Frommen über die Teilung des Frankenreiches, die ein Jahr später in Verdun besiegelt wurde. Dank seiner starken Befestigung konnte die Stadt dem Normannensturm 881 standhalten. 1018 übergab Kaiser Heinrich II. den Königshof mit reichem Grundbesitz sowie dem Münz- und Zollrecht an das Erzstift Trier. Und seit dem Ende des Mittelalters war Koblenz auch ständige Residenz der Trierer Erzbischöfe. 1276 bis 1289 wurde die Stadtbefestigung erweitert, und Kurfürst Balduin ließ 1343 die steinerne Moselbrücke bauen, die schon damals bewundert wurde. Unter demselben Kurfürsten hielt auch Ludwig der Bayer auf dem Kastorhof einen glanzvollen Hoftag ab. Kämpfe der Erzbischöfe mit der Bürgerschaft kennzeichnen die Folgezeit; im 16. Jahrhundert Unruhen wegen der Juden, die nach hundert Jahren wieder zugelassen worden waren; Zerstörungen im Dreißigjährigen Krieg, im Pfälzischen Krieg, 1794 bis 1813 ganz in der Hand der Franzosen, seit 1815 preußisch; Zerstörungen auch in den beiden Weltkriegen.

**◀ Ancienne église collégiale Saint-Castor à Coblence,** Rhénanie. A Coblence, où les Mérovingiens établirent une cour royale dans un ancien fort romain, le collège de Saint-Castor fut fondé en 817 par l'archevêque Hetti de Cologne et Louis le Pieux à l'extérieur des anciennes fortifications. C'est ici que fut négociée en 842 la division de l'empire des Francs scellée un an plus tard par le traité de Verdun. Malgré de nombreuses transformations ultérieures, l'église collégiale, consacrée en 1208, donne une impression d'ensemble tout à fait romane.

**◀ Former Collegiate Church of St. Castor in Coblenz,** Rhineland. In Coblenz, where the Merovingians set up a royal court in the former Roman fort, the College of St. Castor was founded outside the old fortifications, endowed by Archbishop Hetti of Cologne and Louis the Pious in 817. It was here that the negotiations on the division of the Frankish empire took place in 842 – to be sealed a year later by the Treaty of Verdun. Despite various later changes, the Collegiate Church, consecrated in 1208, still makes a very unified, Romanesque impression.

**▶ Matthiaskapelle in Kobern,** Rheinland. Es lohnt sich, an den barocken Kreuzgangsstationen vorbei zur Altenburg über dem Ort hinaufzusteigen. Zwar hat von der Burg nur der Bergfried die Zerstörungen von 1689 im Pfälzischen Krieg überstanden, doch die 1230 bis 1240 erbaute Burgkapelle ist gut erhalten. Was außen schon anklingt, die Sechseckform des Baues und die Kleeblattform in Fenstern und Blenden, verbindet sich im Innern zu einem harmonischen und doch eigenartigen Klang. Ganz regelmäßig schwingen Wandarkaden – Säulen mit Kleeblattbogen – um den sechseckigen Innenraum, in jeder zweiten Arkade ein Kleeblattfenster. Darüber spannen sich Rundbogen, vom Scheitelpunkt eines Kleeblattbogens zum anderen. Dort, wo ein Bogen in den anderen übergeht, also wiederum genau über dem Scheitelpunkt einer jeden Arkade, wachsen die Grate des sechsteiligen Gewölbes heraus. Sie laufen jedoch nicht in der Mitte des Gewölbes zusammen, sondern enden schon vorher an den kleeblattförmig gesäumten Wänden eines weiteren Sechsecks, das als Baldachin die Mitte des Raumes bildet. Es wird getragen von sechs Säulenbündeln, jedes davon aus einer Säule in der Mitte bestehend, um die sich weitere vier Säulen gruppieren. Schöne Kapitelle und Kämpfer mit Knospen, Ranken und Blattwerk zieren sie. Darüber erheben sich spitze Scheidbögen. Alle Linien des Raumes zielen auf seine Mitte, in der das Haupt des Apostels Matthias als Reliquie verehrt wurde. Einer der Isenburger Burgherren hatte es wohl von einem Kreuzzug mitgebracht und damit auch die Vorstellung eines solchen zentrierten Raumes, wie sie für die Grabeskirche und den Felsendom in Jerusalem charakteristisch ist. 1422 kam die Reliquie jedoch nach Trier. Die Töchter des letzten Isenburgers hatten 1348 und 1351 sowohl die Niederburg als auch die Oberburg (= Altenburg) mit der Matthiaskapelle an den Kurfürsten Balduin von Trier verkauft.

**▶ Chapelle Saint-Matthieu à Kobern,** sur la Moselle, Rhénanie. Un des seigneurs du château d'Isenburg, qui devait presque tomber complètement en ruine par la suite, avait ramené d'une croisade une relique de la tête de l'apôtre Matthieu et sans doute également l'idée d'une église à plan central comme celle du Saint-Sépulcre à Jérusalem. Des formes trilobées et la disposition régulière et rythmique des éléments qui sont tous centrés vers le milieu de l'espace hexagonal caractérisent l'architecture de cette chapelle.

**▶ St. Matthew's Chapel at Kobern** on the Moselle, Rhineland. One of the lords of the later almost totally ruined Isenburg castle brought back from a crusade a relic of the head of the Apostle Matthew – and also the idea of a rotunda like that at the Holy Sepulchre in Jerusalem. Clover shapes, and the regular, rhythmic arrangement of the formal elements, which all centre on the sexagonal central space, are the dominant features of this chapel.

**▶▶ St.-Nikolaus-Hospital in Bernkastel-Kues** an der Mosel, Rheinland. Der Sohn des Schiffers Johann Criffts aus Kues, der Kardinal und Staatstheoretiker Nikolaus Cusanus (1401-1464), stiftete 1447 zusammen mit seinem Bruder und seiner Schwester in seinem Heimatort dieses Hospital. 33 alte und arme Männer, darunter sechs Adlige und sechs Geistliche, sollten hier versorgt werden. Die Anlage – vier Flügel um einen quadratischen Hof mit Kreuzgang – hat sich im wesentlichen erhalten; Umbauten im 18. Jahrhundert betrafen hauptsächlich die Wirtschaftsgebäude. Nach wie vor erfüllt sie auch ihre ursprüngliche Funktion als Hospital.

Im Chor der Kapelle ruht das Herz des Stifters. Der größte Teil seiner Bücher, Handschriften, Frühdrucke sowie wertvolle astronomische Geräte befinden sich in der Bibliothek über der Sakristei.

**▶▶ Hôpital de Saint-Nicolas à Bernkastel-Kues** sur la Moselle, Rhénanie. A Kues, sa patrie, le cardinal, philosophe et humaniste Nicolas de Cusa fonda, en 1447, un hôpital pour les hommes âgés et pauvres de la noblesse et du clergé. La plus grande partie de ses livres, manuscrits, incunables ainsi que de précieux instruments d'astronomie se trouvent encore dans la bibliothèque de l'hôpital.

**▶▶ St. Nicholas' Hospital at Bernkastel-Kues** on the Moselle, Rhineland. The Cardinal and constitutionalist Nikolaus von Kues founded a hospital for old, impoverished members of the aristocracy and clergy in his hometown of Kues in 1447. The greater part of his books, manuscripts, incunabula, and valuable astronomical instruments are still preserved in the hospital library.

▶ **Dom und Liebfrauenkirche in Trier,** Rheinland. Um zu verstehen, was die Vergangenheit hier aufgetürmt hat, muß der Betrachter bereit sein, einmal gewonnene Vorstellungen wieder einstürzen zu lassen, neu aufzubauen, zu verändern, sonst bleibt er verwirrt.
*Erstes Bild:* Zeitenwende, Augusta Treverorum, älteste Stadt in Deutschland, von den Römern gegründet, dreihundert Jahre später eine Weltstadt mit etwa 70 000 Einwohnern, Amphitheater, Kaiserthermen, Porta Nigra, Basilika. Residenz der römischen Cäsaren. Am Standort des Bildbetrachters vermutlich der Wohnpalast Helenas, der Mutter Kaiser Konstantins, 326 für den Kirchenneubau abgetragen, unter der Vierung des Domes wiederentdeckt. *Zweites Bild:* Frühchristliche Doppelkirchenanlage um 330, das Prinzip hat alle Jahrhunderte überdauert: eine Südkirche (an der Stelle der Liebfrauenkirche, links im Bild) und eine Nordkirche (heutiger Dom, rechts), dreischiffige Basiliken mit Atrium, dazwischen ein Baptisterium. 353 Flammen – 364 Wiederaufbau – 450 Hunnensturm: Schutt und Asche – Wiederaufbau – 882 Normanneneinfall: die Anlage geht in Flammen auf. Die römische Spätantike in Trier ist endgültig vorbei. *Drittes Bild:* Trier, Mitte 13. Jahrhundert, nur noch halb so groß wie die antike Stadt, ist Sitz eines Erzbischofs. Seit der Zerstörung durch die Normannen haben mehrere Erzbischöfe am Wiederaufbau des Domes arbeiten lassen. An der Stelle der baufällig gewordenen Südkirche entstand seit 1235 der älteste gotische Bau, ein Zentralbau, wie er selten in der Gotik verwendet wurde.
Nun kann der Betrachter aufatmen, dieses Bild kann er festhalten, jetzt wird nur noch angebaut und umgebaut. Am einschneidendsten der barocke Umbau des Domes nach einem Brand 1717. Zu der geplanten Barokkisierung der Westfassade kommt es allerdings nicht mehr.

▶ **Cathédrale et église Notre-Dame à Trèves,** Rhénanie. A l'époque de l'empereur Constantin, il y avait sans doute à cet endroit de l'Augustra Trevirorum – la plus ancienne ville d'Allemagne – le palais de la mère de l'empereur, Hélène. Il fut démoli vers 330 pour permettre la construction d'une double église dont le plan général a survécu à toutes les adjonctions et modifications ultérieures: une église Sud où l'église Notre-Dame (à gauche sur la photo), la plus ancienne des constructions gothiques, a été érigée en 1235 et à côté l'église Nord, l'actuelle cathédrale (à droite sur la photo). Les deux églises étaient reliées par un baptistère et depuis le Xe siècle par un beau cloître.

▶ **Cathedral and Church of Our Lady in Trier,** Rhineland. At the time of Emperor Constantine, this site in Augusta Treverorum, Germany's oldest town, was probably occupied by the palace of the emperor's mother, Helena. It was demolished in about 330 to make room for an Early Christian double church whose general layout has survived all subsequent changes: a south church, where the Church of Our Lady (left in picture), the oldest Gothic building, was erected in 1235, and, next to it, a north church, the present cathedral (on the right). The two churches were connected by a baptistery, and, since the 10th century, also by a fine cloister.

▶▶ **»Alter Turm« der ehemaligen Benediktinerabtei Mettlach,** Saarland. Nicht eine Dornenhecke, sondern Efeu umrankt das Gemäuer; es gilt auch keine Prinzessin zum Leben zu erwecken, sondern lediglich Erinnerungen an vergangene, bessere Zeiten eines Klosters, gegründet von dem Frankenfürsten und späteren Erzbischof von Trier, Liutwin, im 7. Jahrhundert. Er stattete die Benediktinermönche gut mit Grundbesitz aus – sie sollten dafür christianisieren und die Kirche in der Saargegend ausbauen. Als Grabkirche für den Stifter entstand um 1000 dieser achteckige Zentralbau, der wie das Kloster in den folgenden Jahrhunderten verfiel und als Alter Turm bezeichnet wird. Von Efeu ganz zugedeckt die großen Strebepfeiler, die bei dem Umbau der Kirche im 13. Jahrhundert angebaut wurden. Dabei wurden auch in die halbrunden Nischen des Erdgeschosses Maßwerkfenster eingebaut und die Außenwände des darüberliegenden Umganges herausgebrochen. Dadurch sind die Arkaden, ursprünglich nur zum Innenraum hin geöffnet, nun auch von außen sichtbar. Von einer angebauten dreischiffigen Basilika aus dem 13. Jahrhundert ist nichts übriggeblieben, von den beiden Türmen nur der eine.
Zwar konnte sich das Kloster im 18. Jahrhundert von den ständigen Rivalitäten zwischen Lothringern und Trierern und von den vielen Kriegen noch einmal erholen. Sogar ein prächtiger Klosterneubau, geplant von Christian Kretschmar, wurde 1728 noch in Angriff genommen, aber nicht vollendet. Nach der Säkularisierung 1803 kamen die Gebäude an den Fabrikanten Boch und dienten als keramische Fabrik. Der kostbarste Besitz der Abtei, ein goldenes Kreuzreliquiar in Triptychonform (um 1220), befindet sich heute in der katholischen Pfarrkirche in Mettlach.

▶▶ **La «vieille tour» de l'ancienne abbaye bénédictine de Mettlach,** Sarre. L'église funéraire construite à l'intention du fondateur de l'abbaye, Ludwin, tomba en ruine après le Moyen Age tout comme le couvent fondé au VIIe siècle. Il ne s'agit donc pas d'une tour mais d'une église octogonale à plan central avec deux tours à l'origine. Une basilique à trois nefs ajoutée au XIIIe siècle a complétement disparu.

▶▶ **The ''Old Tower'' of the former Benedictine Abbey at Mettlach,** Saarland. Built as a burial-place for its founder, Liutwin, in about 1000, the church fell into ruin after the Middle Ages, just as did the monastery built here in the 7th century. So this building is not a tower, but a church, an octagonal, centrally-planned building which originally had two towers. A basilica with two aisles was added to the older church in the 13th century, but this has totally disappeared.

## Als die Klöster wuchsen

In der Zeitspanne zwischen Benedikt und Karl dem Großen haben die Klöster sowohl in ihrer Bedeutung wie in ihrer baulichen Anlage einen ungeheuren Aufschwung erfahren. Aus dem bescheidenen Domizil für allenfalls zwanzig Mönche, nach der Regel Benedikts einem ebenerdigen Grüppchen beliebig angeordneter Räume, waren mächtige Gebäudekomplexe geworden. Um die große Kirche gruppierten sich ein oder mehrere Innenhöfe, die verschiedenen Räume für die Mönche, für Novizen, Alte und Kranke, Gästehäuser und Unterkünfte für die Knechte. Den größten Klöstern waren womöglich auch noch ein Armenhaus, ein Hospital, eine Schule sowie Raum für Versammlungen und Gerichtsverhandlungen angeschlossen, nicht zu vergessen der Wirtschaftshof und die Brauerei. Das entscheidend Neue waren die große Kirche und der Kreuzgang. Zwar gab es Unterschiede im Grundriß der Klöster, stets aber war die Klausur, der innere Bezirk der Mönche, streng von den Wirtschaftsgebäuden abgetrennt. Auch die Gebäude um den Kreuzgang, der Kapitelsaal, in dem sich die Brüder zu Beratungen und zum Lesen der Heiligen Schrift versammelten, das Auditorium, in dem gesprochen werden durfte, manchmal ein Arbeitssaal, das Refektorium für die Mahlzeiten und das Dormitorium für die kurze Nachtruhe wichen in ihrer Anordnung wenig von dem gemeinsamen Grundmuster ab.
Berühmt ist der auf mehrere Schweinshäute gezeichnete Idealplan einer benediktinischen Klosteranlage vom Anfang des neunten Jahrhunderts, der schon bald nach seiner Entstehung in den Klöstern zirkuliert haben dürfte. Diese einzige überlieferte Architekturzeichnung aus der Zeit vor dem dreizehnten Jahrhundert wurde wahrscheinlich nur deshalb in der Stiftsbibliothek von St. Gallen bis heute aufbewahrt, weil man im zwölften

## Le développement des monastères

Dans la période qui va de saint Benoît à Charlemagne, les monastères ont connu un développement prodigieux aussi bien en ce qui concerne leur importance que leurs dimensions architecturales. Le modeste bâtiment devant abriter tout au plus une vingtaine de moines et composé selon la règle de saint Benoît d'un ensemble de pièces de plein pied disposées sans ordre précis s'est transformé en d'imposants édifices. Autour de la grande église sont groupés une ou plusieurs cours intérieures, les différentes salles pour les moines, les novices, les personnes âgées et les malades, les maisons des visiteurs et le logement des valets. Les plus grands monastères avaient encore souvent un hospice, un hôpital, une école ainsi que des salles pour les réunions et les débats judiciaires sans oublier les bâtiments de la ferme et la brasserie. La grande école et le cloître constituaient les innovations les plus importantes. Le plan du couvent comportait certes des différences mais l'espace intérieur réservé aux moines était toujours bien séparé des communs. Les bâtiments autour du cloître, la salle capitulaire où les frères se réunissaient pour délibérer et lire les Saintes Ecritures, l'auditorium où ils avaient le droit de parler, le réfectoire pour les repas et le dortoir pour le bref repos nocturne et parfois une salle de travail étaient disposés d'une façon analogue dans la plupart des monastères. Il existe un célèbre dessin du plan idéal d'un monastère bénédictin exécuté sur un parchemin cousu de plusieurs pièces au début du IXe siècle et qui a probablement circulé dans les monastères peu après sa réalisation. Ce dessin, le seul plan d'architecture datant de la période avant le XIIIe siècle n'a sans doute été conservé jusqu'à nos jours dans la bibliothèque de l'abbaye de Saint-Gall que parce qu'une vie de saint Martin y a été transcrite au dos au XIIe siècle. L'esquisse extrêmement symé-

## As the monasteries grew

In the period between Benedict and Charlemagne, the monasteries achieved a tremendous increase in importance and in their architectural dimensions. The modest accommodation for at the most twenty monks, arranged according to St. Benedict's Rule as a loose ensemble of one-storey buildings, had developed into mighty edifices. Round the large church were grouped one or more courtyards, the various rooms for the monks, novices, the aged and the sick, guest accommodation, and quarters for the labourers. The largest monasteries also often included a poorhouse, a hospital, a school, and rooms for assemblies and court proceedings, not to forget the farm buildings and the brewery. The most important innovations were the large church and the cloister. The ground plan of the monasteries varied, but the inner area reserved for the monks was always strictly separated from the rest of the building. The buildings round the cloister – the chapter house, in which the brothers met for consultations and for readings of the scriptures, the auditorium, in which they were allowed to speak, the refectory for the meals, the dormitory for their short night's sleep, and sometimes a working room – were arranged in a similar way in most monasteries.
There is a famous drawing of the ideal plan for a Benedictine monastery, made on a number of pigskin parchments in the early ninth century, which was probably circulated round the monasteries soon after it had been made. This drawing, the only extant architectural plan from the period before the thirteenth century, probably survived in the St. Gallen Monastery library only because a life of St. Martin was written on the back of it in the twelfth century. The strictly symmetrical design includes the ground plans of more than forty buildings, which already display typical Romanesque characteristics,

Jahrhundert auf ihrer Rückseite die Vita des heiligen Martin aufgezeichnet hatte. Das streng symmetrisch entworfene Idealmodell umfaßt den Grundriß von mehr als vierzig Gebäuden, die schon typische Elemente der Romanik aufweisen, sowie alle Bautypen, die in der späteren mittelalterlichen Stadt wiederkehren. Den Bestimmungszweck der einzelnen Gebäude hat man folgendermaßen gedeutet: Im Zentrum der Anlage befindet sich die hohe, nach Osten ausgerichtete Klosterkirche. Vor ihrer Westseite bewachen die beiden Türme der Erzengel Michael und Gabriel den heiligen Bezirk. An die Südseite, der Sonne zugewandt, schließt sich der Kreuzgang an, ein antikes Peristyl, wie man im griechischen Haus den um einen Raum geführten Säulengang nannte.

## Was alles zum Kloster gehörte

Es ist ungemein imposant, was der Schöpfer dieses Plans in den teilweise zweigeschossigen Gebäuden seines Idealmodells unterzubringen gedachte: Schreibstube, Bibliothek, Sakristei, Kammer für die liturgischen Gewänder, Wohnung für durchreisende Ordensbrüder, Wohnung des Vorstehers der äußeren Schule, Wohnung des Pförtners, Zugangshalle zum Haus für vornehme Gäste und zur äußeren Schule, Wohnung des Verwalters des Pilger- und Armenhauses, Empfangshalle für alle Besucher, Zugangshalle zum Pilger- und Armenhaus und zu den Wirtschaftsgebäuden, Sprechraum der Mönche, Zubereitungsraum des heiligen Brotes und Öles, Schlafsaal der Mönche, Wärmeraum, Abtritt, Bade- und Waschraum, Speiseraum, Kleiderraum, Wein- und Bierkeller, Vorratskammer, Küche der Mönche, Bäckerei und Brauerei der Mönche, Küche, Bäckerei und Brauerei für die vornehmen Gäste, äußere Schule, Abtshaus, Küche, Keller und Badhaus des Abtes, Aderlaßhaus, Ärztehaus, Noviziat und Kran-

trique comprend le plan de plus de quarante bâtiments qui présentent déjà des éléments typiques de style roman ainsi que tous les types de construction que l'on retrouvera par la suite dans la ville médiévale. Le plan a été interprété comme suit: au centre se trouve la haute église abbatiale tournée vers l'est. Sur sa face ouest, les deux tours des archanges Michel et Gabriel protègent la zone sacrée. Sur la face sud, tournée vers le soleil, se trouve le cloître, aménagé comme le péristyle classique ainsi que l'on appelait dans la maison grecque la galerie à colonnes entourant une cour.

## Tout ce que comprenait le monastère

Il est très impressionnant de voir tout ce que l'auteur de ce plan a voulu inclure dans les bâtiments en partie à deux étages de son abbaye modèle: scriptorium, bibliothèque, sacristie, salle pour les vêtements liturgiques, logement pour les frères du même ordre en visite, logement du supérieur de l'école extérieure, logement du portier, hall d'accès à la maison pour les hôtes de marque et à l'école extérieure, logement de l'intendant de la maison des pèlerins et des pauvres, hall de réception pour tous les visiteurs, hall d'accès à la maison des pèlerins et des pauvres et aux communs, parloir pour les moines, sacristie et ornements, dortoir des moines, chauffoir, latrines, bains, réfectoire, vestiaire, cave à vin et à bière, garde-manger, cuisine des moines, boulangerie et brasserie pour les moines, cuisine, boulangerie et brasserie pour les hôtes de marque, école extérieure, logement du prieur, cuisine, cave et bains pour le prieur, dispensaire pour les saignées, maison des médecins, noviciat et hôpital avec deux autres cloîtres, cuisine et bains de l'hôpital, cuisine et bains pour les novices, logement du jardinier, poulailler, maison

and represent all the types of buildings later to be found in the medieval town. The plan has been interpreted as follows: in the centre is the tall monastery church, running west to east. At its west end the two towers of the Archangels Michael and Gabriel guard the sacred zone. On the south side, turned to the sun, is the cloister, arranged like a classical peristyle, as a row of columns surrounding an open court was called in Greece.

## All the parts of a monastery

It is most impressive to see all the things that the designer of this plan considered should be accommodated in the partly two-storeyed buildings of his model monastery: scriptorium, library, sacristy, a chamber for the liturgical vestments, accommodation for visiting brothers of the same order, quarters for the head of the external school, porter's lodge, entrance hall to the house for distinguished guests and to the external school, lodgings for the administrator of the house for pilgrims and the poor, reception hall for all visitors, vestibule for the house for pilgrims and the poor and the farm buildings, auditorium for the monks, room for preparing the sacrament and oil, dormitory for the monks, warming room, latrines, washing and bathing room, refectory, dressing room, wine and beer cellar, storeroom, kitchen for the monks, bakery and brewery for the monks, kitchen, bakery, and brewery for distinguished guests, external school, the abbot's house, kitchen, cellar and bathroom for the abbot, blood-letting house, doctors' house, novices' house and hospital, with two more cloisters, kitchen and bathroom for the hospital, kitchen and bathroom for the novices, gardeners' quarters, henhouse, house for the chicken and goose herds, goose house, corn barn, main and secondary house for the labourers, mill, mortar room, drying

kenhaus mit zwei weiteren Kreuzgängen, Küche und Bad des Krankenhauses, Küche und Bad des Noviziats, Gärtnerwohnung, Hühnerstall, Haus der Hühner- und Gänsewärter, Gänsestall, Kornscheune, Haupthaus und Nebenhaus der Werkleute, Mühle, Stampfe, Darre (Dörrofen), Küferei, Drechslerei und Getreidehaus für die Brauer, Pilger- und Armenhaus, Küche, Bäckerei und Brauerei für die Pilger, Pferde- und Ochsenstall und Wärterunterkunft, mutmaßlich ein Haus für des Kaisers Gefolgschaft, Schafstall und Schafhirtenunterkunft, Haus für die Knechte, Schweinestall und Schweinehirtenunterkunft, Stall für die trächtigen Stuten und Füllen und Wärterunterkunft, Gemüsegarten, Friedhof und Obstgarten und schließlich den Garten für Heilkräuter.

Was für ein kolossales Gebilde! Nicht zuletzt fällt die Vielzahl von Küchen auf, den Brutstätten des primitiven Küchenlatein, dessen sich die köchelnden Fratres bedient haben sollen. Für diese Küchen war den verschiedenen Zielgruppen entsprechend gewiß eine sehr unterschiedliche Kocherei geplant. Da war nicht überall die Enthaltsamkeit Küchenmeister. Als geistige und kulturelle Zentren legten die Klöster Wert auf eine distinguierte Lebensart, die eine verfeinerte Eßkultur einschloß. Und dies nicht nur den hochnoblen Gästen zuliebe, die es standesgemäß zu bewirten galt. Als emsigen Kopisten alter Handschriften waren den Mönchen die Kochbücher Griechenlands und Roms wohlbekannt, die Reisewelle der Kreuzzüge erweiterte ihr kulinarisches Angebot um exotische Gaumenfreuden. Hier ein Festmenu des Klosters St. Gallen aus dem zehnten Jahrhundert. Anläßlich eines fürstlichen Besuchs servierte man: dampfenden Hirsebrei, Hirschziemer, Bärenschinken, Biber, Fasane, Birkhuhn, Rebhühner, Turteltauben, vielerlei Fische aus dem Rheinland, Äschen, Trischen, Lampreten, Klosterwein Auslese, Veltliner, Pfirsiche, Melonen, Feigen.

des gardiens des poules et des oies, poulailler pour les oies, grenier à grains, bâtiment principal et annexes des ouvriers, mortiers, meules, étuve, tonnelerie, atelier de tourneur et entrepôt des céréales pour la brasserie, maison des pélerins et des pauvres, cuisine, boulangerie et brasserie pour les pélerins, écurie et étable et logement des gardiens, probablement une maison pour la suite de l'empereur, bergerie et logement des bergers, maison pour les valets, porcherie et logement pour les porchers, écurie pour les juments pleines et les pouliches et logement des gardiens, potager, cimetière, verger et enfin le jardin pour les plantes médicinales. Quelle structure colossale! On ne peut manquer de remarquer la multitude des cuisines, foyer du «latin de cuisine» primitif dont, dit-on, les frères cuisiniers se sont servis. Ces cuisines ont certainement préparé différentes sortes de repas en fonction des personnes auxquelles ils étaient destinés. La frugalité ne présidait certainement pas partout à leur ordonnance. Centres intellectuels et culturels, les monastères tenaient beaucoup à un mode de vie distingué qui englobait une cuisine raffinée. Et ceci pas seulement pour le bien des nobles visiteurs qu'il convenait de traiter conformément à leur rang. Les moines, copistes appliqués des anciens manuscrits connaissaient fort bien les livres de cuisine de Grèce et de Rome et les croisades augmentèrent leurs connaissances en matière de délices culinaires exotiques. Voici un menu de gala du couvent de Saint-Gall servi au Xe siècle à l'occasion de la visite d'un prince: purée de millet à l'étuvée, selle de chevreuil, jambon d'ours, castor, faisans, coq de bruyère, perdrix, tourterelles, plusieurs sortes de poissons de Rhénanie, y compris ombres et lamproies, grands crus du monastère, vin de la Valteline, pêches, melons, figues.

kiln, coopers' workshop, turners' workshop and grain store for the brewery, house for pilgrims and for the poor, stables and cowsheds and accommodation for the workers, a house probably intended for the emperor's retinue, sheep-pen and shepherds' quarters, a house for the labourers, pigsty and swineherds' quarters, stable for pregnant mares and foals, and quarters for the workers, vegetable garden, cemetery, orchard, and, finally, the herb garden. What a tremendous establishment! One of the more striking features is the large number of kitchens, the breeding ground for the primitive "kitchen", or "dog" Latin which the brother cooks are said to have used. These kitchens undoubtedly prepared very different types of food, depending on the rank of the persons it was intended for. Frugality certainly did not reign in all of them. As intellectual and cultural centres, the monasteries placed considerable value on a distinguished way of life which included a refined cuisine. And this was not only for the sake of the noble guests who had to be catered for in keeping with their status. The monks, keen copiers of manuscripts, had not neglected the cookbooks of Greece and Rome, and the crusades extended their knowledge of exotic culinary delights. Here is a gala menu as presented at St. Gallen Monastery in the tenth century on the occasion of a princely visit: steamed millet gruel, haunch of venison, bear ham, beaver, pheasants, black grouse, partridges, turtle doves, a variety of fish from the Rhineland, including grayling and lampreys, monastery "Auslese" wine, Veltiner wine, peaches, melons, figs.

## The monastery as a work of art

Although the Carolingian period already produced individual churches with a cruciform ground plan, with secondary apses, imposing west fronts or double choirs, and churches

## Das Kloster als Kunstwerk

Waren auch schon in der karolingischen Epoche Kirchen mit kreuzförmigem Grundriß, mit Nebenapsiden, machtvollen Westwerken oder Doppelchören bekannt, Kirchen, denen man plötzlich die Türme einverleibt hatte, wodurch sie gleichsam eine neue Dimension gewannen, so verdichteten sich all diese Ansätze doch erst in der Romanik (etwa 1000–1200) zu einem geschlossenen Stil. Man nimmt an, daß zuerst in den Klosterkirchen das Chorquadrat zwischen Apsis und Querhaus ausgebildet wurde, denn dort galt es Raum zu schaffen für die streng von den Laien abgesonderten Mönche. Die ausgeschiedene Vierung aber, über die nicht selten ein reich gegliedertes Turmwerk gesetzt wurde, wird maßgebend für den romanischen Kirchenbau. Tatsächlich ist eine Klosterkirche, nämlich St. Michael in Hildesheim, die erste rein romanische Kirche auf deutschem Boden. Den Begriff Romanik hat ein französischer Romantiker geprägt, zu Beginn des letzten Jahrhunderts, wobei ein bißchen Wunschdenken im Spiel gewesen sein dürfte. Denn man findet ein dichtes Netz romanischer Kirchen über ganz Europa gespannt, ebenso üppig wie in Frankreich wurden sie in Deutschland ausgeformt. Weitere Hauptmerkmale neben dem Grundriß in Form des lateinischen Kreuzes sind das unter dem erhöhten Chor befindliche Gruftgewölbe, die Krypta, in der Reliquien aufbewahrt sowie hohe geistliche Würdenträger und Adelige beigesetzt wurden; die dem Ostchor gegenüberliegende, reich ausgestattete Westseite; die Integration der nicht allzu hohen Türme in den Baukörper, zwei bis sechs an der Zahl, die auch am Westwerk und an den Seitenchören postiert sein konnten, solchermaßen einen überaus malerischen Gesamteindruck fördernd. Im Inneren bevorzugte man Säulen vor Pfeilern in rhythmischem Wechsel zwischen Haupt- und Neben-

## Le monastère comme œuvre d'art

Bien que l'époque carolingienne ait déjà donné naissance à des églises à plan en forme de croix avec absides latérales, imposants massifs occidentaux ou doubles chœurs, et des églises dont les tours sont intégrées, ce qui leur confère en même temps une nouvelle dimension, ces éléments ne furent pas réunis en un style homogène avant la période romane (v. 1000 – 2000). On suppose que le chœur entre l'abside et le transept a tout d'abord été développé dans les églises abbatiales où il était nécessaire d'avoir un espace réservé aux moines qui devaient être bien séparés des laïcs. Toutefois, c'est la croisée de transept – souvent surmontée d'une tour très ouvragée – qui constitue l'élément le plus caractéristique de l'église romane. Et c'est effectivement une église abbatiale, l'église de St. Michel à Hildesheim qui est la première église de pur style roman sur le sol allemand. L'art roman est une expression qui a été forgée au début du siècle dernier par un Français mais c'est un fait que les églises romanes, disséminées dans toute l'Europe, ont connu un développement aussi vigoureux en Allemagne qu'en France. Les autres caractéristiques principales, en dehors du plan en forme de croix latine, sont la crypte, un caveau qui se trouve sous le chœur surélevé et dans lequel sont conservées les reliques et enterrés les grands dignitaires de l'Eglise et les nobles; la façade occidentale richement décorée; et l'intégration des tours pas trop hautes – il peut y en avoir de deux à six – dans le corps de l'édifice, et qui peuvent être également situées sur la façade ouest ou au-dessus des chœurs latéraux donnant ainsi une impression d'ensemble très pittoresque. A l'intérieur, la préférence était donnée aux colonnes placées en alternance rythmée entre les supports principaux et secondaires. Une des innovations les plus importantes est le passage du plafond de bois plat au plafond

in which the towers had been integrated in the body of the building, thus giving them as it were a new dimension, these elements were not combined in an overall style until the Romanesque period (c. 1000–1200). It is assumed that the choir space between the apse and the transept was first developed in the monastic churches where it was necessary to have space for the monks, who had to be strictly segregated from the lay congregation. It was the crossing, however – often surmounted by an elaborate tower – which was the most characteristic feature of the Romanesque church. And, as might be expected, it was a monastic church – St. Michael's in Hildesheim – which was the first purely Romanesque church to be built on German soil.

The architectural term Romanesque was coined by a French Romantic at the beginning of the last century, and this was certainly a case of the wish helping to father the thought, because there is a close network of Romanesque churches spread all over Europe, and they developed just as vigorously in Germany as they did in France. Other main characteristics, apart from the cruciform ground plan, are the crypt, a vaulted room built under the raised choir, in which relics were kept and high-ranking churchmen and nobles were entombed; the richly decorated westend; and the intergration of the not very high towers, ranging from two to six in number, in the body of the building, and built also at the west end or over the side choirs, and thus presenting a most picturesque overall appearance. Inside, cylindrical piers were preferred with rhythmic alternation between main and secondary supports. The round arches over the portals and over the small windows are characteristic. One of the most important innovations was the transition from the flat wooden ceiling to the vaulted stone ceiling, with preference given to the cross vault in Germany. Like

stützen. Charakteristisch sind die Rundbögen über den Portalen und kleinen Fenstern. Eine der wichtigsten Neuerungen ist der Übergang von der flachen Holzdecke zur gewölbten Steindecke, bei der man sich in Deutschland meist für das Kreuzgewölbe entschied. Wie jede Architektur, so spiegelt auch der mittelalterliche Sakralbau die gesellschaftlichen Strukturen der Zeit wider. Die romanische Architektur ist das steinerne Gesetzbuch der Herrschaft des Feudalismus. Wilhelm Müseler nennt sie ritterlich, wuchtig, schwer, wehrhaft, gelassen, erhaben, trutzig. Im deutschen Kirchenbau manifestiert sie sich wohl am vollkommensten in den Domen zu Speyer, Worms, Mainz und in der Abteikirche von Maria Laach.

## Die Opposition der Puritaner

Der neue Stil fand bei den Zeitgenossen nicht nur Beifall. Es meldeten sich auch kritische Stimmen, denen die ungewohnte Prachtentfaltung zutiefst mißfiel. Da wetterte der heilige Bernhard in einer um 1124 verfaßten Streitschrift gegen den Bauluxus: »Ich übergehe der Kirchen ungeheure Höhe, maßlose Länge, überflüssige Breite, verschwenderische Steinmetzarbeit und die Neugier reizenden Malereien, die den Blick der Betenden auf sich lenken und die Andacht verhindern . . . Ich aber frage euch, ein Mönch euch Mönche, was ein Heide an Heiden rügte: ›Sagt, ihr Priester, was macht das Gold im Heiligtum?‹ . . . Freilich, die Sache der Bischöfe ist eine andere als die der Mönche. Wir wissen, daß jene, da Weisen und Unweisen gleichermaßen verpflichtet, das fleischlich gesinnte Volk mit Materiellem zur Andacht ermuntern, weil sie es mit Geistigem nicht vermögen . . . Vor goldbedeckten Reliquien laufen Augen über, und Börsen gehen auf . . . O Eitelkeit der Eitelkeiten, nicht mehr eitel, sondern vielmehr wahnsinnig! Es strahlt

de pierre en voûte, la préférence étant donnée en Allemagne à la voûte en croix. Comme chaque type d'architecture, l'art sacré médiéval reflète également les structures sociales de l'époque. L'architecture romane est le code féodal en pierre. Wilhelm Müseler la qualifie de chevaleresque, puissante, lourde, vaillante, nonchalante, noble, défiante. En Allemagne, l'exemple le plus parfait d'architecture romane est donné par les cathédrales de Spire, Worms, Mayence et par l'église abbatiale de Maria Laach.

## L'opposition puritaine

Le nouveau style ne fit pas que des adeptes. Certains contemporains furent très critiques à l'égard de cet étalage de luxe inaccoutumé. Dans un écrit polémique rédigé vers 1124, saint Bernard s'élève contre ce faste: «Je passe sur la hauteur incroyable des églises, leur longueur démesurée, leur largeur superflue, la maçonnerie en pierre ruineuse et les peintures qui suscitent la curiosité, qui attirent sur elles le regard des fidèles et gênent le recueillement... Mais je vous demande, un moine demandant aux moines ce qu'un païen reprochait à un païen: 'Dites-moi, ô prêtres, que fait cet or dans le temple?' ... Certes, les évêques ont d'autres responsabilités que les moines. Nous savons qu'ils sont également responsables des sages et des insensés, qu'ils appellent à la piété du peuple charnel avec des moyens matériels parce qu'ils en sont incapables aves des moyens spirituels... Devant les reliques couvertes d'or, les yeux se mouillent et les bourses se délient... O vanité des vanités, non, pas seulement vaniteux mais plutôt fou! L'église resplendit dans ses murs alors que ses pauvres sont dans le besoin! Elle habille ses murs d'or mais laisse ses enfants nus!... Et, dans le cloître parmi les frères occupés à lire, que font ces monstruosités ridicules, la beauté

every form of architecture, medieval church buildings reflected the social structure of the age. Romanesque architecture is the feudal code in stone. Wilhelm Müseler describes it as chivalrous, powerful, heavy, valiant, nonchalant, noble, defiant. It is best represented in Germany by the cathedrals at Speyer, Worms, and Mainz, and by the Abbey Church of Maria Laach.

## Puritan opposition

The new style did not only meet with approval. Some contemporaries were extremely critical of the new show of magnificence. In a polemic treatise written in about 1124, St. Bernard thundered against the new extravagance: "I will ignore the tremendous height of the churches, the immoderate length, the superfluous width, the wasteful stone carving, and the paintings which stimulate curiosity, attracting the attention of the pious and hindering devotion... But I ask you, a monk asking monks what a heathen once asked a heathen: 'Tell me, O priests, what is the gold doing in the Temple?'... Of course, bishops have different responsibilities to monks. We know that they, equally responsible for the wise and the unwise, appeal to the piety of carnal people with material things as they are incapable of doing so spiritually... Gold-covered relics stimulate tears and open purses... O vanity of vanities, no, not simply vain, but rather mad! The church boasts with its walls while its poor go in need! It clothes its stones in gold while its children go naked!... Furthermore, in the cloister among reading brothers – what justification is there here for those ludicrous monstrosities, for unbelievably distorted beauty and perfect ugliness? What is the need for the impure ape? For wild lions? Monstrous centaurs? What need for half-men? The striped tiger? What need for fighting warriors? For horn-

die Kirche in ihren Mauern, und in ihren Armen leidet sie Mangel! Ihre Steine kleidet sie in Gold, und ihre Kinder läßt sie nackt! … Außerdem im Kreuzgang bei den lesenden Brüdern, was machen dort jene lächerlichen Monstrositäten, die unglaublich entstellte Schönheit und formvollendete Häßlichkeit? Was sollen dort unreine Affen? Was wilde Löwen? Was monströse Zentauren? Was Halbmenschen? Was gefleckte Tiger? Was kämpfende Krieger? Was blasende Jäger? Da siehst du unter einem Kopf viele Körper und da auf einem Körper viele Köpfe. Man sieht hier an einem Vierfüßler den Kopf einer Schlange, dort an einem Fisch den Kopf eines Vierfüßlers. Dort eine Bestie, die vorne ein Pferd ist und hinten eine halbe Ziege; dort ein Tier mit Hörnern vorn, aber hinten ein Pferd. Mit einem Wort, so viel, so wunderbare Mannigfaltigkeit verschiedenartiger Geschöpfe erscheint überall, daß man eher in den gemeißelten als in den geschriebenen Werken liest; sich lieber den ganzen Tag damit beschäftigt, derlei zu bestaunen, als das Gesetz Gottes zu bedenken. Bei Gott! Wenn man sich der Albernheiten schon nicht schämt, warum gereuen dann nicht die Kosten?«

## Reform an Haupt und Gliedern

Nun war der um 1090 in Burgund geborene Graf Bernhard von Fontaine, der Abt von Clairvaux, ein unermüdlicher Streiter des Glaubens, der in der Geschichte der religiösen Orden eine Hauptrolle innehatte. Seit den Tagen Benedikts, dessen Regel vom achten bis zum elften Jahrhundert in den Klöstern den Ton angab, hatten sich Mönchsorden und ihnen verwandte Kongregationen geradezu stürmisch entwickelt. Nach einer Periode feudaler Zersplitterung des gallischen Frankenreichs, unter der auch die Klöster gelitten hatten, gelang es den Cluniazensern dank

déformée de façon incroyable et la laideur poussée à la perfection? Quel besoin de ces singes impurs? De ces lions sauvages? De ces centaures monstrueux? De ces demi-hommes? De ces tigres tachetés? De ces guerriers en lutte? De ces chasseurs sonnant le cor? On y voit sous une tête plusieurs corps et sur un corps plusieurs têtes. Ici, sur un quadrupède, la tête d'un serpent, là la tête d'un quadrupède sur un poisson. Là une bête qui est devant un cheval et derrière une demi-chèvre; là un animal avec des cornes sur le devant mais derrière un cheval. En un mot, tant de diversité merveilleuse d'étranges créatures apparaît partout que l'on est plutôt tenté de lire dans l'œuvre sculptée que dans l'œuvre écrite; que l'on est plutôt enclin à passer toute la journée à admirer ces choses qu'à réfléchir aux commandements de Dieu? Par Dieu! S'ils n'ont pas honte de ces absurdités, pourquoi n'ont-ils pas peur des frais?»

## L'action réformatrice

Le comte Bernard de Fontaine, né en 1090 en Bourgogne, prieur de Clairvaux fut un défenseur infatigable de la foi et joua un rôle prépondérant dans l'histoire des ordres religieux. Depuis l'époque de saint Benoît, dont la règle a donné le ton dans les monastères du VIIIe au XIe siècle, les ordres monastiques et les congrégations apparentées avaient connu un immense développement. Après une période de conflit féodal au sein du royaume franc gaulois dont les monastères eurent également à souffrir, les Clunisiens appliquèrent une réforme radicale et persuadèrent les ordres religieux de se rappeler leurs idéaux primitifs. Le mouvement de Cluny fut modifié à Cîteaux et à Clairvaux et se répandit bientôt dans toute la France, le Sud de l'Angleterre, à Rome, en Espagne et, à partir de Hirsau surtout, dans le Sud

blowing huntsmen? There you will see many bodies beneath one head, or many heads on one body. Here, on a quadruped, we see the head of a snake, there the head of a quadruped on a fish. There a beast which is horse in front and behind half a goat; here an animal with horns in front, but a horse behind. In a word, so much, such a wonderful array of strange creatures appears everywhere, that it is tempting to read the carved work rather than the written; one prefers to spend the whole day admiring such things rather than considering God's commands. By God! If they are not ashamed of such absurdities, they should at least shy away from the costs!"

## Radical reforms

Count Bernard of Fontaine, born about 1090 in Burgundy, was Abbot of Clairvaux, and a tireless champion of the faith who played a leading role in the history of the religious orders. Since the days of St. Benedict, whose Rule had dominated monastic life from the eighth to the eleventh century, monastic orders and the related congregations had experienced a rapid development. After a period of feudal dispute in the Gallic Frankish kingdom, during which the monasteries also suffered, the Cluniacensians carried out a radical reform, persuading the religious orders to remember their original ideals. The Cluniac movement was modified at Cîteaux and Clairvaux, and soon spread throughout France, southern England, Rome, Spain, and, mainly from Hirsau, throughout southern and central Germany. The Benedictine monastery at Cluny, in Burgundy, built in 909, was the largest monastery ever built in the west, and was dominated by a church which made St. Peter's in Rome look modest. Thanks mainly to the extraordinary ability of its four greatest abbots, each of whom

ihrer Reformen, daß sich die Orden wieder auf ihre ureigene Bestimmung besannen und sich an Haupt und Gliedern erneuerten. Die Bewegung von Cluny wurde in Citeaux und Clairvaux abgewandelt und verbreitete sich bald über ganz Frankreich, Südengland, Rom, Spanien und, vor allem von Hirsau aus, über Süd- und Mitteldeutschland. Das im Jahre 909 in Burgund gegründete Kloster Cluny war ein Benediktinerkloster, das größte Kloster, das je im Abendland erbaut worden ist, überragt von einer Kirche, neben der sich St. Peter in Rom bescheiden ausnahm. Vor allem dank der außergewöhnlichen Fähigkeiten seiner vier großen, jeweils ein halbes Jahrhundert regierenden Äbte wurde es bald zum Zentrum aller benediktinischen Klöster, zu einer monastischen Großmacht mit riesigem Vermögen und großem Einfluß. Bis zum Ende des zwölften Jahrhunderts unterstanden dem Generalabt mehr als anderthalbtausend Klöster. Vordringliche Ziele der Reformen waren die Unabhängigkeit von lokalen Gewalten, das Bestreben, allein der Zentralgewalt des Papstes untertan zu sein, die Zentralisierung der Tochterklöster und der sympathisierenden Abteien um den Großabt, verschärfte Disziplin, vertiefte Frömmigkeit, die sich aber nicht mehr ausschließlich auf die Regel von Monte Cassino stützte. Schriften aus Alexandrien, Griechenland und anderen fernen Ländern waren gesammelt worden, ihr Studium hatte manchen Mönch zum Gelehrten gemacht. Die Cluniazenser waren aber auch gute Organisatoren, die durch straffe Bewirtschaftung ihrer Güter Reichtum und Macht ihrer Klöster vermehrten, den notleidenden Bauern unter die Arme griffen und wesentlich dazu beitrugen, die zerrüttete Wirtschaft des Landes wiederzubeleben.

Im zwölften und dreizehnten Jahrhundert entstanden eine Reihe neuer asketischer Organisationen, voran die Zisterzienser und die Prämonstratenser im ersten Drittel des

et le centre de l'Allemagne. L'abbaye bénédictine de Cluny, en Bourgogne, édifiée en 909, était le plus grand monastère jamais construit en Occident et était dominé par une église à côté de laquelle Saint-Pierre de Rome semblait modeste. Grâce principalement aux qualités extraordinaires de ses quatre grands prieurs – chacun d'entre eux a régné pendant un demi-siècle – elle devint bientôt le centre de monastères bénédictins, un centre doté d'une grande puissance avec une immense fortune et beaucoup d'influence. A la fin du XIIe siècle, plus d'un millier et demi de monastères étaient gouvernés par le grand abbé de Cluny. Les objectifs prioritaires de l'action réformatrice étaient d'obtenir l'indépendance à l'égard des autorités locales, de dépendre uniquement de l'autorité centrale du pape, de réunir tous les monastères affiliés et les abbayes sympathisantes sous le gouvernement de l'abbé de Cluny, d'établir une discipline plus sévère et d'accéder à une plus grande piété qui toutefois ne se réclamait plus uniquement de la règle de Mont-Cassin. Des manuscrits d'Alexandrie, de Grèce et d'autres lointains pays avaient été réunis et leur étude fit de plus d'un moine un savant. Mais les Clunisiens étaient également de bons organisateurs qui, grâce à une gestion efficace, parvinrent à accroître la richesse et la puissance de leurs monastères et contribuèrent beaucoup à restaurer l'économie démantelée du pays.

Aux XIIe et XIIIe siècles, plusieurs nouvelles organisations ascétiques virent le jour, les principales étant les Cisterciens et les Prémontrés dans le premier tiers du XIIe siècle et les deux grands ordres mendiants, les Franciscains et les Donimicains dans le premier tiers du XIIIe siècle. L'ordre des Cisterciens fut la super-puissance religieuse du XIIe siècle. Son origine est due au moine Robert de Molesme qui mécontent de la vie trop facile à ses yeux que menaient les religieux dans son couvent, pourtant un des

reigned for half a century, it soon became the centre of Benedictine monasticism with immense wealth and influence. By the end of the twelfth century, the Abbot General was governing more than one and a half thousand monasteries. The main aims of the reform were to attain independence from local authorities, to become responsible only to the central authority of the pope, to group the daughter monasteries and related abbeys under the archabbot, and to attain stricter discipline and greater piety, which, however, was no longer based exclusively on the Rule of Monte Cassino. Manuscripts had been collected from Alexandria, Greece, and other remote countries, and their study had made many a monk into a scholar. The Cluniacensians were also good organizers, who, by efficient management, succeeded in increasing the riches and power of their monasteries, assisted the suffering peasants, and made a major contribution towards the restoration of the country's disrupted economy. In the twelfth and thirteenth centuries, a number of new ascetic organizations evolved, the principal ones being the Cistercians and Premonstratensians in the first third of the twelfth century, and the two great mendicant orders, the Franciscans and Dominicans in the first third of the thirteenth century. The Cistercian order was the religious superpower of the twelfth century. Its origin goes back to the dissatisfaction of the monk Robert of Molesme with the conditions in his monastery, which was one of the poorest in Burgundy, but was not strict or primitive enough for him. He decided to leave it with a few brothers who supported his ideas. It says in an old document: "They were twenty-one monks who left Molesme and went with joyous hearts to the desolate place called Citeaux. This lay in the Diocese of Chalon; but at that time it was hardly accessible, surrounded as it was by thickets and thorny scrub, and inhabited only by wild animals.

zwölften und die beiden großen Bettelorden der Franziskaner und Dominikaner im ersten Drittel des dreizehnten Jahrhunderts. Die kirchliche Supermacht des zwölften Jahrhunderts waren die Zisterzienser. Ihre Entstehung geht darauf zurück, daß der Mönch Robert von Molesme eines Tages mit der aus seiner Sicht verweltlichten Lebensform in seinem Kloster, einem der ärmsten Burgunds, unzufrieden war und den Entschluß faßte, es zusammen mit einigen gleichgesinnten Brüdern zu verlassen. In einem alten Dokument ist nachzulesen: »Es waren einundzwanzig Mönche, die sich von Molesme freudigen Herzens in die Einöde von Citeaux begaben. Dieser Platz lag in der Diözese Chalon; er war zu dieser Zeit wegen des Dickichts und Dornengestrüpps kaum zugänglich und nur von wilden Tieren bewohnt. Dorthin kamen die Männer Gottes, überzeugt, daß das der Platz sei, den sie lange ersehnt hatten und den sie nun, weil er unzugänglich und für andere so wenig anziehend war, für sich selbst am geeignetsten hielten.« In mühseliger Arbeit entstand in Citeaux, dem römischen Cistercium, ein Klosterbau. Die Mönche führten ein bescheidenes Leben, bis auf das i-Tüpfelchen genau nach der Regel. Als Bernhard zu ihnen stieß, rang das Kloster noch um seine Existenz. Zutiefst angerührt von dem Geist, der hier herrschte, setzte er sich mit großer Leidenschaft und bestechender Eloquenz für die Sache der Zisterzienser ein, war der eigentliche Begründer ihrer überragenden Bedeutung, machte aus ihnen den ersten wirklichen Orden. Durch Neugründung von Tochterklöstern, die dem Mutterkloster organisatorisch verbunden blieben, wurde der Zisterzienserorden systematisch aufgebaut.

plus pauvres de Bourgogne, décida de le quitter avec quelques frères qui partagaient ses idées. Dans un ancien document, on peut lire: «Ce sont vingt-et-un moines qui quittèrent Molesme et se rendirent le cœur joyeux dans la solitude de Cîteaux, un endroit situé dans le diocèse de Chalon, mais à cette époque d'un accès difficile, car il était entouré de fourrés et de buissons d'épines et habité uniquement par des animaux sauvages. C'est là que vinrent les hommes de Dieu, convaincus que c'était là l'endroit qu'ils avaient depuis si longtemps appelé avec tant d'ardeur et qui leur convenait si bien parce qu'il était si inaccessible et si peu attrayant pour les autres.» Là, à Cîteaux, le Cistercium romain, ils travaillèrent durement pour construire un monastère. Les moines menaient une vie simple suivant la règle à la lettre. Lorsque Bernard vint les rejoindre, le monastère luttait encore pour son existence. Profondément touché par l'esprit qui y régnait, il s'engagea avec passion et une éloquence convaincante pour la cause cistercienne et fut véritablement à l'origine de son importance prééminente en faisant de l'ordre cistercien le premier ordre religieux véritable. Par la fondation des «filles de Cîteaux» rattachées par l'organisation à la maison mère, l'ordre cistercien fut systématiquement développé.

It was here that the men of God came, convinced that this was the place that they had long sought for, and that, because it was so inaccessible and so unattractive for others, it was most suitable for them." Here, in Citeaux, the Roman Cistercium, they laboured hard to build a monastery. The monks led a modest life exactly according to the Rule. When Bernard joined them, the monastery was still struggling to establish itself. Profoundly moved by the spirit that reigned there, he committed himself with passion and convincing eloquence to the Cistercian cause, and became the real founder of its supreme importance, making it into the first real religious order.
The Cistercian Order was systematically built up by the foundation of daughter monasteries, which remained organizationally attached to the mother house.

◀◀ **Kapelle Hülchrath, Blankenheim,** Niederrhein. Heute Hauskapelle eines Altersheimes, wurde diese kleine Kirche als Sühnekapelle vom Reichsgrafen von Manderscheid-Blankenheim-Gerolstein 1773 bis 1780 erbaut. Außen schön gestaltete Fassade, innen reicher Rokoko-Stuck und Gitternetzwerk an der flachen Decke.
Das Gebiet um die Stadt Blankenheim war bis zur Französischen Revolution reichsunmittelbare Herrschaft der Grafen von Manderscheid-Blankenheim. Aus römischer Zeit konnten noch Reste eines Gutshofes freigelegt werden.

◀◀ **Chapelle de Hülchrath, Blankenheim,** Rhin inférieur. Cette chapelle pénitentielle avec sa jolie façade et ses stucs rococo à l'intérieur a été construite de 1773 à 1780.

◀◀ **Hülchrath Chapel, Blankenheim,** Lower Rhine. This penitential chapel with its fine facade and splendid Rococo stucco-work in the interior was built between 1773 and 1780.

◀ **Ehemaliges Prämonstratenserkloster Steinfeld,** Wahlen bei Schleiden, Niederrhein. Als erstes deutsches Kloster nehmen die Augustinerchorherren von Steinfeld 1126 die Regel der Prämonstratenser an. Als Stützpunkt für die Christianisierung des Ostens reicht der Einfluß des Klosters bis Böhmen und Ungarn – Klostergründungen zeugen davon –, aber auch bis in die Niederlande. 1142 wird mit dem Bau der Kirche begonnen. Die Form: Von der mächtigen, burgartigen Westfront mit zwei Rundtürmen (1873 nach einem Brand rekonstruiert) gelangt man durch eine Vorhalle in die große Gewölbebasilika. Vier Doppeljoche, das Querschiff mit Kapellen und der Chor mit halbrunder Apsis bilden ein Kreuz; über der Vierung ein achteckiger Turm. Wandmalereien aus der Entstehungszeit und aus dem 14. Jahrhundert sind noch erhalten. Die Gewölbemalereien (1501-1517) – Ranken und Figuren – stammen von Hubert von Aachen.
Der im 18. Jahrhundert nach Zeiten der Brandschatzungen wieder einkehrende Wohlstand bringt für die Kirche auch zehn Barockaltäre, einen Sarkophag für den Mystiker Hermann Joseph, der im 13. Jahrhundert im Kloster lebte, eine prächtige Orgel von Windheuser und wertvolle Kirchenfenster. 1789 erhält die gesamte Klosteranlage eine neue Umfassungsmauer. Auch das geistige Leben nimmt noch einmal einen Aufschwung. Doch wie fast überall bedeutet die Säkularisierung auch für Steinfeld das Ende. Nach einer Erziehungsanstalt des preußischen Staates befindet sich heute ein Internat der Salvatorianer in den Gebäuden.

◀ **Ancienne abbaye de Prémontrés de Steinfeld,** Wahlen près de Schleiden, Rhin inférieur. Cette abbaye, la première abbaye de Prémontrés en Allemagne (1126) constitua une tête de pont pour la christianisation de l'Est. Des couvents fondés en Bohême et en Hongrie attestent sa grande influence. La grande basilique voûtée commencée en 1142 avec son imposante façade ouest, qui rappelle celle d'une forteresse, renferme encore des fresques qui datent de l'époque de sa construction ainsi que du XIVe siècle.

◀ **Former Premonstratensian Monastery at Steinfeld,** Wahlen near Schleiden, Lower Rhine. This was Germany's first Premonstratensian monastery (1126), and it formed a bridgehead for the Christianization of the East. Communities founded in Bohemia and Hungary demonstrated Steinfeld's far-reaching influence. The great vaulted basilica, begun in 1142, with its massive, fortress-like west front, still contains frescoes from its earliest period and from the 14th century.

▶ **Doppelkapelle in Schwarzrheindorf,** Bonn-Beuel, Niederrhein. Das karolingische Königsgut mit Burg zur
Sicherung des Rheinüberganges kam Ende des 11. Jahrhunderts in den Besitz der Grafen von Wied. Graf Arnold
ließ bei seiner Burg diese zweigeschossige Burgkapelle
errichten, die 1151, im Jahr seiner Wahl zum Kölner Erzbischof, geweiht wurde. Wer von der anwesenden Promi-
nenz, unter anderen König Konrad III. und Bischof Otto
von Freising, für die die Oberkirche reserviert war, oder
wer vom Gefolge in der Unterkirche hätte sich vorstellen
können, daß diese ehrwürdigen Räume in späteren Zeiten
(nach der Säkularisation 1803) einmal als Stall und
Scheune gerade gut genug sein könnten? War doch dieser Zentralbau, bestehend aus vier Kreuzarmen und dem
mächtigen viereckigen Turm über der Vierung, außen
mit einer reich verzierten Zwerggalerie, innen mit herrlichen Wandgemälden ausgestattet, schon zur damaligen
Zeit berühmt. Die Schwester Arnolds von Wied gründete
noch vor 1173 hier ein Benediktinerinnenkloster und
ließ den westlichen Kreuzarm langhausartig als Nonnenchor ausbauen. Das Kloster wurde dann im späten Mittelalter in ein freiadliges Kanonissenstift umgewandelt, 1803
aber aufgelöst. Während die Klostergebäude abgebrochen
wurden, blieb die Doppelkirche erhalten.

▶ **Eglise de Schwarzrheindorf,** Bonn-Beuel, Rhin inférieur. La galerie naine richement décorée, l'imposante
tour et les merveilleuses peintures murales ont rendu
célèbre cette église à deux étages du château des comtes
de Wied immédiatement après sa construction. Elle a
été consacrée en 1151. Les bâtiments d'un couvent fondé
peu après furent démolis au moment de la sécularisation.

▶ **Double Chapel at Schwarzrheindorf,** Bonn-Beuel,
Lower Rhine. The richly ornamented miniature gallery,
the great tower, and the magnificent frescoes made this
two-storied castle chapel built by the Counts of Wied
famous as soon as it had been completed. It was consecrated in 1151. A convent building erected soon after-
wards was demolished after the secularization.

**◄ Kreuzgang der Stiftskirche St. Cassius und Florentius (Münster) in Bonn,** Niederrhein. Von der Siedlung um das ehemalige Römerkastell, das um 10 v. Chr. unter Drusus zur Sicherung der Rheinlinie errichtet wurde, verlagerte sich der Schwerpunkt in fränkischer Zeit immer mehr auf die außerhalb gelegene »villa basilica«. Hier stand zunächst eine Grabkapelle auf einem Gräberfeld, wo die Christen ihre Toten beisetzten. Der Legende nach soll die heilige Helena, Mutter Kaiser Konstantins, an dieser Stelle eine Märtyrerkirche zu Ehren von Cassius und Florentius gestiftet haben. Seit 774 entwickelt sich eine Klosteranlage, daneben eine Fernhändlerkolonie. Im Mittelalter zählte das Cassiusstift zu den größten Grundherrschaften der Gegend. Nachdem sie die Pfalzgrafen aus dem Geschlecht der Ezzonen verdrängt hatten, regieren seit dem 12. Jahrhundert die Kölner Erzbischöfe als Stadt- und Gerichtsherren in der um die befestigte Stiftsburg entstandenen bürgerlichen Marktsiedlung. Sie wird 1244 ebenfalls ummauert. Die Erzbischöfe residieren häufiger in Bonn als in Köln. Zwei von ihnen versuchten von Bonn aus die Reformation einzuführen, wurden aber schließlich von den Wittelsbachern daran gehindert, die dann bis 1794 die Kölner Kurfürsten stellten. Nach einer schweren Zeit, die durch das Bündnis der Kurfürsten mit Frankreich schwere Zerstörungen für die Stadt brachte, bauten sie sie im 18. Jahrhundert wieder zu einer prunkvollen Barockresidenz aus. Das Stift wurde 1803 säkularisiert. Von der Klosteranlage mit Kirche aus dem 8. Jahrhundert sind noch Teile im heutigen Bau erhalten, vor allem die Ostkrypta. Der Neu- und Umbau in staufischer Zeit zog sich etwa hundert Jahre hin (bis 1225/30). Vom Osten der dreischiffigen Pfeilerbasilika her läßt sich der Übergang von romanischen zu gotischen Formen noch verfolgen. Die Innenausstattung ist im wesentlichen barock. Der Kreuzgang an der Südseite der Kirche aus der Mitte des 12. Jahrhunderts ist uns als einziger romanischer Kreuzgang im Rheinland vollständig erhalten.

**◄ Cloître de la collégiale ou Münster de Saint-Cassien et Saint-Florentin à Bonn,** Rhin inférieur. C'est l'un des rares cloîtres romans qui aient été entièrement conservés en Rhénanie. La ville de Bonn a grandi autour du chapitre de Saint-Cassien qui, établi à côté d'une ancienne colonie romaine, était au Moyen Age un des grand propriétaires terriens de la région. Les archevêques et les électeurs de Cologne y résidaient plus fréquemment qu'à Cologne. La plus grande partie de l'église a été construite à l'époque des Hohenstaufen.

**◄ Cloister of the Collegiate Church of St. Cassius and St. Florentius (Minster) in Bonn,** Lower Rhine. This is one of the few fully preserved Romanesque cloisters in the Rhineland. In the Middle Ages this Collegiate Church, built next to an earlier Roman settlement, was one of the great landowners; the town of Bonn grew up around it. The Cologne archbishops and electors lived here more often than in Cologne. Most of the church was built during the Hohenstaufen period.

**▶ Ruine der Zisterzienserklosterkirche Heisterbach,** Niederrhein. Ein Sprengsatz zündete nicht, als die Anlage nach der Säkularisation 1803 abgetragen wurde. Nur deshalb gibt die erhaltene Chorapsis noch Zeugnis von der einstigen Größe der Klosterkirche und von der Baukunst der Zisterzienser, die sich 1192 vom Petersberg ins Heisterbachtal zurückgezogen und 1202 mit dem Bau der Kirche begonnen hatten. Vielfältigkeit in den Einzelformen und Schmuck in der Ausstattung versagten sich die Zisterzienser, entwickelten dafür aber reiche Konstruktionsformen, auch in dieser Ruine noch sichtbar. Der Chorumgang mit sieben Kapellennischen ist durch eine Doppelreihe von Arkaden vom Chorraum getrennt. Über dem Kapellenkranz eine mit Blendgalerie verzierte Fensterreihe und darüber der Hochchor mit sieben rundbogigen Hochfenstern zwischen den schrägen Strebemauern. Vor den Fensterpfeilern, dem Chorraum zugewandt, freistehende Säulen, auf deren Kapitellen die Grate des halbkugeligen Gewölbes ansetzen. Von der Klosteranlage sind nur noch Wirtschaftsgebäude, ein Torbau aus dem 18. Jahrhundert und der Klosterbering erhalten. Auf dem Gelände leben heute Augustiner-Zellitinnen in neuen Gebäuden.

**▶ Vestiges de l'église d'une abbaye cistercienne à Heisterbach,** Rhin inférieur. Bien que l'abbaye, fondée en 1192, ait été en grande partie détruite après la sécularisation, les ruines du choeur témoignent encore de l'art des Cisterciens qui, s'ils s'interdisaient toute décoration de leurs églises, développèrent par contre des formes de construction d'une grande variété et d'une grande richesse.

**▶ Ruins of the Cistercian Monastery Church at Heisterbach,** Lower Rhine. Although the monastery, founded in 1192, was largely demolished after the secularization, the ruins of the chancel still bear witness to the Cistercian art of building which avoided all decorative effects but made up for this by the variety and richness of its forms of construction.

◀ **Kloster Kornelimünster** bei Aachen, Niederrhein. Von Reliquien und Wallfahrten ist zu reden, will man etwas über dieses Kloster berichten. Eigentlich sollte es eine Musterabtei für die Reformbestrebungen des heiligen Benedikt von Aniane werden. Sein Freund und Berater, Kaiser Ludwig der Fromme, ließ es ihm 814/15 erbauen im Tal des Flüßchens Inde, nach dem es »Inda« genannt wurde. Schon 821 starb der Reformator. Durch Tausch mit Kaiser Karl dem Kahlen kam die Abtei in den Besitz der Reliquen des heiligen Kornelius (gestorben 253), und durch die schnell anwachsende Wallfahrt bekam das Kloster seinen Namen »Kornelimünster«.
Mit Aachen war die Abtei nicht nur durch das Recht verbunden, bei den Krönungsfeiern den neuen König ins Münster geleiten zu dürfen, sondern auch durch die vor allem seit dem 14. Jahrhundert alle sieben Jahre stattfindende Heiligtumsfahrt, bei der sowohl in Aachen als auch in Kornelimünster Reliquien aus dem Schatz Karls des Großen verehrt wurden: Schürztuch, Grabtuch und Schweißtuch Christi – wirkungsvolle Decken über dem ansonsten heruntergekommenen Kloster. Der Unmut der verarmten Untertanen entlud sich 1699 in der Ermordung des Abtes Bertram Goswin von Gevertzhagen. Im 18. Jahrhundert entstand das Abteigebäude (Bild) und die achteckige Corneliuskapelle. Doch mit der Säkularisierung hörte das Kloster nach fast tausendjähriger Geschichte endgültig auf zu existieren.

◀ **Monastère de Kornelimünster** près d'Aix-la-Chapelle, Rhin inférieur. A l'origine, le couvent était appelé «Inda» car il avait été fondé en 814/15 dans la vallée d'une petite rivière, l'Inde. Les reliques du pape saint Corneille qui vinrent en sa possession lui donnèrent son nouveau nom. Le couvent devint bientôt un lieu de pèlerinage et chaque année eut lieu la «semaine de Corneille» accompagnée d'un marché au bétail (saint Corneille est le patron des bêtes à cornes). Depuis le XIVe siècle, les reliques de l'abbaye étaient présentées tous les sept ans aux pèlerins lors d'une procession à Aix-la-Chapelle: toile qui ceignit les reins du Sauveur sur la croix, linceul et Saint Suaire. A cet effet, l'église (construite entre 1310 et 1531) a des galeries en bois ouvertes au-dessus des chœurs. Le bâtiment abbatial (photo) a été édifié au XVIIIe siècle.

◀ **Kornelimünster Monastery,** near Aachen, Lower Rhine. The monastery was originally called ''Inda'', having been founded in the valley of the River Inde in 814/15, but because it possessed relics of the Pope St. Cornelius, it later took on its present name. The monastery soon became a flourishing place of pilgrimage, and every year a ''Cornelius Week'' was held, combined with a cattle market (Cornelius was the patron saint of cattle). From the 14th century the monastery's relics were shown to the pilgrims every seven years during the great pilgrimage to Aachen: Christ's loin-cloth, shroud, and sudarium. The church (built between 1310 and 1531) has special open wooden galeries above the choirs for this purpose. The abbey building (picture) was constructed in the 18th century.

▶ **Ehemalige Benediktinerabtei Brauweiler** bei Köln, Niederrhein. Die dreifach gekuppelten Arkaden mit schön gearbeiteten Kapitellen im Ost- und Südflügel des Kreuzgangs aus der ersten Hälfte des 12. Jahrhunderts geben den Blick nur auf einen kleinen Ausschnitt der Bautätigkeit in Brauweiler frei.
Wie aus einem kleinen Rinnsal zum breiten Strom entwickelte sich der Komplex. Erst eine hölzerne Kapelle; 980 die erste Steinkirche; durch die Stiftung des Pfalzgrafen Ezzo und seiner Gemahlin ein Familienkloster mit Kirche (1024-1028); mit dem Vermögen einer Tochter Ezzos entsteht bereits 1048 nach Kölner Vorbild eine neue Kirche; Teile von ihr, besonders in der siebenschiffigen Krypta, fließen in einen weiteren Neubau im 12. und 13. Jahrhundert mit ein, der durch den Westbau mit den drei mächtigen Türmen auch heute noch das Gesicht der Kirche bestimmt. Im 18. Jahrhundert entstehen die repräsentativen barocken Abteigebäude und eine Vorhalle mit Zopfstilfassade am Westbau der Kirche.
Schön gearbeitete Steine - ineinanderverschlungene Schlangen am Westportal (1141), Löwen am Südportal, Apostelfiguren auf Reliefplatten – sind erhalten geblieben. Und unter Übermalungen im Gewölbe des Kapitelsaales kamen 1958 Malereien aus der Zeit um 1150 wieder zum Vorschein, neben Schwarzrheindorf der umfangreichste Gemäldezyklus aus romanischer Zeit in Westdeutschland.

▶ **Ancienne abbaye bénédictine à Brauweiler,** près de Cologne, Rhin inférieur. Les arcades avec les chapiteaux très ouvragés dans le cloître de la première moitié du XIIe siècle ne représentent qu'un petit extrait de la riche histoire de l'architecture de Brauweiler. En 980, une chapelle en bois fut remplacée par une première église en pierre. Une fille des fondateurs de l'abbaye, le comte palatin Ezzo et son épouse, fit ériger une nouvelle église en 1048. Des parties de cette église, en particulier la crypte à sept nefs, seront reprises dans une construction ultérieure aux XIIe et XIIIe siècles. Les trois tours majestueuses de son massif occidental dominent aujourd'hui encore la silhouette de l'église qui a été agrandie jusqu'au XIX siècle. C'est au baroque du XVIIIe siècle que nous devons les élégants bâtiments de l'abbaye. En 1958, une imposante série de fresques romanes (v. 1150) a été mise au jour dans la salle capitulaire de l'abbaye.

▶ **Former Benedictine Abbey at Brauweiler,** near Cologne, Lower Rhine. The arcades with the artistically carved capitals in the cloister from the first half of the 12th century represent only a small excerpt from Brauweiler's rich architectural history. The first stone church was built here in 980, replacing an earlier wooden chapel. A daughter of the founders of the monastery, the Count Palatine Ezzo and his wife, endowed a new church in 1048. Parts of it, in particular the seven-aisled crypt, were incorporated in another new building of the 12th and 13th centuries. The three great towers of its western end still dominate the overall impression made by the church, which was extended for the last time in the 19th century. The impressive abbey building was constructed in the Baroque period. A large Romanesque cycle of frescoes (about 1150) was discovered in the chapterhouse in 1958.

▶ **Ehemaliges Prämonstratenserkloster Knechtsteden,**
Niederrhein. Nachdem Norbert von Xanten 1120 in Prémontré eine Kongregation mit der Regel der Augustiner
gegründet hatte, die 1126 vom Papst als eigener Orden
bestätigt wurde, entstanden, wie bei den Zisterziensern,
eine ganze Reihe neuer Klöster, oder bestehende wurden
umgewandelt. Sie spielten bei der Erschließung des
Ostens eine bedeutende Rolle, und diese Methode – Kolonisierung durch Christianisierung – bewährte sich noch
einmal zu Beginn der Neuzeit bei der Eroberung des
amerikanischen Kontinents. Erzbischof Friedrich I. von
Köln übergab nicht nur Steinfeld als erstes Kloster in
Deutschland den Prämonstratensern, sondern auch das
von einem Kölner Domherrn 1130 errichtete Knechtsteden. Es erreichte im 12. und 13. Jahrhundert eine hohe
Blüte. Die Kirche entstand noch im 12. Jahrhundert, nur
der Ostchor mußte nach Kriegsschäden 1477 erneuert
werden und ist gotisch. Als eigentliche Mönchskirche
dienten die Ostteile – Chor, Querhaus, Vierungsturm
und zwei schlanke Flankentürme –, als Pfarrkirche das
Langhaus und der Westchor, der 1162 ausgemalt wurde.
Der in der Halbkugel thronende Christus mit den Symbolen der Evangelisten und die Apostelgestalten in der Fen-
sterzone stellen eine der bedeutendsten Monumentalma-
lereien dieses Jahrhunderts dar.
Die Klostergebäude, seit der Säkularisation verfallen,
wurden nach 1878 wiederaufgebaut und beherbergen
seit 1895 das Missionshaus des Ordens vom Heiligen
Geist.

▶ **Abbaye de Knechtsteden,** Rhin inférieur. En 1130, un
chanoine de Cologne fit construire cette abbaye sur ses
terres et l'archevêque de Cologne, Fréderic Ier la plaça
sous la protection de l'ordre des Prémontrés fondé dix
ans auparavant à Prémontré, en France. A l'exception
du choeur oriental qui a été restauré après avoir subi
des dommages de guerre, l'église monastique date encore du XIIe siècle. Les fresques (1162) dans le choeur
occidental qui représentent le Christ sur le trône, les
symboles des évangélistes et les apôtres font partie des
plus importantes de leur époque.

▶ **Knechtsteden Monastery,** Lower Rhine. A Cologne
Canon had this monastery built on his own property in
1130, and the Archbishop of Cologne, Friedrich I, placed
it in the hands of the Premonstratensian Order, which
had been founded only ten years previously at Prémontré
in France. Except for the eastern choir, which was rebuilt
after war damage, the church dates back to the 12th
century. The frescoes (1162) in the western choir, depicting Christ enthroned, the Evangelist symbols, and the
figures of the Apostles, are some of the most important
of their period.

◀ **Ehemalige Zisterzienserabteikirche Altenberg,** Niederrhein. Die Grafen von Berg schenkten 1133 den Zisterziensern von Morimond ihre Stammburg. Wenig später wurde eine romanische Basilika erbaut, die aber 1222 durch ein Erdbeben so schwer beschädigt wurde, daß das Kloster einen Neubau nach dem Vorbild des französischen Klosters Royaumont in Angriff nahm. Die Bauzeit zog sich von 1255 bis 1379 hin, was man bei der Einheitlichkeit und Klarheit des Kirchenbaus nicht vermuten würde. Nicht umsonst zählt es zu den bedeutendsten Beispielen der Hochgotik in Deutschland. Obwohl – wie bei den Zisterziensern üblich – anstelle eines Turmes nur ein Dachreiter vorhanden ist und das Gebäude die beachtliche Länge von über 70 Metern einnimmt, weisen doch alle Bauelemente nach oben: sowohl außen Maßwerkfenster, Strebepfeiler und die sieben mit Walmdach versehenen Chorkapellen wie auch die Linien von Pfeilern und Diensten, von Triforien und Fenstern im Innern. Die Chorfenster (um 1270) sind noch nach der Grisailletechnik in Grautönen gehalten, weil die Bauregeln des Ordens farbige Fenster verboten; in dem riesigen Maßwerkfenster des Meisters Reynoldus, des »Königs aller Steinmetze«, (um 1380) leuchten aber schon die Farben Rot, Blau und Gold. Es nimmt fast die ganze Westfassade ein (18 Meter hoch und 8 Meter breit).
Während die Klostergebäude nach der Säkularisierung 1803 als Fabrik dienten und nach einem Brand schließlich als Steinbruch, ließ Kronprinz Friedrich Wilhelm, der spätere preußische König Friedrich Wilhelm IV., die Kirche von 1835 bis 1846 restaurieren und errettete sie so vor dem Verfall.

◀ **Ancienne église abbatiale cistercienne à Altenberg,** Rhin inférieur. Une basilique romane fut construite peu après que les comtes de Berg eurent fait don de leur château en 1133 aux Cisterciens de Morimond. A la suite des dégâts importants causés par un tremblement de terre, les moines entreprirent de la reconstruire en 1255 d'après le modèle de l'abbaye française de Royaumont, mais elle ne fut achevée qu'en 1379. Malgré cette longue période de travaux, il en résulta une des églises du gothique rayonnant les plus importantes d'Allemagne par son unité et la clarté de ses lignes. Presque toute sa façade occidentale est occupée par une immense fenêtre à remplage (18 mètres de haut et 8 mètres de large), oeuvre du maître Reynoldus, le «roi de tous les sculpteurs». Après la sécularisation en 1803, les bâtiments conventuels servirent de fabrique et finalement de carrière après un incendie; le prince héritier prussien qui devint le roi Frédéric-Guillaume IV sauva l'église en la faisant restaurer de 1835 à 1846.

◀ **Former Cistercian Abbey Church in Altenberg,** Lower Rhine. A Romanesque basilica was built soon after the Counts of Berg had presented their ancestral castle to the Cistercian monks of Morimond in 1133. After the church had been badly damaged in an earthquake, the monks began to rebuild it in 1255 in the style of the French monastery Royaumont, but it was not completed until 1379. The result, despite the long period of building, was one of Germany's most important High Gothic churches, with great clarity and unity of style. Nearly the entire west facade is taken up by a giant tracery window (59 ft high and 26 ft wide) by the master mason Reynoldus, the "king of all masons". After the secularization in 1803 the monastery served first as a factory and then after a fire, as a quarry, but the church was saved by the Prussian Crown Prince, later King Frederick Wilhelm IV, who had it restored between 1835 and 1846.

▶ **Ehemalige Stiftskirche St. Viktor in Xanten,** Niederrhein. Eine römische Siedlung, Gräberfelder, christliche Märtyrer, die heilige Helena, Kirchenbau – das sind die Elemente, aus denen die Legenden über die Entstehung des Trierer Domes, des Bonner Münsters und auch des Xantener Domes gemacht sind. Im 8. Jahrhundert suchte man nach dem legendären Viktor, der im 3. Jahrhundert als Führer einer Kohorte der Thebäischen Legion zusammen mit seinen Waffengefährten hier den Märtyrertod erlitten haben soll, und dabei stieß man auf Steinsärge aus der Zeit der Merowinger. Man glaubte, »ad sanctos«, auf die Heiligen, die Märtyrer gestoßen zu sein, daher der Name Xanten. Als historischer Kern der Legende läßt sich festhalten: Auf einem Gräberfeld außerhalb der von Kaiser Trajan gegründeten Kolonie, der Colonia Ulpia Traiana, überstand eine Totenmemoria über einem Doppelgrab aus dem 4. Jahrhundert (1933 tatsächlich wiedergefunden) den Abzug der Römer und eine Einplanierung des Friedhofes. Auf ihren Fundamenten, um einen rechteckigen Chor erweitert, entstand um 760 die erste christliche Kirche. Der Fund der vermeintlichen Heiligen führte dann noch vor 800 zum Bau einer neuen Kirche und eines Monasteriums, der Beginn einer regen Bautätigkeit über Jahrhunderte hinweg. Mit dem gotischen Neubau, 1263 begonnen, aber erst 1530 vollendet, findet sie schließlich ihren Abschluß, wobei der mächtige, 1190 errichtete Westbau miteinbezogen wurde. Mehrere Baumeister arbeiteten daran, und offensichtlich ließ man den Plan einer dreischiffigen Kirche mit Querhaus fallen und baute stattdessen eine fünfschiffige Basilika. Die Seitenschiffe enden, gestaffelt, in Apsiden, das Mittelschiff in sieben Seiten eines Zwölfecks. Vorbilder dafür gibt es in französischen Kirchen und in der Liebfrauenkirche in Trier.
Wie in Bonn entwickelte sich bei der mit Mauern und einem bis zu 12 Meter breiten Graben befestigten Stiftsburg, Sitz eines kölnischen Archidiakons, eine kaufmännische Siedlung mit Markt. Sie erhält 1228 eine Befestigung und die Stadtrechte. 1444 kommt sie zu Kleve, 1614 zu Brandenburg. Durch die Verlagerung des Rheinbettes nach Osten verlor der Ort aber immer mehr an Bedeutung. 1945 wurde die Stadt und auch der Dom stark zerstört. Die mühevolle Restauration des Bauwerks war 1966 im wesentlichen abgeschlossen.

▶ **Ancienne église collégiale de Saint-Victor à Xanten,** Rhin inférieur. Les églises françaises et l'église Notre-Dame à Trèves offrent des modèles antérieurs de ce type de basilique à cinq nefs. La construction de la cathédrale a commencé en 1263 sur l'emplacement de plusieurs églises antérieures mais n'a été terminée qu'en 1530; l'église faisait partie d'un couvent fondé avant l'an 800 à proximité de la colonie établie par l'empereur Trajan.

▶ **Former Collegiate Church of St. Victor in Xanten,** Lower Rhine. Earlier examples of this type of basilica, with its nave and four aisles, are to be found in France and Trier (Church of Our Lady). The cathedral was begun in 1263 on the site of several earlier churches, but was not finished till 1530. It belonged to a college founded before 800 near the Roman colony set up by the Emperor Trajan.

▶▶ **Kirche in Balve,** Westfalen. Als 1430 der Kölner Erzbischof Dietrich von Mörs hier eine Stadt gründete, blieb die Blasiuskirche außerhalb der Stadtmauern. Als Pfarre wird der Ort erstmals 1196 erwähnt.
Die ursprüngliche Anlage aus der Wendezeit vom 12. zum 13. Jahrhundert ist ein Beispiel eines eigenen südwestfälischen Kirchenbautyps: eine dreischiffige Hallenkirche, deren Langhaus mit kuppelartigen Gewölben nur aus drei Jochen besteht. Die mit schmalen Quertonnen überwölbten Seitenschiffjoche sind außen an den typischen Giebeldächern erkennbar. Im Osten begrenzt ein Querhaus mit Nebenapsiden in der Mauerdicke und der Ostchor das Langhaus. Hier finden wir auch Wandmalereien, den einzigen Schmuck in dem ansonsten erdig und schwer anmutenden Innenraum. Ein wuchtiger, fünfgeschossiger Turm schließt das Langhaus im Westen. Im Norden ist das Langhaus durch einen riesigen Zentralbau aus dem 19. Jahrhundert erweitert, der aber die Wirkung des alten Kirchenbaus beeinträchtigt.

▶▶ **Eglise à Balve,** Westphalie. Cette église du type halle à trois nefs construite vers 1200 est typique pour de nombreuses églises westphaliennes de l'époque. Le vaisseau central n'a que trois travées à voûtes en plein cintre épaulées par les nefs collatérales à voûtes biaises qui se répercutent extérieurement dans les toits à pignons. A l'est, la longue nef se termine par le transept et le chœur et à l'ouest par une tour imposante à cinq étages. Le dôme de l'immense construction centrale ajoutée au nord au XIXe siècle compromet l'effet de la structure initiale.

▶▶ **Church at Balve,** Westphalia. This hall church with two aisles, built round about 1200, is typical of many Westphalian churches of the period. The nave consists of only three dome-like bays, accompanied by the barrel-vaulted aisles, which are marked outside by gabled roofs. The nave and aisles end in the east with a transept and chancel, and in the west in a mighty, five-storied tower. The dome of the huge addition built on the north side in the 19th century spoils the effect of the original structure.

**Ehemalige Stiftskirche Freckenhorst,** Westfalen. Von den für frühmittelalterliche Klosterkirchen typischen Westbauten sind nur noch wenige erhalten geblieben, einer davon in Freckenhorst. Über der Turmhalle im Erdgeschoß befand sich, ähnlich wie auch in Corvey oder Cappel, die Empore für die Klosterinsassen.

Nach einem Brand wurde an den Westbau der Vorgängerkirche (11. Jahrhundert) eine kreuzförmige, dreischiffige Pfeilerbasilika angebaut und 1129 geweiht. Trotz einiger baulicher Veränderungen – gotische Gewölbe im Mittelschiff, barocke Haube des Hauptturmes, Abbruch der Vorhalle am Westbau – hat die Kirche insgesamt ihren romanischen Charakter bewahren können. Eine Restauration von 1955 bis 1962 galt der Wiederherstellung des ursprünglichen Raumbildes im Innern. Nicht nur die fünf Türme sind eine Seltenheit bei westfälischen Kirchen, auch die Wandgliederung in den Seitenschiffen und im Chor, verschieden gruppierte Säulenarkaden, ist einzigartig.

Doch noch nicht genug der Besonderheiten: Die Kirche beherbergt ein Meisterwerk der romanischen Bildhauerkunst, das bedeutendste steinerne Taufbecken in Deutschland aus dem 12. Jahrhundert. Aus rötlichem Sandstein sind über dem schwungvoll profilierten Fuß Löwen gemeißelt, darüber ein Inschriftenband und eine Szenenfolge aus der Heilsgeschichte. In der dreischiffigen Säulenkrypta unter dem Chor, die eingestürzt war und im 19. Jahrhundert wiederhergestellt wurde, befindet sich die Grabplatte der Stifterin Geva aus dem 13. Jahrhundert. Ihr reich gefaltetes Gewand läßt vergessen, daß es aus Stein gehauen ist. Die Inschrift der Grabplatte ist die älteste in niederdeutscher Sprache.

Um 860 gründeten Geva und ihr Gemahl, der sächsische Edelherr Everword, das Kanonissenstift, das bis zu seiner Aufhebung durch die Franzosen (1811) adligen Damen vorbehalten war.

▶ **Ancienne église collégiale de Freckenhorst,** Westphalie. On trouve ici un des rares grands massifs occidentaux typiques pour les églises collégiales du haut Moyen Age qui aient été conservés jusqu'ici. Au-dessus du vestibule dans la tour au rez-de-chaussée se trouvait une tribune pour les religieuses. Après un incendie qui a détruit la nef, une basilique à piliers à trois nefs et plan en croix a été construite dans le premier tiers du XIIe siècle. Elle abrite des fonts baptismaux en pierre du XII siècle, chef-d'oeuvre de la sculpture romane. Dans la crypte, pierre tombale abondamment sculptée du XIIIe siècle avec une effigie de la fondatrice.

▶ **Former Collegiate Church at Freckenhorst,** Westphalia. Here we find one of the few surviving great westworks which were typical of early medieval monastery churches. Over the ground-floor hall in the tower was the gallery for the nuns. The body of the church was destroyed by fire and replaced in the first third of the 12th century by a cruciform colonnaded basilica with nave and two aisles. Inside is a masterpiece of Romanesque stone-carving – the most important German 12th century stone font extant. In the crypt is a richly sculptured tombstone of the late 13th century with an effigy of the foundress.

**▶ Kirche des ehemaligen Prämonstratenserklosters Cappenberg,** Westfalen. Gottfried von Cappenberg, der 1121 an der Eroberung Münsters durch den Sachsenherzog Lothar teilnahm und dem die Schuld am Brand des Domes zugeschrieben wurde, bekam es offenbar mit der Angst um sein Seelenheil zu tun. Zusammen mit seinem Bruder Otto verwandelte er seine Burg in eine »Heimstatt der Armen Christi«, die erste Niederlassung des Prämonstratenserordens in Deutschland rechts des Rheines. Ein meisterhaftes gotisches Doppelgrabmal (um 1330) stellt das Brüderpaar dar, das Modell der 1149 vollendeten Kirche tragend. In ihr wurde ein Teil der Gebeine Gottfrieds beigesetzt. Er starb 1127 und wurde nach seinem Tode heiliggesprochen. Von Cappenberg gingen weitere Stiftsgründungen aus, auch stellte das Stift Pröpste für die Liebfrauenkirche in Magdeburg und Bischöfe von Brandenburg, Havelberg und Ratzeburg. Trotz des schon seit Anfang des 13. Jahrhunderts anstößigen Lebenswandels der Stiftsherren hielt sich das Stift bis zur Säkularisierung, und im 17. Jahrhundert wurde noch ein Neubau der Klostergebäude in Angriff genommen. Das angegliederte Frauenkloster ging allerdings schon im 14. Jahrhundert wieder ein. 1816 kaufte der preußische Staatsmann Reichsfreiherr vom Stein Klostergebäude und Landbesitz und starb auch 1831 hier. Die dreischiffige, ursprünglich flachgedeckte Pfeilerbasilika hat keinen Turm. Der wohl zweitürmige Westbau mit Empore für den Frauenkonvent ging verloren. Der Innenraum ist romanisch, nur das Gewölbe aus dem 14. Jahrhundert gotisch. Die schlichte Kirche besitzt nicht nur das reichste spätgotische Chorgestühl in Westfalen (1509-1520), ein bedeutendes spätromanisches Kruzifix (um 1225) sowie das schon erwähnte Stiftergrabmal, das ein Hauptwerk der hessisch-westfälischen Plastik darstellt, sondern auch das kostbare, kupfervergoldete Kopfreliquiar mit dem Porträt Friedrich Barbarossas. Dieses erste in Deutschland geschaffene Kaiserbild, das persönliche Züge Barbarossas mit der traditionellen Darstellung des Herrschers verbindet, entstand nach 1150 in Aachen und ist ein Geschenk des Kaisers an seinen Patenonkel und Mitbegründer des Klosters, Otto von Cappenberg (gestorben 1171).

**▶ Eglise de l'ancienne abbaye des Prémontrés de Cappenberg,** Westphalie. L'église, d'une construction plutôt sobre, du couvent fondé en 1121 par les comtes Geoffroi et Othon de Cappenberg renferme non seulement les stalles wisigothiques les plus ouvragées en Westphalie mais également un précieux reliquaire en cuivre doré avec le portrait de Frédéric Barberousse, cadeau de l'empereur à son oncle et parrain, Othon de Cappenberg, un des fondateurs du couvent.

**▶ Church of the former Premonstratensian Monastery at Cappenberg,** Westphalia. The otherwise rather plain church of the monastery endowed by the Counts Gottfried and Otto von Cappenberg in 1121 contains not only the finest Visigoth choir stalls in Westphalia, but also a precious gilded copper reliquary decorated with a portrait of Barbarossa. It was given by the Emperor to his uncle and godfather Otto von Cappenberg, one of the founders of the monastery.

◄ **Jesuitenkolleg und -kirche Mariä Empfängnis in Büren,** Westfalen. Die Edelherren von Büren ließen zwischen 1188 und 1204 bei ihrer Burg eine Stadt anlegen. Der Paderborner Bischof unterstützte die Stadtbefestigung finanziell und erhielt die neue Stadt zu Lehen. Das Tauziehen zwischen den Paderborner Bischöfen und den Edelherren um die Herrschaft, zunächst mit Käufen und Verträgen ausgetragen, gipfelte schließlich im 17. Jahrhundert in dem Versuch des Moritz von Büren, die Hoheit über das Gebiet an sich zu bringen, worauf der Bischof die Stadt 1657 besetzte. Moritz mußte schließlich auf alle Rechte verzichten, wie auch später die Jesuiten, in deren Orden Moritz eingetreten war und denen er seinen Landbesitz und die Burg zur Errichtung eines Kollegs vermacht hatte.

1716 wurde nach Abbruch der Burg mit dem Bau des dreiflügeligen Kolleggebäudes begonnen. Die Pläne für die erst 1754 bis 1760 erbaute Kirche lieferte der Baumeister des Kurfürsten Clemens August (zugleich Bischof von Paderborn), Franz Heinrich Roth. Eine mächtige Kuppel erhebt sich über der Vierung, wo sich die Querarme und Längsarme kreuzen. Nicht im Osten, sondern im Westen an der Turmseite liegt der Chor; im Osten stimmt die reich gegliederte und verzierte Fassade auf das Innere der Kirche ein: weiße Stuckranken, Muscheln und Blumengehänge, rosa und blau getönte Wände und Deckengemälde von dem Asam-Schüler Josef Gregor Winck. So entstand in Büren eine der wenigen Kirchen in Westfalen im Stil des süddeutschen Barock.

◄ **Collège de Jésuites et église de l'Immaculée-Conception à Büren,** Westphalie. La construction du collège à trois ailes pour les Jésuites a été commencée en 1716 à l'emplacement de l'ancien château des seigneurs de Büren. L'église, construite entre 1754 et 1760, a une façade richement ornée et un dôme imposant; c'est une des rares églises westphaliennes édifiées dans le style baroque de l'Allemagne du Sud.

◄ **Jesuit College and Church of the Conception of the Blessed Virgin at Büren,** Westphalia. The building of a three-winged college for the Jesuits was begun in 1716 on the site of the former castle of the Büren family. The church, built in 1754 to 1760, with its richly ornamented facade and its impressive dome, is one of the few churches in Westphalia in the south German Baroque style.

▶ **Stiftskirche Cappel an der Glenne,** Westfalen. Ein Prämonstratenserinnenkloster, von lippischen Edelherren gegründet, wird erstmals 1139 erwähnt. Älter als die Mitte des 12. Jahrhunderts gebaute Pfeilerbasilika ist der Westbau der Stiftskirche. Vielleicht steht seine Errichtung in Zusammenhang mit der Vertreibung der Nonnen aus dem benachbarten Kloster Liesborn 1131. Im Zuge der Reformation wurde das Kloster dann 1588 in ein weltliches Damenstift umgewandelt, das bis heute existiert. Zwischen den beiden quadratischen Flankentürmen des Westbaus und hinter ihnen breitet sich eine dreischiffige, gewölbte Pfeilerhalle aus, darüber die flachgedeckte Nonnenempore, die nur vom Kapitelhaus her erreichbar ist. Ursprünglich folgte diesem Westbau das Mittelschiff mit zwei Seitenschiffen, einem Querhaus mit Apsiden und gerade geschlossenem Chor. Doch seit um 1700 unter anderem die Seitenschiffe abgebrochen wurden, sind die Mittelschiffarkaden zugemauert. Kunstgeschichtliche Bedeutung hat die Kirche, weil sie in Westfalen als erste überhaupt in allen Teilen gewölbt war.

▶ **Eglise collégiale de Cappel, sur la Glenne,** Westphalie. Edifiée au milieu du XIIe siècle, cette église collégiale a été la première église entièrement couverte de voûtes en Westphalie. Elle faisait partie d'une abbaye de Prémontrées fondée en 1139. Seule la partie occidentale de l'église dans laquelle la galerie des religieuses est construite sur une halle à piliers et trois nefs est plus ancienne.

▶ **Collegiate Church at Cappel on the Glenne,** Westphalia. Built in the middle of the 12th century, this was the first church in Westphalia to be vaulted throughout. It belonged to a Premonstratensian convent founded in 1139. Only the western part of the church, in which the nuns' gallery is built over a pillared nave with two aisles, is older.

# Ein Abt verändert das Abendland

Bernhard war eine außergewöhnlich dynamische und vielseitige Persönlichkeit: Er fand zur Mystik der spartanischen Askese, war aber zugleich imstande, den zweiten Kreuzzug mobil zu machen. Seine Mission führte ihn durch ganz Europa, Bischöfe, Kardinäle, Könige und Päpste hatten für ihn ein offenes Ohr. Nach dreijährigem Aufenthalt in Citeaux wurde er Abt von Clairvaux. Die Faszination, die er ausstrahlte, füllte die Klöster, der burgundische Adel drängte sich an den Pforten, der eigene Vater folgte Bernhard nach. Er machte das Jahrhundert zu dem Jahrhundert der »weißen Mönche«. So nannte man die Zisterzienser, weil sie im Gegensatz zu den traditionellen »schwarzen Mönchen« ein Gewand aus ungefärbter Wolle trugen. Bis etwa 1100 hießen unterschiedslos alle Religiosen, also alle, die ein Ordensgelübde abgelegt hatten, Mönche. Der Name »Benediktiner« entstand erst gegen 1300.
Beim Tode Bernhards gab es bereits dreihundertfünfzig Zisterzienserabteien in Europa, darunter Maulbronn. Selbst Martin Luther hat den großen Kirchenmann hoch geschätzt. Im Unterschied zu den Cluniazensern stand bei den Zisterziensern das Tätige im Vordergrund, durch Aktion sollte die Welt verändert werden. Sie erwarben sich viele praktische Kenntnisse, waren bald die bekanntesten Wasserbaumeister Europas. Hauptverdienst der Zisterzienser, die eine beispiellose dynamische Härte zu ihrer Lebensmaxime machten, den altchristlichen Armutsgedanken wiederaufnahmen und die Zinswirtschaft abschafften, war ihr tätiger Einsatz in der Kultivierung und Bekehrung der Slavenländer zwischen Elbe und Oder, um die sich auch die Prämonstratenser bemühten. Die ebenfalls in weiße Kutten gehüllten Mitglieder dieses Ordens waren keine Mönche, sondern Priester, die sich zu einem gemeinsamen Leben nach Art der Mönche zusammengetan hatten.

# Un abbé transforme l'Occident

Bernard était une personnalité extraordinairement dynamique et éclectique; un mystique ascétique austère qui fut néanmoins capable de prêcher la deuxième croisade. Sa mission le conduisit dans toute l'Europe et évêques, cardinaux, rois et papes lui prêtèrent une oreille attentive. Après trois années passées à Cîteaux, il devint abbé de Clairvaux. La fascination qu'il exerçait remplit les couvents, la noblesse bourguignonne se pressait aux portes et son père répondit également à son appel. Il fit de son siècle le siècle des «moines blancs». C'est ainsi que l'on appelait les Cisterciens car, à l'opposé des moines traditionnels vêtus de noir, ils portaient un vêtement de laine non teinte. Jusque vers 1100 tous les religieux sans distinction qui avaient prononcé les vœux monastiques étaient appelés moines. Le nom de «Bénédictin» ne naquit que vers 1300.
A la mort de Bernard, il y avait déjà trois cent cinquante abbayes cisterciennes en Europe, dont celle de Maulbronn. Martin Luther lui-même fut un admirateur de ce grand homme d'église.
Contrairement aux Clunisiens, les Cisterciens mettaient l'accent sur l'activité, c'est par l'action que le monde changerait. Ils acquirent de nombreuses connaissances pratiques et furent bientôt les ingénieurs hydrauliciens les plus connus d'Europe. Le principal mérite des Cisterciens qui avaient fait d'une rigueur dynamique sans pareille leur maxime de vie, fait revivre l'esprit de pauvreté des premiers chrétiens, aboli l'usure, fut de cultiver et de convertir les pays slaves entre l'Elbe et l'Oder, une région dont s'occupaient également les Prémontrés. Les membres de cette congrégation, vêtus également de blanc, n'étaient pas des moines mais des chanoines réguliers, des prêtres donc qui s'étaient rassemblés pour mener une vie communautaire analogue à celle des moines.

# An Abbot transforms the west

Bernard was an extraordinarily dynamic and versatile personality: an austerely ascetic mystic who was nevertheless capable of preaching the Second Crusade. His mission took him through the whole of Europe, and he was willingly heard by bishops, cardinals, kings, and popes. After three years at Citeaux, he became the abbot of Clairvaux. The fascination that he exercised filled the monasteries; the Burgundian nobility jostled for acceptance, and his own father followed Bernard's call. He made his century the "century of the White Monks", as the Cistercians were called, because, in contrast to the "traditional" monks, they wore robes of undyed wool. Until about 1100 all those people who had taken monastic vows were simply called monks. The named "Benedictine" did not evolve until about 1300. At Bernard's death there were already three hundred and fifty Cistercian abbeys in Europe, among them Maulbronn. Even Martin Luther was an admirer of the order's great founder.
In opposition to the Cluniacensians, the Cistercians emphasized activity: the world was to be changed by action. They acquired many practical skills, and were soon the best-known hydraulic engineers in Europe. The greatest achievement of the tough, dynamic Cistercians, who revived the early Christian belief in poverty and abolished usury, was their success in cultivating and converting the Slavic countries between the Elbe and the Oder, an area also missionized by the Premonstratensians. The members of this order, who also dressed in white, were not monks, but canons, priests who had joined together for communal life along monastic lines.

## Das Lichtwunder

Wie sich schon in der Spätromanik erste Anzeichen der bevorstehenden gotischen Revolution konkret angekündigt hatten, so war auch das geistige Fundament dieses Baustils (in Deutschland etwa von 1250 bis 1500) in der theologischen Literatur lange vorbereitet. Die gotische Kathedrale machte die Heilserfahrung zur Augenweide. Mit ihren kostbaren bunten Glasfenstern, die wie ein »Spiegel des Jenseits« erscheinen, mit ihrem zartgliedrigen plastischen Personal, ihrer Tendenz, die Dimensionen gewaltig zu steigern und zugleich die Materie auf ein Minimum zu beschränken, mit ihrem nach oben, zu Gott führenden Raumgefühl, dem mystischen Halbdunkel ihrer LICHTMETA-PHYSIK erscheint sie als ein Symbol göttlicher Allmacht, ganz erfüllt von einem tiefen Verlangen nach Gottesnähe. Alles in ihr strebt himmelwärts. Kreuzrippen tragen die schlanken Gewölbe und leiten den Druck auf die Pfeiler weiter, denen das äußere Strebewerk den Rücken stützt. Die Pfeiler verschmelzen zu Bündeln mit Kelchkapitellen aus Blättern und Knospen. Der Spitzbogen dominiert. Ein Kapellenkranz erweitert den Chor. Die Mauer wird durchlässig, üppig wucherndes Maßwerk schmückt ihre hohen Fenster wie die mächtigen Fensterrosen, die spitzgiebligen Wimperge, die alle horizontalen Baulinien überschneidend noch einmal die Vertikale betonen. Auch in ihrem Äußeren ist die gotische Kirche meist reich gegliedert, zumal an der Westseite. Fialen, schlanke kleine Türmchen, krönen die Strebepfeiler, Kreuzblumen die hoch zum Himmel aufragenden Türme, die mit sogenannten Krabben oder Kriechblumen, an den Bauteilen hochkriechenden Blattornamenten, geschmückt sind. Zu den großartigsten gotischen Sakralbauten auf deutschem Boden zählen das Kloster Maulbronn, der Magdeburger Dom, der Kölner Dom, das Freiburger und das Straß-

## Merveille de lumière

Tout comme les premiers signes de la révolution gothique imminente s'étaient déjà matérialisés vers la fin de la période romane, les bases spirituelles et intellectuelles de ce style (qui en Allemagne s'étendit de 1250 environ à 1500), avaient été préparées depuis longtemps dans la littérature théologique. La cathédrale gothique fit de l'idée de salut un plaisir pour les yeux. Avec ses précieux vitraux multicolores, «miroirs de l'au-delà», sa statuaire aux formes délicates, son amour des grandes dimensions associées à l'économie des matériaux, ses lignes ascensionnelles vers Dieu et la semi-obscurité mystique de son utilisation *métaphysique de la lumière,* elle paraît un symbole de la toute-puissance divine, elle est remplie du désir profond d'être près de Dieu. Des nervures en croix supportent les élégantes voûtes transmettant la poussée aux piliers qui, à leur tour, sont soutenus par les contreforts extérieurs. Les piliers fasciculés sont surmontés de chapiteaux campanulés, décorés de feuilles et de bourgeons. L'arc en ogive domine. Des chapelles rayonnantes élargissent le chœur. Les murs sont percés de hautes fenêtres à remplage comme les imposantes rosaces; les gables, coupant toutes les lignes horizontales, accentuent encore l'élan vertical. L'extérieur de l'église gothique est également très orné, en particulier la façade occidentale. Des pinacles, de petites tourelles couronnent les contreforts, des fleurons coiffent les tours dressées vers le ciel et garnies de crochets, ornements saillants en forme de feuillage sur les arêtes des clochers et des flèches. Parmi les plus merveilleux exemples de l'art sacré gothique sur le sol allemand figurent le monastère de Maulbronn, la cathédrale de Magdebourg, la cathédrale de Cologne, la cathédrale de Fribourg et celle de Strasbourg – car l'Alsace faisait partie la fois-là de l'Empire germanique –, les cathédrales

## The wondrous light

Just as the first tangible signs of the coming Gothic revolution had already materialized in the late Romanesque period, the spiritual and intellectual foundation of this style (which, in Germany, lasted from about 1250 to 1500) had long been prepared for in theological literature. The Gothic cathedral made the concept of salvation a feast for the eyes. With its exquisite stained glass windows, "mirrors of the beyond", its delicately-formed statuary, its love of large dimensions coupled with economy of material, the heavenward striving of its lines, and the mystical semi-darkness of its metaphysical use of light, it seems like a symbol of divine power, is filled with a profound yearning for nearness to God. All its elements direct attention upwards. Diagonal ribs support the elegant vaults passing the pressure on to the pillars, which are in turn sustained by the outside buttresses. Clustered piers are surmounted by capitals decorated with leaf or bud shapes. The pointed arch is dominant. The choir is extended by a series of chapels. The walls are pierced, and luxuriant tracery decorates the tall windows, like the mighty rose windows; the pointed arcading cuts through all the horizontals, once more emphasizing the vertical aspect. The exterior of the Gothic church is also usually very much enriched, especially the west end. Turrets and pinnacles crown the flying buttresses, finials top the soaring spires, which are decorated with crockets, leafy ornaments which climb up the angles of the tower. Some of the most magnificent examples of Gothic church building on German soil are Maulbronn Monastery, Magdeburg Cathedral, Cologne Cathedral, Freiburg and Strassbourg Minsters – Alsace belonged to the German Empire at that time – and the Cathedrals of Halberstadt, Regensburg, and Ulm. In northern areas, the simpler Gothic brick churches are of special importance.

burger Münster – das Elsaß gehörte ja damals zum deutschen Reich –, die Dome von Halberstadt, Regensburg und Ulm. Einen besonderen Platz nimmt in nördlichen Gefilden die schlichtere Backsteingotik ein.

## Am Beispiel des Ulmer Münsters

Wo immer man sich bewegt in Ulm: Das Münster ist der zentrale Bezugspunkt, an dem der Besucher der Stadt weder zu Fuß noch im Gedankenfluge vorbeikommt. Eduard Mörike empfand es als einen »schauerlichen Block«, als einen »Koloß, der tyrannisch alles um sich verkleinert«. Dabei hat der Pfarrherr aus Cleversulzbach von der Höhe des Turms nur die erste Baustufe kennengelernt, deren Fortsetzung sich über vierhundert Jahre hingezogen hat und erst nach seinem Besuch zuwege kam. Heute erhebt sich der Münsterturm tatsächlich in einer unvergleichlichen Herrschaftsattitüde über die Stadt, weit über die Alb hin sichtbar. Mit der in luftiger Höhe von hunderteinundsechzig Metern gedeihenden Kreuzblume hat er einen Weltrekord in den Himmel gepflanzt. Man hat den im ausgehenden letzten Jahrhundert nach mittelalterlichem Muster geklöppelten Wolkenkratzer den »gotischen Finger« genannt.
Die Planer der feierlich hochgezüchteten Basilika mögen schon etwas von drohender Bevölkerungsexplosion geahnt haben; schufen sie doch in dem kolossalen Gotteshaus mit einer Grundfläche von siebentausendneunundreißig Quadratmetern Raum für rund dreißigtausend Menschen, das waren doppelt so viele, wie damals in Ulm und um Ulm lebten. Die Gesichter der Philosophen und Sibyllen, die Jörg Syrlin der Ältere, seines Zeichens »Schreiner und Kistler«, für das berühmte Chorgestühl geschnitzt hat, sind die Gesichter Ulmer Bürgerinnen und Bürger des fünfzehnten Jahrhunderts, individuelle

de Halberstad, Ratisbonne et Ulm. Dans les régions septentrionales, les églises gothiques en brique plus simples occupent une place spéciale.

## La cathédrale d'Ulm

A Ulm, où que l'on aille, la cathédrale est présente. Pour le poète allemand, Eduard Mörike, c'était un «bloc affreux», un «colosse qui miniaturise d'une façon tyrannique tout autour de lui.» Et Mörike a connu l'église alors que sa tour n'était pas encore terminée – un processus qui a duré plus de quatre cents ans et ne s'est achevé qu'après sa visite à Ulm. Aujourd'hui, le clocher du Münster s'élève véritablement d'une façon souveraine incomparable au-dessus de la ville et on l'aperçoit bien au-delà du Jura souabe. Avec sa flèche qui grimpe jusqu'a 161 mètres au-dessus du sol, il est le plus haut du monde. Vers la fin du siècle dernier, le clocher construit dans le style médiéval a été appelé le «doigt gothique». Les architectes de cette vaste basilique avaient dû prévoir la menace d'une «explosion démographique»; couvrant une surface de sept mille trente-neuf mètres carrés, elle peut accueillir trente mille personnes – deux fois plus que la population d'Ulm et de ses environs à l'époque. Les visages des philosophes et des sibylles sculptés par Jörg Syrlin le Vieux – qui s'intitulait «menuisier et ébéniste» – pour les célèbres stalles sont les visages d'habitants d'Ulm du XVe siècle, chacun d'entre eux étant une redéfinition de la dignité humaine. Les miséricordes et les têtes des stalles abondent en figures qui contrastent avec les précédentes, toute une foule assez suspecte, sans dignité aucune composée de monstres médiévaux, cobolds, démons, êtres grimaçants qui n'auraient jamais dû entrer dans la cathédrale.
Il y a également le célèbre Christ de Piété de Hans Multscher, les anges en train de

## Ulm Minster

In Ulm, the Minster dominates your line of sight – and your thoughts – wherever you go. The German poet Eduard Mörike called it a "ghastly block", a "colossus, that tyrannically miniaturizes all around it." And yet Mörike only knew the church before its tower was completed – a process that took over four hundred years and was not finished until after his visit to Ulm. Today the Minster tower rises above the town in what can only be described as an incomparable gesture of command, and is visible far across the Swabian hills. The spire, with its finial scraping the sky at 528 ft. above the ground, is the tallest in the world. Towards the end of the last century, the pierced spire, built in the medieval style, acquired the nickname "Gothic finger."
The planners of this vast basilica must have foreseen the future "population explosion" of our times: covering an area of eight thousand four hundred and eighteen square yards, it provides space enough for thirty thousand people – twice as many as lived in and around Ulm at that time. The faces of the philosophers and sibyls, carved by Jörg Syrlin the Elder – who styled himself "Carpenter and Cabinet Maker" – for the famous choir stalls, are the faces of the citizens of Ulm of the fifteenth century, each one a redefinition of human dignity. The misericords and the poppyheads of the stalls teem with contrast figures, a community of suspicious, utterly undignified medieval freaks, cobolds, demons, face-pullers who should never have been admitted into the Minster. Then there is Multscher's famous figure of Christ, the picknicking angels, the Besserer Chapel, built about 1430, with its splendid windows, and the figure of Noah, which prompts a comparison of the Minster with the Ark, loaded with all the treasures of the late Gothic period.

Würde immer wieder neu definiert. Unter den Misericordien und an den Knäufen des Chorgestühls tummeln sich die Kontrastfiguren, eine Kommune ziemlich verdächtiger, ganz und gar unwürdiger mittelalterlicher Freaks, Kobolde, Dämonen, Grimassenschneider, denen man den Zutritt ins Münster hätte verwehren sollen. Da ist Multschers berühmter Schmerzensmann, da sind die vespernden Engel, da ist die um 1430 geschaffene Bessererkapelle mit den prachtvollen Chörchenfenstern, da ist Noah, der Erfinder der Ulmer Schachtel, dem wiederum das Münster einer Arche vergleichbar erscheinen mag, befrachtet mit allen Schätzen der späten Gotik.

## Ordensregeln spiegeln sich im Bau

Kehren wir noch einmal zu den Zisterziensern zurück. Es entsprach der überwiegend ländlichen Kultur des frühen Mittelalters, daß die Klöster auf dem Lande lagen. Im Gegensatz zu den Benediktinern, die sich besonders gern auf Bergen ansiedelten, suchten sie die Weltabgeschiedenheit in engen Tälern und undurchdringlichem Walddickicht. Nur ein Flüßchen sollte vorhanden sein. Verborgene Stätten fern vom Verkehr der Menschen hatten es ihnen besonders angetan. Die Zisterzienserklöster unterschieden sich in mehrfacher Hinsicht von denen der schwarzen Mönche, unter anderem durch die Gegenwart von Laienbrüdern, die in einem besonderen Komplex innerhalb des Klosters lebten. Aber auch durch ein entschiedeneres Verlangen nach Weltflucht und ritueller Einfachheit, das Bernhard zu jener Schmähschrift wider den Bauluxus motiviert hatte. Die Räume sollten von größter Schlichtheit sein, desgleichen die Geräte für den Gottesdienst und die Meßgewänder. Die Kirchen, die in der Anfangszeit stallähnlichen Gebäuden glichen, bekamen keine Türme, sondern nur einen

goûter, la chapelle de Besserer, construite en 1430 avec ses splendides fenêtres, voilà Noé qui fait ressembler la cathédrale à une arche chargée de tous les trésors du gothique tardif.

## Les règles monastiques se reflètent dans l'architecture

Mais revenons encore une fois aux Cisterciens. Compte tenu de la prédominance à l'époque de la culture rurale, il était assez normal que les couvents soient construits à la campagne. Contrairement aux Bénédictins qui aimaient à s'installer sur des terrains montagneux, les Cisterciens recherchaient la solitude dans les vallons encaissés et les forêts impénétrables. Tout ce qu'ils voulaient, c'était un cours d'eau. Et les entroits reculés, loin de l'agitation des foules, avaient leur préférence. Les abbayes cisterciennes différaient à bien des égards de celles de moines noirs, notamment par la présence de frères convers qui vivaient dans leurs murs mais dans un bâtiment à part. Il y avait ensuite ce désir plus prononcé de fuir le monde, cette aspiration à la simplicité rituelle qui avait poussé saint Bernard à écrire sa diatribe contre les édifices trop luxueux. Les salles devaient être de la plus grande simplicité, tout comme les objets et les vêtements liturgiques. Les églises qui, au début, ressemblaient à des étables, n'avaient pas de tours, mais uniquement un lanterneau. Les murs n'étaient pas crépis, pas de vitraux de couleur, l'intérieur austère. Mais comme il était interdit aux Cisterciens de s'occuper d'autres arts, ils se consacrèrent d'autant plus intensivement à l'architecture. Et si la richesse et l'ornementation du gothique flamboyant étaient absentes de leurs couvents, la clarté des lignes et la perfection des proportions de leurs façades moins ouvragées n'en étaient que plus impressionnantes. Même les communs émerveillaient par la

## Monastic rules reflected in architecture

Returning to the Cistercians, we find that it was quite natural, in view of the predominantly rural culture of the time, for monasteries to be built in the country. In contrast to the Benedictines, who particularly like to settle on hilly terrain, the Cistercians sought isolation in narrow valleys, and impenetrable thickets. All they required was a stream. They preferred remote places far from the madding crowd. The Cistercian monasteries differed from those of the Black Monks in a number of ways, one of which was that they had lay brothers living in the monastery – although in a separate complex. Another was a more pronounced longing for escape from the secular world and for ritual simplicity – which had motivated Bernard to write his diatribe against over-luxurious building. Their rooms were supposed to be as simple as possible, as were the implements and vestments for the divine services. The churches, which, in the initial period, resembled barns, had no towers, only bellcotes. The walls were not plastered, the windows plain, the interior austere. But as the Cistercians were forbidden to occupy themselves with the other arts, they devoted themselves all the more intensively to architecture. Although their monasteries lacked the richness and ornamentation of the early Gothic period, they compensated for this by the clarity of their lines and the perfect proportions of their less cluttered facades. Even the secular parts of their monasteries delighted by the purity of their style. Burgundian Early Gothic influences were to spread from the homeland of the Cistercian Order around 1200, and also made their mark on Early Gothic architecture in Germany.

Dachreiter. Die Wände blieben unverputzt, die Fenster farblos, das Innere karg. Doch da den Zisterziensern die Beschäftigung mit anderen Künsten verboten war, widmeten sie sich um so intensiver der Architektur. Wohl ließen ihre Klöster den Reichtum und Schmuck der aufblühenden Gotik vermissen, dafür traten die klare Linienführung und die vollendeten Proportionen ihrer mehr flächenhaften Fassadengliederung um so eindrucksvoller zutage. Selbst ihre Wirtschaftsgebäude entzückten durch die Reinheit des Stils. Vom Stammland des Zisterzienserordens gingen um 1200 burgundisch-frühgotische Einflüsse aus, die auch die frühe Gotik in Deutschland bestimmten.

## Die Bettelmönche

Als zu Beginn des dreizehnten Jahrhunderts die Glanzzeit des mittelalterlichen Mönchtums sich ihrem Ende zuzuneigen schien, bewirkte das Auftreten zweier großer Gottesmänner nochmals einen ungeahnten Aufschwung: Es waren Franziskus von Assisi (1181–1226) und der Kastilianer Dominikus (1171–1221), die Begründer der beiden großen Bettelorden. Das Leben des Kaufmannssohnes aus Assisi, der zum Kummer seiner Eltern dem Wohlstand entsagte, der seine Knabenträume, ein Troubadour und Ritter zu werden, fallen ließ, um sich dem alternativen Abenteuer eines Lebens in freiwilliger Armut in der Nachfolge Christi zu verschreiben, hat zuerst dessen Gefährte Thomas von Celano aufgezeichnet. In Celanos Biographie wird das besondere Charisma des Heiligen deutlich: »Wenn er eine Stadt betrat, freute sich die Geistlichkeit, läuteten die Glocken, frohlockten die Männer, und mit ihnen freuten sich die Frauen, die Knaben klatschten fröhlich in die Hände, brachen Zweige von den Bäumen und zogen ihm singend entgegen.« Mancherlei Legenden ranken sich um die Figur

pureté du style. Des influences bourguignonnes de la période primaire du gothique partirent de la patrie de l'ordre des Cisterciens vers 1200 et ont également marqué l'architecture gothique primaire en Allemagne.

## Les ordres mendiants

Vers la fin du XIIIe siècle, alors que l'éclat du monachisme médiéval semblait diminuer, l'apparition de deux grands hommes de Dieu entraîna un renouveau imprévu. Ces deux hommes extraordinaires furent François d'Assise (1181 – 1226) et le Castillan Dominique (1171 – 1221), les fondateurs des deux grands ordres mendiants. La vie de François, le fils d'un marchand d'Assise qui, au désespoir de ses parents, renonça au monde et abandonna l'idée de devenir troubadour et chevalier, son rêve de jeunesse, en échange d'une vie faite de pauvreté volontaire à la gloire de Dieu, a tout d'abord été écrite par son compagnon Thomas de Celano. La biographie de Celano fait ressortir le charisme particulier du saint: «Lorsqu'il entrait dans une ville, le clergé se réjouissait, les cloches sonnaient, les hommes étaient ravis et les femmes avec eux, les garçons battaient des mains, cassaient des branches des arbres et venaient à sa rencontre en chantant.» Il existe de nombreuses légendes associées à saint François dont le tempérament insouciant du mondain se doublait d'un sentiment profond pour la nature, d'une piété intense et d'un amour fait de dévouement. Le pape Innocent III qui avait d'abord refusé de reconnaître François et ses compagnons comme une communauté religieuse aurait eu un songe: le palais du Latran était sur le point de s'écrouler mais François en aurait prévenu la chute en le soutenant de ses épaules. Le lendemain, l'autorisation papale était accordée. François organisa ses disciples en congrégation, l'ordre des Franciscains et en rédigea les règles,

## The Mendicant Friars

Towards the end of the 13th century, when the heyday of medieval monasticism seemed to have passed, the appearance of two great religious men led to an unexpected revival. The two new outstanding men of God were Francis of Assisi (1181–1226) and the Castilian Dominic (1171–1221), the founders of the two great mendicant orders. The life of Francis, the son of a merchant from Assisi, who, to his parents' distress, renounced worldly things, and who gave up his youthful dreams of becoming a troubadour and knight in exchange for a life of voluntary poverty to the glory of God, was first written by his companion, Thomas of Celano. Celano's biography depicts the Saint's special charisma: "When he entered a town, the clergy was delighted, the bells were rung, the men rejoiced, and the women with them. The boys clapped their hands, broke branches from the trees, and marched towards him, singing." There are many legends associated with St. Francis, who combined a certain light-hearted worldliness with a profound feeling for nature, intense piety, and selfless love of others. Pope Innocence III, who at first refused to recognize Francis and his followers as a religious group, is said to have had a dream: the Lateran Palace was about to collapse, but Francis prevented the disaster by supporting the building with his shoulders. The next day, papal authorization was granted. Francis formed his followers into the Franciscan Order, and drew up a new Rule, 'Regula Primitiva', which was confirmed in 1223 by Pope Honorius III. Like the heretics, especially the Waldenses, who were at that time busy spreading new religious ideas throughout Europe, the Franciscans returned to the early Christian forms of poverty and equality, but unlike the former, tried to establish them within the Church. In contrast to the old agrarian orders, the Franciscans

des Franziskus, in dessen Wesen sich das fröhliche Temperament des Weltkinds mit innigem Naturgefühl, tiefer Frömmigkeit und opferbereiter Liebe vereinte. So soll der Papst Innozenz III., der es zunächst abgelehnt hatte, Franz und seine Anhänger als kirchliche Gemeinschaft anzuerkennen, einmal einen Traum gehabt haben: der Lateranspalast sei am Zusammenstürzen, aber Franz halte mit seinen Schultern den Einsturz auf. Tags darauf sei die Anerkennung beschlossene Sache gewesen.

Aus seinen Jüngern bildete Franz den Franziskanerorden und gab ihm eine neue Regel, die 1223 von Papst Honorius III. bestätigt wurde. Gleich den Ketzern, vor allem den Waldensern, die damals neue religiöse Ideen unter die Menschen trugen, griffen auch die Franziskaner auf die urchristlichen Formen der Armut und Gleichheit zurück, suchten sie aber im Gegensatz zu jenen innerhalb der Kirche durchzusetzen. Im Unterschied zu den alten agrarischen Orden sollte nicht nur das einzelne Mitglied, sondern auch der Orden selbst vollständig arm sein: Besitz von Grund und Boden, eigene Häuser und Renten waren verboten. Da sich die Franziskaner aufopfernd der Alten und Kranken annahmen, für die damals kein noch so weitmaschiges soziales Netz gespannt war, waren sie beim Volke besonders beliebt.

## Die Hunde des Herrn

Im Jahre 1216 wurde der von Dominikus von Guzmán gestiftete Prediger- oder Dominikanerorden vom Papst bestätigt. Während die Franziskaner eine religiöse Erneuerung von innen erstrebten, zogen die Dominikaner drakonisch gegen die Ketzerei des Jahrhunderts zu Felde und betätigten sich als eifernde Inquisitoren. Man nannte sie Domini canes, Hunde des Herrn. Die beiden Orden waren Konkurrenten, die sich im Ansatz ergänzten.

dites ‹Regula prima› qui furent confirmées en 1223 par le pape Honorius III. Comme les hérétiques, en particulier les vaudois, qui à cette époque répandaient de nouvelles idées religieuses en Europe, les Franciscains revinrent également aux formes chrétiennes primitives de la pauvreté et de l'égalité mais tentèrent, à l'opposé des précédents, de les imposer au sein de l'Eglise. A la différence des anciens ordres agraires, les Franciscains exigeaient la pauvreté absolue non seulement des membres de la congrégation mais également de tout l'ordre; la possession de terres, maisons et revenus était interdite. Comme les Franciscains s'occupaient avec dévouement des personnes âgées et des malades pour lesquels il n'y avait à époque aucun régime de sécurité sociale, ils furent très populaires.

## Les chiens du Seigneur

En 1216, l'ordre des prêcheurs ou dominicains fondé par saint Dominique (Domingo de Guzmán) fut approuvé par le pape. Tandis que les Franciscains visaient un renouveau religieux à l'intérieur, les Dominicains se lancèrent dans la lutte contre l'hérésie qui florissait au cours de ce siècle et furent des inquisiteurs zélés. On les surnomma «Domini canes», les chiens du Seigneur. Les deux ordres se faisaient concurrence et se complétaient en même temps. A l'opposé des anciens ordres qui fuyaient le monde, les ordres mendiants, qui vivaient pricipalement d'aumônes et ne cherchaient pas la solitude, exerçaient leurs activités dans les villes très peuplées. Ils allaient par les rues pour prêcher la parole de Dieu et se risquèrent de plus en plus dans la vie quotidienne de leurs semblables. L'écart entre le monastère et le monde qui avait été si important pour les Cisterciens se réduisit de plus en plus. Les moines mendiants ne s'occupaient pas uniquement des besoins spirituels, ils étaient

demanded that not only the individual member, but also the order itself was to be completely poor: the possession of land, houses, or revenues was forbidden. As the Franciscans selflessly cared for the old and the sick, for whom there was no social safety-net of any kind in those days, they were very popular with the people.

## The Lord's dogs

In 1216, the Order of Preachers, or Dominican Order (also known as the Black Friars or Friars Preachers in England), founded by Dominic of Guzman, was authorized by the Pope. Whereas the Franciscans aimed at attaining a religious revival from within, the Dominicans went to battle against the heresy prevalent in that century, and functioned as avid inquisitors. The were nicknamed 'Domini canes', the Lord's dogs. The two orders were complementary rivals. Unlike the white-robed older orders, the mendicants, who lived mainly on charity, worked chiefly in the populous cities, for they did not seek solitariness. They went onto the streets in order to teach God's word, and penetrated ever deeper into the everyday life of their fellow-men. The gap beween the monastery and the world, which was still so important to the Cistercians, narrowed more and more. The mendicants did not only look after the people's spiritual needs, but were also ready to help in more worldly matters, and were extremely versatile. In the great days of medieval philosophy and theology they held important positions at the young European universities. As the theological theorists of their day, they did not unfrequently take up positions which were opposed to Church dogma. Thus the Dominican Meister Ekkehart, the great German mystic, was attacked by the Church for his views, which were partly condemned

Anders als die weltabgewandten älteren Orden bevorzugten die hauptsächlich von Almosen lebenden Bettelorden die dichtbesiedelten Städte als Wirkungsbereich. Denn die Bettelmönche ersehnten nicht Abgeschiedenheit. Sie gingen auf die Straße, um die Lehre Christi zu predigen, wagten sich immer weiter in den Alltag ihrer Mitmenschen vor. Der Abstand zwischen Kloster und Welt, der noch den Zisterziensern so wichtig gewesen war, schwand zusehends dahin. Indessen pflegten die Bettelmönche nicht nur die Volksseelsorge, sie hatten auch ein offenes Ohr für die Nöte der Menschen und wirkten außerordentlich vielseitig. In der Blütezeit der mittelalterlichen Philosophie und Theologie hatten sie an den jungen europäischen Universitäten bedeutende Positionen inne. Als theologische Lehrmeister ihrer Zeit vertraten sie nicht selten Standpunkte, die im Gegensatz zum kirchlichen Dogma standen. So wurde der Dominikaner Meister Eckehart, der große deutsche Mystiker, wegen seiner Lehren von der Kirche angegriffen, teilweise wurden sie nach seinem Tode verdammt. Und auch die Lehre des Dominikaners Thomas von Aquin, dessen System den Höhepunkt der Scholastik darstellt, fand erst lange nach dem Tod dieses wohl einflußreichsten mittelalterlichen Denkers die gebührende Anerkennung. Die Bettelorden hatten für ihre Klöster keine eigenen Bauvorschriften. Um 1300 zogen sie in ihren Kirchen vielfach wieder Flachdekken ein. Ihrem Armutsideal entsprechend verzichteten sie sowohl auf eine kunstvolle Ausstattung wie auf Türme. Dafür übernahmen sie von südlichen Vorbildern das Ideal des weiten Raumes. So spannt sich in ihrer Architektur ein solitärer Bogen von der Romanik zur Renaissance.

également attentifs aux misères d'ordre matériel et leurs activités étaient des plus diverses. A l'apogée de la philosophie et de la théologie médiévales, ils occupèrent des postes importants dans les jeunes universités européennes. Maîtres en théologie de l'époque, ils adoptèrent souvent des positions contraires au dogme de l'Eglise. C'est ainsi que le dominicain Maître Eckhart, le grand théologien mystique allemand, fut attaqué par l'Eglise à cause de ses idées qui furent en partie condamnées par le pape après la mort du Maître. Et la doctrine du dominicain Thomas d'Aquin dont le système représente l'apogée de la scolastique ne fut pleinement reconnue que bien longtemps après sa mort.
Les ordres mendiants n'avaient pas de règles précises pour la construction de leurs monastères. Vers 1300, ils réintroduisierent souvent les plafonds plats dans leurs églises. Fidèles à leur vœu de pauvreté, ils renoncèrent aussi bien à l'ornementation artistique qu'aux tours. Mais ils reprirent à leur compte l'idéal de l'espace cher aux régions du Sud. Leur architecture forme ainsi une courbe solitaire reliant l'art roman à la Renaissance.

by the Pope after the Meister's death. The teachings of the Dominican Friar Thomas of Aquinus, whose work represents the highest achievement of medieval theological systematization, did not receive full recognition until long after his death. The mendicant friars had no special building regulations for their monasteries. Round about 1300 they reintroduced flat ceilings into many of their churches. True to their vows of poverty, they dispensed with artistic fittings and towers. But they took over the southern love of spaciousness. Thus their architecture forms one great line connecting Romanesque and Renaissance.

▶ **Heiliggeistkirche in Clausthal-Zellerfeld,** Oberharz, Niedersachsen. Bei dem Holzreichtum des Harzes lag es nahe, dieses Material zum Bau von Wohnhäusern und Kirchen zu verwenden – bei Stadtbrände allerdings ein leichtes Spiel. So fielen auch 1634 die Kirche am Markt in Clausthal und zahlreiche Häuser dem Feuer zum Opfer, doch schon 1642 wurde die heutige Kirche aus Fichtenholz, der Turm aus Eiche, eingeweiht (1689 im Osten noch erweitert). Mit einer Länge von 45 Metern und einer Breite von 22,5 Metern ist sie eine der größten Holzkirchen Europas. Eine riesige flache Tonne wölbt sich über dem Mittelschiff, über dem Altarraum um eine Stufe erhöht. Hier nimmt die Orgel von Johannes Eggert (1758) die ganze Breite ein, gleichsam als Hintergrund für den geschnitzten Altar von Andreas Duder (1641). Die Kanzel hat nach mehrmaligem Standortwechsel – einmal war sie sogar in den Altar eingebaut, um im Mittelpunkt zu stehen – ihren Platz seitlich vor dem Altar gefunden.

Eine erste Periode des Bergbaus ging von einer Goslarer Klostergründung Cella (im heutigen Zellerfeld) um 1150 aus, endete um 1350 aber wieder wegen der verheerenden Pest und auch wegen der sehr schwierig gewordenen Abbaubedingungen. Ihr folgte 1520 bis 1549 eine zweite Besiedlung, als die Landesfürsten, die zu zwei verschiedenen welfischen Fürstentümern (Braunschweig-Wolfenbüttel und Grubenhagen) gehörten, junge Bergmannsfamilien aus Sachsen und dem Erzgebirge mit wirtschaftlichen Angeboten warben. Neben anderen Orten im Harz wurden auch Clausthal und Zellerfeld gegründet. Der Zellbach zwischen Clausthal und Zellerfeld, die erst seit 1924 zu einer Bergstadt vereinigt sind, bildete die Grenze zwischen den Fürstentümern. Deren politische und wirtschaftliche Rivalitäten behinderten den Bergbau erheblich. Auch eine 1625 aufgetretene Pest und der Dreißigjährige Krieg führten im 17. Jahrhundert zur Stillegung einer ganzen Reihe von Gruben. Die letzte wurde schließlich 1930 geschlossen. Heute ist Clausthal-Zellerfeld Universitätsstadt. Hier, an den Lehrstätten des Bergbaus, wurde 1827 das Drahtseil und 1833 die »Harzer Fahrkunst« erfunden, die die Fahrt in die Grube wesentlich erleichterte.

▶ **Eglise du Saint-Esprit à Clausthal-Zellerfeld,** Oberharz, Basse-Saxe. Cette église construite entièrement en bois est, avec une longueur de 45 mètres et une largeur de 22,5 mètres une des plus grandes églises en bois d'Europe; elle a été consacrée en 1642.

Une centaine d'années auparavant, les princes régnants avaient fait venir des familles de mineurs de Saxe et des monts Métallifères pour donner un nouvel essor à l'exploitation des mines qui avait décliné dans le pays au XIVe siècle.

▶ **Church of the Holy Spirit at Clausthal-Zellerfeld,** in Upper Harz, Lower Saxony. This church, built entirely of wood, with a length of 150 ft and a width of 74 ft, one of the largest wooden churches in Europe, was consecrated in 1642.

About a hundred years previously the local rulers had brought miners' families from Saxony and the Erzgebirge to revive mining in the area, which had declined in the 14th century.

▶▶ **Ehemaliges Benediktinerkloster Corvey** bei Höxter, Westfalen. Zum Glück, möchte man sagen, reichte den Äbten das Geld nicht mehr, um nach der baufälligen Kirche und den zerstörten Klostergebäuden auch noch das alle Kriegswirren überdauernde Westwerk durch ein barockes Gebilde zu ersetzen. Diesem Umstand nämlich ist es zu verdanken, daß es als einziges karolingisches Westwerk im wesentlichen erhalten blieb. Es ist ein anschauliches Beispiel für die Herausbildung eines neuen Typs der Kaiserkirche und für die Entwicklung eigenständiger Architektur aus dem antiken Erbe heraus. Ursprünglich besaß das Westwerk drei Türme, der mittlere wurde aber im 12. Jahrhundert abgetragen. Durch eine Vorhalle gelangt man in die fünfschiffige Mittelhalle. Vier Säulen mit korinthischen Kapitellen, von zwölf Pfeilern umstellt, tragen ein niedriges Gewölbe und vermitteln einen kryptenartigen Eindruck. Darüber liegt der fast quadratische Johannischor. Hier, auf der zweigeschossigen Empore, wohnte das Gefolge dem Gottesdienst bei. Der Kaiser in der durch einen größeren Rundbogen gekennzeichneten Loge konnte nicht nur auf den Johannisaltar sehen, sondern durch Arkaden auch auf den Hochaltar der Abteikirche. Für Amtshandlungen befand sich über dem Johannischor früher noch eine »aula regia«, ein Kaisersaal. In diesem Westwerk kommt die Vorstellung vom Kaiser als irdischem Statthalter, als König des irdischen Reiches sinnfällig zum Ausdruck. Es hatte auch seine politische Funktion, denn vom 9. bis 12. Jahrhundert wurden hier zahlreiche Hoftage abgehalten, Heinrich der II. weilte allein siebenmal in Corvey.

Die Abtei war 815 von zwei Vettern Karls des Großen mit Zustimmung Kaiser Ludwigs des Frommen gegründet worden, von Wala und Adalhard, Abt des westfränkischen Klosters Corbie an der Somme. 822 wurde es aus einer Propstei von Corbie in ein selbständiges Kloster verwandelt und an das andere Weserufer verlegt. Kaiser Ludwig schenkte ihm den dort gelegenen Königshof, den bisherigen sächsischen Besitz von Corbie, die freie Abtswahl und die Immunität. Zusammen mit den zahlreichen Schenkungen des sächsischen Adels, von dem der Konvent hauptsächlich getragen wurde, war die Abtei bald nach ihrer Gründung eines der reichsten Klöster in Deutschland und die bedeutendste Pflegestätte der westfränkisch-karolingischen Kultur in Sachsen. Die Bibliothek hat in Handschriften bewahrt, was uns an Schriften von Cicero bekannt ist, sowie fünf Bücher der Annalen des Tacitus und die sächsischen Gesetze Karls des Großen. Von hier nahm auch die Missionierung des deutschen und skandinavischen Nordens ihren Ausgang. Ansgar, der Apostel Norwegens, war Mönch in Corvey. In ottonischer Zeit, die eine Beschränkung des Klosters auf den sächsischen Bereich brachte, schrieb Widukind die Geschichte der Sachsen. Im Investiturstreit geriet das Kloster dann ins päpstliche, königsfeindliche Lager, wurde von Heinrich IV. vorübergehend dem Bremer Bischof übereignet und verlor seine Pfarrzehnten im osnabrückischen Raum. Damit war die Blüte und die Bedeutung Corveys für die große Politik vorbei. Es gelang der Abtei, ein kleines Territorium zu halten mit Höxter als Hauptstadt. Die Laiensiedlung Corvey erhielt 1250 das Stadtrecht und eine Weserbrücke, um der Stadt Höxter, die sich die Unterstützung des Paderborner Bischofs gesichert hatte, den wirtschaftlichen Rang abzulaufen, was aber nicht

gelang. 1265 wurde die Siedlung zerstört, doch konnte sich der Abt in dem verbliebenen Gebiet als Reichsfürst mit kurzen Unterbrechungen bis 1807 halten. Ein versuchter Wiederaufschwung brachte die barocke Anlage und eine barocke Saalkirche. Nach 1802 gelangte das Fürstentum schließlich über einige Zwischenstationen an den Prinzen Viktor von Hohenlohe-Schillingsfürst, der sich 1840 den erblichen Titel eines Herzogs von Ratibor und Fürsten von Corvey zulegte. An der Hofbibliothek arbeitete von 1860 bis 1874 der Dichter und Verfasser des Deutschlandliedes, Hoffmann von Fallersleben. Er ist bei der Kirche begraben.

▶▶ **Ancienne abbaye bénédictine à Corvey,** près d'Höxter, Westphalie. Le nom de l'abbaye fondée en 815 rappelle qu'elle dépendait à l'origine de l'abbaye de Corbie sur la Somme en Franconie occidentale. Jusqu'au XIIe siècle, les rois et les empereurs y tinrent fréquemment leur cour et à cet effet fut construit dans l'imposant massif occidental de l'église – le seul massif occidental carolingien qui ait été complètement conservé – un nouveau type d'église impériale dans laquelle l'empereur pouvait non seulement assister au service divin avec sa suite mais également s'occuper des affaires du pays.

▶▶ **Former Benedictine Monastery at Corvey,** near Höxter, Westphalia. The name of this monastery, founded in 815, is a reminder of its original dependence on the West Frankish monastery at Corbie on the Somme. Until the 12th century, kings and emperors frequently held court here. With its great westwork – the only completely preserved Carolingian structure of its kind – the church became a new kind of imperial building in which the emperor could not only attend divine service with his followers, but could also conduct official business.

▶ **Münster in Bad Gandersheim,** Niedersachsen. 852
gründen Liudolf, der Großvater König Heinrichs I., und
seine Frau Oda in der Nähe der liudolfingischen Stammburg (Altgandersheim) ein Kanonissenstift. Ihre Tochter
Hathumod ist die erste Äbtissin. Bischof Altfried von Hildesheim steuert aus eigenem Grundbesitz zur Ausstattung bei, was in der Folgezeit zu schweren Konflikten
zwischen den Bischöfen von Hildesheim und den Liudol-
fingern führt, die die Selbständigkeit ihrer Familienstiftung erhalten wollen. Zu diesem Zweck übertragen sie
sie 877 in den Schutz des Reiches, suchen die Unterstützung der Reichsabtei Corvey und besetzen den Äbtissin-
nenstuhl mit Töchtern ihres Hauses. Der Versuch, im
»Gandersheimer Streit« (987-1030) sich ganz von Hildesheim zu lösen und sich der Erzdiözese Mainz anzuschlie-
ßen, mißlingt. Erst 1208 wird das Stift der geistlichen
Gerichtsbarkeit der Hildesheimer Bischöfe entzogen und
direkt dem päpstlichen Stuhl unterstellt.
Seine Hochblüte erlebte das Stift in der sächsischen
Kaiserzeit, als sich die Herrscher aus liudolfingischem
Haus häufig im Reichsstift zu Gandersheim aufhielten.
Aus dieser »hohen Schule weiblicher Bildung« ging auch
die erste deutsche Dichterin, Hrotsvit von Gandersheim
(um 935-1000), hervor, die hier geistliche Dramen und
Legenden in lateinischer Sprache sowie die Gesta Oddo-
nis verfaßte. Theophanu, die Gemahlin Ottos II., aus Byzanz brachte hier ihre drei Töchter zur Welt und bewahrte
im Stift ihr Privatarchiv auf. Noch bis ins 16. Jahrhundert
wurde die griechische Pfingstliturgie gefeiert.
Nach dem Aussterben des sächsischen Kaiserhauses
war auch die Glanzzeit des Stiftes vorüber. Bis ins
12. Jahrhundert waren die Äbtissinnen noch kaiserliche
Prinzessinnen, seit dem 15. Jahrhundert kamen sie vor
allem aus dem welfischen Hause, das sich über die Vogtei
Einfluß auf das Stift verschaffen konnte. Gegen heftigen
Widerstand wurde die Reformation im Stift eingeführt
und dieses 1589 in ein evangelisches Damenstift umgewandelt, 1810 schließlich ganz aufgehoben.
Das Münster – eine dreischiffige Basilika mit Krypta –
in dessen Mauerwerk noch Teile der ersten, 856 begonnenen Kirche nachweisbar sind, stammt im wesentlichen
aus dem 11. Jahrhundert, so auch die Anlage des schild-
mauerartigen Westbaus. Von den unzähligen Um- und
Einbauten und Eingriffen sei noch der Anbau der Kapellen im 14. und 15. Jahrhundert erwähnt, die das Aussehen
der Kirche veränderten. Im Osten schließt sich die um
1050 gebaute Michaelskapelle an. Ein Abteigebäude im
Renaissancestil entstand um 1600, ein weiterer Flügel
1730.

▶ **Cathédrale à Bad Gandersheim,** Basse-Saxe. Abbaye
de chanoinesses fondée en l'an 852 par Ludolf, le
grand-père de Henri Ier, Gandersheim a connu une époque brillante sous les empereurs saxons qui faisaient
de fréquents séjours dans ce couvent. L'impératrice Theophano, une princesse byzantine, épouse de Othon II
y donna le jour à ses trois filles. La première femme poète
allemande, Roswitha de Gandersheim (v. 935-1000) y
écrivit ses drames en prose et ses poèmes en langue
latine. La cathédrale, une basilique à trois nefs avec
crypte date du XIe siècle mais ses murs contiennent encore des vestiges de la première église commencée en
856. De nombreuses constructions y ont été ajoutées et

des transformations ont été faites au cours des siècles
suivants.

▶ **Bad Gandersheim Minster,** Lower Saxony. Founded
in 832 by Liudolf, the grandfather of Henry I, as a community of canonesses, Gandersheim experienced its heyday under the Saxon emperors, who often stayed at the
convent. Emperess Theophano of Byzantium, the wife
of Otto II, gave birth to her three daughters here. The
first German poetress, Hrotsvit von Gandersheim (about
935-1000), wrote her Latin moral plays and legends in
the convent. The Minster, a basilica with nave and two
aisles, and crypt, was built largely in the 11th century,
but its walls still contain vestiges of the first church, begun in 865. There was a great deal of reconstruction,
and many additions were made in later centuries.

▶ **Gutskirche in Equord,** Niedersachsen. Außen achteckig, innen kreisrund, mit einer Spannweite von 9,40 Metern, ordnet sich die mächtige Tambourkuppel die übrigen Raumteile, die im Grundriß ein griechisches Kreuz bilden, völlig unter. Ein italienischer Architekt soll diese für niedersächsische Verhältnisse besondere Barockkirche für den Freiherrn von Hammerstein entworfen haben (1710 fertiggestellt).
Die freiherrliche Familie von Hammerstein kam 1621 in den Besitz des Gutes, an dessen Stelle die Familie von Saldern im 16. Jahrhundert eine Wasserburg hatte. Ein Teil des Burggrabens blieb noch erhalten. Die Gutskapelle, heute Dorfkirche, sollte hauptsächlich als Grablege der Familie dienen. Davon zeugen noch an den Wänden aufgestellte Grabplatten aus dem 17. und 18. Jahrhundert, das Gruftgewölbe selber ist aber nicht mehr zugänglich.

▶ **Chapelle privée à Equord,** Basse-Saxe. Cette église de style baroque, un style inhabituel pour la région, a un dôme à tambour d'un diamètre de 9,40 mètres. Les barons de Hammerstein la firent ériger au début du XVIIe siècle comme caveau de famille.

▶ **Private Chapel at Equord,** Lower Saxony. This Baroque church (an unusual style in Lower Saxony) has a tambour dome with a diameter of 31 ft. The Hammerstein family had the church built at the beginning of the 18th century to house the family tombs.

▶ **Stiftskirche St. Johann in Süpplingenburg,** Niedersachsen. Es war wohl Kaiser Lothar III., der die Burg, nach der er sich benannte, in ein Kanonikerstift umwandelte und die Stiftskirche erbauen ließ, nur kurze Zeit vor dem Dom in Königslutter. Ein bauliches Motiv des Domes klingt hier schon an: die auf Maskenkonsolen ruhenden Rundbogenfriese an der Außenwand. Lothars Enkel, Heinrich der Löwe, überließ das Stift dem Templerorden; nach dessen Auflösung 1312 war diese älteste Templerkomturei Norddeutschlands von 1357 bis 1820 Komturei des Johanniterordens. Die Kirche, eine dreischiffige Pfeilerbasilika mit spitzbogigen Mittelschiffarkaden, Querschiff und gerade geschlossenem Chor, wurde um 1200 eingewölbt und hatte einen Turm im Westen (im Mittelalter schon wieder abgebrochen). Eine dreischiffige Krypta mit breiten Kapitellen konnte zum Teil wieder ausgegraben werden.

▶ **Eglise collégiale de Saint-Jean à Supplinburg,** Basse-Saxe. L'empereur Lothaire III de Supplinburg (1125-1137) fit construire cette église pour un collège de chanoines avant l'édification de la cathédrale impériale à Königslutter. Jusqu'à 1312, le monastère fut une commanderie de Templiers, la plus ancienne en Allemagne du Nord, et devint par la suite la propriété des Hospitaliers de Saint-Jean-de-Jerusalem.

▶ **Collegiate Church of St. John at Süpplingenburg,** Lower Saxony. Emperor Lothar (1125-1137), who called himself Süpplingerburg, had this church built for a community of canons before the imperial cathedral was built in Königslutter. Until 1312 the monastery functioned as the headquarters of the Templars, the oldest in north Germany, and was then taken over by the Knights of St. John.

◀ **Ehemalige Benediktinerabteikirche in Königslutter,** Niedersachsen. Kaiser Lothar III. verwandelte 1135 ein in der Nähe seiner Stammburg gelegenes Kanonissenstift in ein Benediktinerkloster. Gleichzeitig wurde auch mit dem Bau der großen Stiftskirche begonnen – schöner und reicher als alles, was in Niedersachsen zu dieser Zeit gebaut wurde, besonders die Ostteile, die noch zu Lebzeiten des Kaisers entstanden. Er holte wahrscheinlich oberitalienische Bildhauer und Steinmetze herbei. Ihre Friese aus Akanthusblättern, ihre Maskenkonsolen, den von Hasen überwältigten Jäger können wir noch heute an der Ostapsis bewundern, übertroffen allerdings noch vom Formenreichtum, den die Künstler im Kreuzgang entfaltet haben. Hier gleicht kein Motiv dem anderen. Durch diesen plastischen Schmuck, aber auch als erster Bau in Niedersachsen, der mit durchgehender Einwölbung geplant war (in den Ostteilen ausgeführt), wurde die Kirche stilbildend (»Königslutterer Stil«).

Nach 1141 enstanden das dreischiffige Langhaus und der wehrhafte Westbau. Die 1690 eingestürzte flache Mittelschiffdecke zerstörte das Grabmal Kaiser Lothars, seiner Gemahlin Richenza und seines Schwiegersohnes, Herzog Heinrichs des Stolzen (Vater Heinrichs des Löwen), in der Mitte der Kirche. Daraufhin wurde ein spitzbogiges Gewölbe eingezogen und das Grabmal durch eine barocke Nachbildung ersetzt.

Das Kloster erlebte vor allem im 12. und 13. Jahrhundert eine große Blüte, von Kaiser Lothar reich ausgestattet und von mehreren Päpsten mit wertvollen Ablässen bedacht, so daß es sich zu einem bedeutenden Wallfahrtsort entwickelte.

Die Siedlung Lutter, die schon vor der Klostergründung bestanden hatte und erst seit dem 14. Jahrhundert »Königsluttere« hieß, zog auch aus den Wallfahrten Nutzen, doch beruhte ihre wirtschaftliche Bedeutung hauptsächlich auf ihrer Lage an der alten Heerstraße von Braunschweig nach Magdeburg, auf dem Handel mit Elmkalkstein und dem bis nach Holland exportierten Ducksteinbier.

◀ **Eglise de l'ancienne abbaye bénédictine à Königslutter,** Basse-Saxe. Les sculptures de cette église et du cloître, vraisemblablement l'oeuvre de sculpteurs italiens, sont plus riches et plus belles que tout ce qui a été fait à l'époque en Basse-Saxe. L'empereur Lothaire la fit construire en 1135 comme «cathédrale impériale» et église funéraire à côté d'une abbaye bénédictine qu'il avait fondée. Richement dotée et autorisée par plusieurs papes à dispenser des indulgences, l'abbaye fut très florissante aux XIIe et XIIIe siècles et attira de nombreux pélerins.

◀ **Former Benedictine Abbey Church at Königslutter,** Lower Saxony. The masoncraft displayed in this church and its cloister, probably the work of Italian masons, is finer and more sumptuous than anything else created in Lower Saxony in this period. Emperor Lothar had it built in 1135 as the ''imperial cathedral'' and burial church next to a Benedictine monastery founded by himself. Richly endowed, and granted the right to dispense indulgences by various popes, the monastery flourished in the 12th and 13th centuries, and attracted a large number of pilgrims.

▶ **Klosterruine Hude,** Oldenburg, Niedersachsen. Von der Beute des Kreuzzuges, mit dem der Bremer Bischof und die Grafen von Oldenburg 1234 die rebellischen Stedinger Bauern schließlich besiegten, fielen auch große Brocken für das Zisterzienserkloster Hude ab. Dieser Grundbesitz, aber auch ein eigener Ziegeleibetrieb sowie Weberei, Glasmalerei und Keramik waren die Grundlage für die rasch wachsende Bedeutung des Klosters, das mit Hilfe der Oldenburger Grafen 1232 von Mönchen aus Marienthal bei Helmstedt besiedelt worden war. Noch im 13. Jahrhundert konnte der Bau der großen Klosteranlage in Angriff genommen werden. Die Eroberung durch Delmenhorst 1482 brachte das Kloster dann unter die Herrschaft des Bischofs von Münster. 1533 löste es der Bischof wegen »verbisterung des klosterlebens« auf, fand die Mönche mit Renten ab und gab die Gebäude zum Abbruch frei.

Geblieben sind Ruinen und fordern den Betrachter geradezu auf, die abgebrochenen Linien und Formen zumindest in der Vorstellung wieder zu schließen. Als Baumaterial verwendeten die Mönche lediglich Backsteine aus ihrer eigenen Ziegelei sowie Terrakottasteine und Glasursteine zur Auflockerung und Akzentuierung. An der stehengebliebenen Mittelschiffwand blieb nichts ungegliedert: Wandvorlagen zwischen den Pfeilern verbinden das unterste, das Arkadengeschoß mit dem mittleren, dem Blendtriforium. Erst darüber setzen auf figürlichen Konsolen die Gewölbe an, zwischen jedem ein großes Mittelfenster. In den neben den Fenstern seitlich abfallenden Blendbogen finden die von Geschoß zu Geschoß sich vermehrenden Spitzbogenformen schließlich ihren harmonischen Abschluß.

▶ **Vestiges d'une ancienne abbaye cistercienne à Hude,** Oldenburg, Basse-Saxe. Deux ans après sa fondation en 1232 par des moines cisterciens de Marienthal près de Helmstedt, l'abbaye put profiter des terres obtenues à la suite de la victoire de l'évêque de Brême et des comtes d'Oldenburg sur les Stedinger, des paysans libres, qui s'étaient révoltés. Certaines activités économiques, briqueterie, tissage, peinture sur verre et atelier de céramique, contribuèrent à accroître la prospérité et l'importance de l'abbaye. Mais lorsque les moines abandonnèrent de plus en plus les règles monastiques très strictes, l'évêque décida, en 1533, de dissoudre l'abbaye et autorisa la destruction des bâtiments. Aussi aujourd'hui seules des ruines permettent d'imaginer le plan de l'église qui avait été entièrement construite en briques.

▶ **Monastery ruin at Hude** in Oldenburg, Lower Saxony. Within two years of its foundation by Cistercian monks in 1232, after the victory of the Bishop of Bremen and the Counts of Oldenburg over the rebellious peasants of Steding, the monastery was presented with land. The monastery's own businesses, such as a brickworks, a weaving mill, and workshops for stained glass and ceramics increased its prosperity and importance. But the monks gradually gave up the strict rules of the Order, and the Bishop dissolved the monastery in 1533, allowing it to be demolished. What remains still gives an idea of the one-time splendour of the brick-built church.

**◀◀ Ehemaliges Zisterzienserinnenkloster Wienhausen,** Niedersachsen. »Tristan, der bat den König, daß er möchte streiten wider Morold«, das und die Bilder der Tristanerzählung stickten Zisterzienserinnen Anfang des 14. Jahrhunderts mit Wolle auf Leinen und bezeugen damit bis in die Gegenwart, daß mit den adligen Nonnen auch die welfisch-niedersächsische Kultur vom Hofe Heinrichs des Löwen in diesem Kloster gepflegt wurde. Die Schwiegertochter Heinrichs des Löwen, Agnes von Meißen, gründete hier zwischen 1221 und 1229 ein Frauenkloster. Die Nonnen aus dem Adel füllten mit ihrer Habe Kisten und Truhen, heute noch zu bewundern, und führten zu einer ersten Blütezeit um 1300. Ausdruck davon der Neubau der Klosteranlage, deren Schauseite, die reich gegliederten Staffelgiebel des Westflügels und des Nonnenchores, sich dem Besucher als erstes darbietet. Die vier Kreuzrippengewölbe und die Wände dieses Nonnenchores sind mit prächtigen gotischen Malereien ausgestattet: Bilder vom Martyrium der Heiligen, Szenen aus dem Alten Testament, Leben und Leiden Christi und schließlich das himmlische Jerusalem mit seinem ganzen Hofstaat gaben genug Anschauungsmaterial für die Nonnen, die in dem eichenen Chorgestühl mehrere Stunden am Tag zubrachten. In der zweiten Blütezeit um 1450 unter der Äbtissin Katharina von Hoya kam das Heilige Grab dazu, ein Holzschrein, der einen holzgeschnitzten Christus (um 1280) enthält.
Als Herzog Otto II. und die Äbte von Hildesheim in Wienhausen 1469 die Windesheimer Klosterreform einführen wollen, widersetzen sich die Nonnen, bis Katharina von Hoya gewaltsam als Äbtissin abgelöst und gefangengesetzt wird. Auch die Reformation kann Herzog Ernst der Bekenner von Celle nur mit Gewalt einführen. Seit 1562 ist das Kloster ein evangelisches Damenstift.
Mit seinen Gewölbe- und Glasmalereien, den Skulpturen, Handschriften und den verschiedenen Sammlungen an Hausrat, Truhen und Möbeln ist Wienhausen eine Schatzkammer, einzigartig in ganz Deutschland.

**◀◀ Ancienne abbaye de Cisterciennes de Wienhausen,** Basse-Saxe. Ce couvent fondé par Agnès von Meissen, la belle-fille de Henri le Lion, au début du XIIIe siècle, renferme de véritables trésors de l'art et de l'artisanat allemand. On peut y voir des sculptures, peintures, manuscrits, des ustensiles et des meubles ainsi que toute une galerie de coffres dans lesquels les religieuses nobles amenaient leur dot. Les neuf précieux tapis brodés réalisés entre 1330 et 1480 et dont trois représentent la légende de Tristan sont particulièrement célèbres.

**◀◀ Former Cistercian Convent at Wienhausen,** Lower Saxony. This convent, endowed by Agnes von Meissen, the daughter-in-law of Henry the Lion, at the beginning of the 13th century, is a treasure-house of German art and craftsmanship. Sculptures, paintings, manuscripts, household goods, furniture, and a whole gallery of chests and cupboards in which the aristocratic nuns brought their possessions are on view here. The nine precious embroideries, made in the period between 1330 and 1480, three of them depicting incidents from the Tristan legend, are perhaps the most famous items in the collection.

**◀ Gutskapelle Breese im Bruche,** Niedersachsen. Das Gut bei einer in dieser Gegend häufigen wendischen Rundlingssiedlung war seit 1515 bis vor wenigen Jahren im Besitz der Familie Grote. 1592 ließ Otto Grote den Bau der Backsteinkirche beginnen, der außen unscheinbar und nur an den Giebeln durch Pilaster gegliedert ist. Doch im Innern kann sie durchaus als ländliches Gegenstück zu den fürstlichen Schloßkapellen in Bückeburg oder Celle bezeichnet werden, da sie im Gegensatz zu den meisten protestantischen Gutskapellen sehr reich ausgestattet ist. Die hölzernen Emporen, an der Westwand doppelgeschossig, haben geschnitzte Brüstungen und sind mit Bildern aus dem Leben Jesu bemalt. Malereien auch zwischen den Rippen des flachen Holztonnengewölbes. Außer einem Kanzelaltar von 1717 befinden sich in der Kirche noch eine ganze Reihe von Epitaphen der Familie Grote, das des Erbauers aus Alabaster.

**◀ Chapelle privée de Breese en Bruche,** Basse-Saxe. L'église en briques construite en 1592 dont l'extérieur est très sobre mais l'intérieur richement décoré avec des peintures et des galeries sculptées représente la réplique rustique des chapelles de château princier à Bückeburg ou Celle.

**◀ Private Chapel at Breese im Bruche,** Lower Saxony. This brick-built church, dating back to 1592, has a plain exterior, but inside it is richly furnished with paintings and carved gallery fronts. It forms a rustic counterpart to the palace chapels at Bückeberg or Celle.

**▶ Ratzeburg mit Dom,** Holstein. Die Spuren der Anfänge Ratzeburgs verlieren sich in wendischer Zeit. Mitte des 11. Jahrhunderts errichtet Erzbischof Adalbert von Bremen hier ein Bistum; dabei wird Ratzeburg erstmals als Hauptort der wendischen Polaben erwähnt. Die Missionierung scheitert an ihrem Widerstand und gelingt erst dauerhaft mit der Errichtung einer Grafschaft 1143 durch Heinrich den Löwen, der auch wieder einen Bischof einsetzt. Heinrich von Badwide, der erste Graf von Ratzeburg, weist ihm die nördlich der Burginsel gelegene zweite Insel als Sitz an, wo sich dann der Dombezirk und eine Marktsiedlung entwickeln.
Der Dom, mit finanzieller Unterstützung Heinrich des Löwen 1170 begonnen und in verhältnismäßig kurzer Zeit fertiggestellt, hat die Jahrhunderte ohne größere Eingriffe überstanden. Eindrucksvoll wird dem Besucher, wenn er über den Domhof auf die südliche Vorhalle zu geht, vorgeführt, was aus Backstein alles zu schaffen ist. Über den ursprünglich zwei Portalen umrahmen Kreuzbogenfriese ein in Ährenmuster gemauertes und durch senkrechte glasierte Stäbe gegliedertes Giebelfeld, auf dem eine Rosette ruht. Durch die quadratische Vorhalle gelangt der Besucher dann ins Innere. Hier verbindet sich die Schlichtheit der Wandgliederung mit dem eigenartigen, von angespitzten Gurtbögen unterstrichenen Kreuzgratgewölben zu einer harmonischen Raumgestalt. Nach einer Wiederherstellung 1961 bis 1966 wirkt das Baumaterial wieder in seiner ursprünglichen Farbe, dem Rot der Backsteine und dem Weiß der Mörtelfugen. Von der Ausstattung sei hier nur das um 1260 entstandene Triumphkreuz erwähnt, das prächtige Gestühl der Herzöge von Sachsen im Knorpelstil (1637) sowie die Reste des romanischen Chorgestühls (um 1200), des ältesten in Norddeutschland überhaupt.

**▶ Ratzeburg avec la cathédrale,** Holstein. Un évêché fut établi à Ratzeburg au milieu du XIe siècle dans le but de christianiser les Wenden de la région. Mais cette tentative ne fut couronnée de succès qu'après l'installation par Henri le Lion d'un comte à Ratzeburg en 1143. Le château du comte fut construit sur une des îles, la plus méridionale, et la cathédrale édifiée en 1170 sur l'autre île autour de laquelle un bourg se développa. La cathédrale résista sans grand dommage aux épreuves des siècles et même à une destruction presque totale de la ville par les Danois en 1693; elle constitue un des exemples les plus impressionnants des constructions en brique de style roman de l'Allemagne du Nord.

**▶ Ratzeburg with Cathedral,** Holstein. A bishopric was established in Ratzeburg in the middle of the 11th century with aim of Christianizing the local Wendish tribes. The attempt only succeeded, howewer, after Duke Henry the Lion established a Count in Ratzeburg in 1143. The Count's castle was built on one of the islands in the lake, and in 1170 the Cathedral was built on the other, northern one, and around this a market settlement grew up. The Cathedral survived the centuries fairly intact – even escaping in the almost total destruction of the town by the Danes in 1693 – and is one of the most impressive examples of north German brick-built Gothic churches.

**Nikolaikirche in Mölln,** Holstein. Malerisch und doch selbstbewußt drängen sich die Häuser, darunter schöne Fachwerkhäuser aus dem 16. Jahrhundert, um den Kirchberg, oben die Nikolaikirche und auf halber Höhe das alte Rathaus mit den gotischen Treppengiebeln. Ein genaues Gründungsdatum des Ortes ist nicht bekannt, doch wurde er um 1200 offensichtlich planvoll angelegt. Dank seiner Lage – bis hierher zum Möllner See fuhren die Hanseschiffe von Lübeck durch die Stecknitz – konnte sich die Stadt gut entwickeln. Um 1210 ist auch der Baubeginn der dreischiffigen Kirche anzusetzen, in mehreren Etappen und mit Änderungen 1471 schließlich abgeschlossen. Die einzelnen Elemente geben Auskunft über die Baugeschichte, über die Entwicklung von spätromanischen zu gotischen Formen, widersetzen sich aber im Innern auch einem einheitlichen Gesamteindruck. Dasselbe gilt für die ungewöhnlich reiche Ausstattung, die zum Teil aus dem 1554 geplünderten Kloster Marienwohlde stammt: hier ein riesiges Triumphkreuz (1504 oder 1507), dort eine Rokokokanzel von 1743, eine Jakob-Scherer-Orgel von 1558 mit barockem Prospekt, Ratsherrenstühle, ein siebenarmiger Standleuchter, um nur einige zu nennen.
In die Außenmauer der Kirche ist ein Grabstein für den Schalksnarren Eulenspiegel eingelassen. Er soll in Mölln 1350 an der Pest gestorben sein.

**Eglise Saint-Nicolas à Mölln,** Holstein. Une colonie s'est établie – vraisamblablement vers 1200 – sur le lac que pouvaient atteindre les navires hanséatiques de Lübeck en remontant la Stecknitz et, grâce à sa situation favorable, elle s'est fort bien développée. Vers 1210 a été commencée, sur une hauteur dominante, la construction d'une église à trois nefs qui n'a toutefois été achevée qu'en 1471. L'intérieur richement décoré est remarquable. Sur le mur extérieur se trouve la pierre tombale de Till Eulenspiegel, célèbre personnage burlesque allemand qui serait mort de la peste en 1350 à Mölln.

**St. Nicholas' Church at Mölln,** Holstein. A settlement was founded, probably in about 1200, on this lake which could be reached by the Hanseatic ships from Lübeck via the River Stecknitz, and, thanks to its favourable trading position, it flourished. In about 1210 a church building was begun on a commanding height, but it was not finished until 1471. The rich interior is particularly striking. A tombstone is let into one of the outer walls commemorating the German folk hero Till Eulenspiegel, who is supposed to have died of the plague in Mölln in 1350.

**Nikolaikirche in Altenbruch,** Land Hadeln, Niedersachsen. Die Stedinger Bauern, die dem Erzstift Bremen den Zehnten verweigerten, wurden zwar 1234 besiegt und ihre Bauernrepublik geteilt, wobei das Land Hadeln an die Herzöge von Sachsen-Lauenburg kam, doch konnten sie sich ein großes Maß an Selbstverwaltung erhalten. Auf dem Warningsacker in Altenbruch versammelten sich die aus der Mitte der Bauern gewählten Schultheißen und Schöffen, die für die Dammbauten und die niedere Gerichtsbarkeit zuständig waren, und vertraten die Interessen ihrer Kirchspiele gegenüber dem Landesherrn, sie machten Politik. Teile des eigenständigen Hadler Rechts wirken bis in die heutige Zeit. Archiv und Siegel des Landes bewahrten die Bauern im Turm der Altenbrucher Nikolaikirche auf. Auch deren Größe, die zwei Türme und die für eine Landkirche sehr reiche Ausstattung zeugen von der Bedeutung des Ortes.
Die einschiffige Kirche mit dem mächtigen Westwerk und den sehr eng stehenden Türmen stammt aus dem 12. Jahrhundert, ganz aus Findlingssteinen gebaut, im 15. Jahrhundert teilweise durch Backsteine ergänzt. Von 1642 ist der abseits stehende holzverschalte Glockenturm, der neue Chor von 1728. Der aus dem Getreideanbau fließende Reichtum repräsentiert sich in der Fülle der Einrichtung: ein Gestühl mit bemalten und geschnitzten Türen und mit den Familienwappen, ein bronzener Taufkessel, ein Flügelaltar, eine prächtige Orgel – um nur einiges zu nennen. Diese evangelisch-lutherische Kirche hat auch noch eine Beichtkammer »Vor die so zur Beigt gehen wollen 1691«.

**Eglise Saint-Nicolas à Altenbruch,** région de Hadeln, Basse-Saxe. Une des tours de l'église Saint-Nicolas, une église du XIIe siècle construite à l'origine uniquement en blocs erratiques abritait les archives et le sceau du pays administré autrefois par des maires et des échevins librement élus. La place des assemblées des paysans autrefois presque indépendants située à proximité explique également les dimensions inhabituelles et la riche ornementation de cette église villageoise. Le clocher à revêtement en bois qui se trouve à côté date de 1642.

**St. Nicholas' Church at Altenbruch,** Hadeln district, Lower Saxony. One of the towers of this 12th century church, originally built completely of erratic rocks, was used to store the archives and seal of this district which was once administered by freely elected mayors and jurymen. The nearby assembly place of the formerly almost independent peasants explains the size and sumptuous furnishings of this village church. The weatherboarded belltower, which stands to one side, was built in 1642.

**Kirche von Norderbrarup** in Angeln, Schleswig. Wie die Bauern in anderen Dörfern Schleswigs um 1200 bauten sich auch die Norderbraruper Bauern aus Granitquadern eine Kirche. Chor und Apsis wurden aber bereits Mitte des 13. Jahrhunderts durch einen langgestreckten, plattgeschlossenen Chor ersetzt. Während das Norderportal einfach gehalten ist, weist das eingestellte Säulenpaar am Süderportal figurengeschmückte Basen auf und die Bögen feine Randprofile. Im Tympanon ist Christus dargestellt, ihm zur Seite Petrus und Paulus. Außer dem Dachreiter finden wir einen abseits stehenden Glockenturm. Er ist in seiner mittelalterlichen Gestalt noch gut erhalten und einer der ältesten dieser Art.

**Eglise de Norderbrarup** à Angeln, Schleswig. La longue nef construite en blocs de granit date de 1200 environ. Le choeur allongé se terminant par un chevet plat a été édifié au milieu du XIIIe siècle pour remplacer le choeur carré primitif qui comme à Havetoft se terminait par une abside en demi-cercle. Un des portails, celui de la face sud, est orné de piliers et de reliefs. Le clocher médiéval, qui est placé de côté, a été particulièrement bien conservé.

**Church at Norderbrarup** in Angeln, Schleswig. The body of the church, built of granite blocks, dates from about 1200. The elongated, flat-ended chancel was built in the middle of the 13th century to replace the original square one, which, as in Havetoft, had a semicircular apse. The southern of the two portals is decorated with pillars and reliefs. The medieval belltower, which stands to one side, is particularly well preserved.

**Kirche in Schobüll** bei Husum, Schleswig. Hier, an der einzigen Stelle der Küste, wo die Geest bis an die Nordsee reicht, behauptet sich diese Backsteinkirche aus dem 13. Jahrhundert. Der ursprünglich hohe Turm ging verloren, was aber den Eindruck von Gedrungenheit und Erdhaftigkeit nur noch unterstreicht, und zwei Portale an den Längsseiten wie auch die meisten Chorfenster wurden wieder zugemauert. Schlicht und gedrungen auch das Innere. Über dem Chorbogen ein schönes Triumphkreuz (Ende 13. Jahrhundert), aus Eiche eine Barockkanzel von 1735.
Der Wechsel des überlieferten dänischen Ortsnamens »Scoubu« (Walddorf) zum friesischen »Schobul« im 15. Jahrhundert weist auf das Vordringen der Nordfriesen in diese Gegend hin.

**Eglise à Schobüll,** près d'Husum, Schleswig. Ici, à l'unique endroit de la côte où les régions sableuses surélevées que l'on appelle les «geest» s'étendent jusqu'à la mer du Nord, cette église en briques à la silhouette trapue datant du XIIIe siècle a résisté aux intempéries. Le changement du nom danois du village, «Scoubu» qui est devenu «Schobul» en frison au XVe siècle témoigne de la pénétration des Frisons du Nord dans cette région.

**Church at Schobüll** near Husum, Schleswig. Here, on the only part of the coast where the slightly higher sandy ground called ''geest'' extends to the North Sea, this stocky, brick-built 13th century church defies the wind and rain. The change from the Danish name of the village – ''Scoubu'' (forest village) to the Friesian form ''Schobul'' in the 15th century marked the penetration of this area by the North Friesians.

◀ **Kirche von Süsel,** Holstein. Das naheliegendste Baumaterial, Feldsteine nämlich, benutzten die friesischen Bauern für den Bau der Kirche. Adolf II. von Schauenburg hatte 1142 Friesen zur Kolonisierung nach Süsel, dem Hauptort des slawischen Gaues Süsle, geholt, wo sie sich aber noch gegen die Wenden zu wehren hatten. Sie mußten ihre Niederlassung befestigen und hatten erst Ruhe, als sie sich unter dem Priester Gerlav 1147 erfolgreich gegen einen wendischen Angriff verteidigen konnten. Wohl danach ist die Kirche gebaut worden, 1187 wird sie erwähnt. Sie zählt zu den besten aus dem 12. Jahrhundert in Ostholstein.
Einschiffig, flachgedeckt, im quadratischen Chor mit halbrunder Apsis schwere Feldsteingewölbe über gedrückten Rundbögen. Das große frühgotische Kruzifix stammt aus der Zeit um 1300 und ist gut gearbeitet. 1735 wurde der für diese Kirchen typische Rundturm abgetragen und der Stumpf quadratisch ummantelt. Die gewölbte Halle im Erdgeschoß ist noch erhalten.

◀ **Eglise de Süsel,** Holstein. Les paysans frisons appelés par Adolphe II de Schauenburg en 1142 pour coloniser la région des Wendes de Süsle utilisèrent des moellons pour construire leur église qui est mentionnée pour la première fois en 1187 et qui compte aujourd'hui parmi les églises les mieux conservées du XIIe siècle dans l'Est du Holstein. La longue nef à plafond plat se termine par un choeur rectangulaire avec une abside en demi-cercle dont les arcs en plein ceintre supportent une voûte massive en moellons. La tour ronde typique pour cette sorte d'église a été démolie en 1735 et son tronc a été entouré d'un revêtement carré.

◀ **Church at Süsel,** Holstein. The Friesian peasants called by Adolf II of Schauenburg to colonize the Wendish district of Süsle used rubble masonry to build their church, which is first documented in 1187, and is now one of the best-preserved 12th century churches in East Holstein. The flat-roofed nave ends in a square chancel with a semi-circular apse, whose flattened round arches support heavy rubble masonry vaulting. The round tower typical of this sort of church was demolished in 1735, and the stump was squared off.

▶ **Ehemaliges Benediktinerinnenkloster Preetz,** Holstein. Derselbe Heinrich von Badwide, dem es später gelang, in dem Gebiet von Ratzeburg den Widerstand der Wenden zu brechen und das Land zu christianisieren, ebnete 1138/39 mit einem holsteinischen Heer auch den Weg für die endgültige Kolonisierung des wendischen Wagriens. Graf Adolf II. von Schauenburg rief deutsche Ritter und Siedler aus Holstein, Friesland, Westfalen und Holland herbei, um zu roden und die Elbmarschen zu entwässern und einzudeichen. Nach einer kurzen dänischen Herrschaft kam das Gebiet nach der Schlacht bei Bornhöved 1227 wieder an die Schauenburger.
Das 1211 gestiftete und 1260 in die Nähe des Dorfes Poreze (Preetz) zwischen Postsee und Lankersee verlegte Benediktinerinnenkloster diente vor allem der Rodung des wagrischen Waldgebietes zwischen Bornhöved und Ostsee und war reich ausgestattet. Die Nonnen kamen aus dem holsteinischen Adel und der Lübecker Bürgerschaft. Mit der Reformation wurde es 1542 in ein Damenstift zur Versorgung unverheirateter Frauen aus dem Adel umgewandelt.
In der Zeit zwischen 1325 und 1340 entstand an der Stelle einer offenbar durch Brand zerstörten Kirche die dreischiffige, rippengewölbte Basilika, deren Gesamtbild trotz späterer Veränderungen erhalten blieb. Auffällig das weit heruntergezogene Satteldach, die abgewalmte Giebelfront mit Dachreiter und die massigen Stützpfeiler. Im Innern zeigt die Aufteilung noch die alte Funktion im Klosterleben: Nach der Laienkirche mit Laienaltar folgt der Nonnenchor, für den ein prächtiges Chorgestühl von Lübecker Schnitzern herbeigeschafft worden war. Hinter einem schmiedeeisernen Gitter von 1739 schließlich das Sanctuarium im Chor mit einem Barockaltar. Barock auch Orgel, Kanzel sowie die Logen und Emporen im Nonnenchor.

▶ **Ancienne abbaye de Bénédictines à Preetz,** Holstein. Au cours de la colonisation de l'ancienne région des Wendes entre Bornhöved et la mer Baltique par des chevaliers et des colons allemands, une abbaye bénédictine a été transférée vers 1260 près du village de Poreze (Preetz) entre le Postsee et le Laukersee. Ses religieuses venaient de la noblesse du Holstein et de la bourgeoisie de Lübeck. Au moment de la Réformation, l'abbaye fut transformée, en 1542, en une institution qui s'occupait des dames nobles célibataires. L'église, une basilique à trois nefs à voûtes nervurées a été édifiée entre 1325 et 1340 sur l'emplacement d'une précédente construction manifestement détruite par un incendie.

▶ **Former Benedictine Convent at Preetz,** Holstein. In the course of the colonization of the former Wendish region between Bornhöved and the Baltic Sea by German knights and settlers, a Benedictine convent was established at a site near the village of Poreze (Preetz) between Lake Post and Lake Lauker. The nuns came from the Holstein nobility and Lübeck citizenry. During the Reformation, in 1542, it was converted into an institution to look after unmarried gentlewomen. The church, a basilica with nave and two aisles, and rib vaulting, was built between 1325 and 1340 to replace an earlier building evidently destroyed by fire.

# Das Pendel schwingt zurück

In Italien, ihrer eigentlichen Heimat, hatte die Renaissance, mit der die abendländische Neuzeit anhebt, schon um die Wende des vierzehnten Jahrhunderts eingesetzt. Auf die anderen europäischen Länder griff sie erst gegen Ende des fünfzehnten Jahrhunderts über. Diese große Kulturwende wurde eingeleitet durch eine neu erwachte Weltfreudigkeit und durch die lebhafte Besinnung auf das Erbe der Antike. Die frühe Renaissance war in der Architektur vor allem auf dekorative Wirkung bedacht, während sie später vornehmlich Schlichtheit und Größe anstrebte. Im Sakralbau dominieren die ästhetischen Bedürfnisse über die religiösen. Die ideale Raumform sah man im zentralen Kuppelbau. Prominenten Toten wurden jetzt in den Kirchen prächtige Grabmäler gesetzt, und für die Lebenden, die man in möglichst großen Scharen bei der Andacht zu versammeln wünschte, schuf man zusätzlichen Raum auf Emporen. Im deutschen Kirchenbau hat die Renaissance eine Nebenrolle gespielt. Auch hier ist sie vor allem in Ornamenten ausgebildet, in Dekor und Inneneinrichtung. Es gibt nur wenige Sakralbauten der Renaissance auf deutschem Boden wie etwa St. Michael in München, die Fuggersche Grabkapelle in Augsburg, den Zentralbau der Wallfahrtskirche zur »Schönen Maria« in Regensburg. Einmal ging die Bautätigkeit im Zeitalter der Reformation stark zurück, zum anderen beherrschte hierzulande auch noch im sechzehnten Jahrhundert weitgehend die Gotik das Feld.
Im vierzehnten und fünfzehnten Jahrhundert begann die allmähliche Talfahrt des Mönchswesens. Die Klosterzucht lockerte sich bis zu ihrem Gegenteil, die Brüder verweltlichten und wurden einer rigorosen Askese zunehmend überdrüssig. Schon bald nach dem Tode des heiligen Franziskus entbrannten bei seinen Jüngern heftige Auseinandersetzun-

# Le pendule revient en arrière

La Renaissance, qui représente le début d'une nouvelle époque en Occident, avait déjà commencé au tournant du XIVe siècle en Italie, sa véritable patrie. Elle n'a gagné les autres pays européens que vers la fin du XVe siècle. Cette grande transformation culturelle fut lancée par l'éveil du désir de découvrir l'homme et le monde et par un regain d'intérêt pour les valeurs de l'Antiquité. En architecture, les débuts de la Renaissance se sont exprimés par des effets décoratifs alors que par la suite le mouvement s'orienta vers une simplicité élégante et les grandes dimensions. Dans l'art sacré, l'esthétique prime les considérations religieuses. L'église à plan central surmonté d'un dôme est considérée comme la forme idéale. A leur mort, les grands sont maintenant inhumés dans de somptueux tombeaux à l'intérieur des églises et à l'intention des vivants, que l'on souhaitait réunir en nombre pour les services divins, on crée un espace supplémentaire en ajoutant des galeries. La Renaissance n'a joué qu'un rôle accessoire dans la construction des églises allemandes, car d'une part il y a eu un ralentissement considérable des activités de construction pendant la Réformation et d'autre part le style gothique a continué à dominer l'architecture allemande jusqu'au XVIe siècle. Ici également, elle s'est surtout exprimée dans l'ornementation, le décor et l'aménagement intérieur. Il n'y a donc que quelques églises de style renaissance sur le sol allemand comme par exemple l'église St. Michel à Munich, la chapelle Fugger à Augsbourg et l'église de pélerinage à plan central avec la «Belle Madone» à Ratisbonne.
Le déclin progressif du monachisme commença aux XIV et XVe siècles. La discipline monastique se relâcha et fut finalement tout à fait ignorée; les frères s'intéressèrent de plus en plus aux biens matériels et rejettèrent

# The swing of the pendulum

The Renaissance, which represented the beginning of the new age in the west, had started in Italy, its real homeland, as early as about the beginning of the fifteenth century. It did not spread to the other European countries until towards the end of the fifteenth century. This great cultural change was stimulated by a newly awakened humanity and a revival of interest in classical art and learning. The early Renaissance was expressed in architecture chiefly by decorative effects, while it later moved more in the direction of elegant simplicity and grand dimensions. In church architecture, aesthetic took first place before religious considerations. The centrally organized domed building was looked upon as the ideal. Magnificent tombs inside the churches became fashionable for the great when they died; and for the living, who were supposed to assemble in as large numbers as possible for divine service, extra space was created by the addition of galleries. The Renaissance style played only a subordinate role in German church building, for, on the one hand, there was a considerable reduction in building activity during the Reformation, and, on the other, the Gothic style continued to dominate German architecture even into the 16th century. Here, too, the new style is expressed primarily in ornamentation, in the decor, and fittings. Thus there are few Renaissance churches on German soil; examples are St. Michael's in Munich, the Fugger Chapel in Augsburg, and the centrally organized pilgrimage church dedicated to the "Beautiful Maria" in Regensburg. The gradual decline of monasticism began in the fourteenth and fifteenth centuries. The monastic rules were relaxed and finally totally ignored; the monks become more worldly, and rejected rigorous asceticism. It was not long after St. Francis' death before a violent controversy broke out among his

gen um das Gebot der Armut, wobei jene, die die strengen Ansichten des Ordensgründers verfochten, von dem laxen avignonschen Papsttum auf den Scheiterhaufen geschickt wurden. Im ausgehenden Mittelalter versuchten einige große Klöster den Niedergang durch Kongregationen, durch Zusammenschlüsse von Klöstern der gleichen Regel aufzuhalten, doch sie erzielten nicht die erhoffte Wirkung. Schon in der Reformationszeit wurden viele Klöster säkularisiert, nicht wenige von den verständlicherweise gegen Adel und Geistlichkeit gleichermaßen aufgebrachten Bauern zerstört. Endgültige Vorschriften über Reformen des Klosterwesens brachte das Konzil von Trient (1545–1563). Noch einmal entstanden Neugründungen: so der Jesuitenorden, der sich jedoch vom Mönchtum im ursprünglichen Sinne stark unterschied; die Theatiner; die Kapuziner; die Ursulinerinnen; die Englischen Fräulein. Zwar erfreuten sich die Klöster während der Gegenreformation abermals regen Zulaufs, erlebten eine späte Blüte. Doch zu Beginn des neunzehnten Jahrhunderts, im Gefolge der Aufklärung und der Französischen Revolution, wurden zum mindesten in Deutschland und Frankreich fast alle Klöster aufgelöst. So waren die Benediktiner- und Zisterzienserklöster, um 1750 noch mehr als tausend an der Zahl, am Ende der Napoleonischen Herrschaft auf dreißig Klöster der schwarzen und ein knappes Dutzend der weißen Mönche zusammengeschmolzen.

## Abbild des Himmels

Den neu erwachten religiösen Impetus der Gegenreformation spiegelt der Barock (etwa 1600–1730), der schon auf Erden ein Abbild himmlischen Glanzes vermitteln möchte. Der Begriff ist von dem spanischen »barucca«, zu deutsch schiefrunde Perle, abgeleitet, ursprünglich also ein Spottname, der das

l'ascétisme rigoureux. Peu après la mort de saint François une violente controverse s'éleva parmi ses disciples au sujet du commandement de pauvreté, et ceux qui défendirent les règles strictes du fondateur de l'ordre furent envoyés au bûcher par la papauté avignonnaise laxiste. Vers la fin du Moyen Age, quelques grands monastères tentèrent de contrer ce déclin en formant des congrégations – des réunions de couvents qui obéissaient aux mêmes règles – mais ils n'obtinrent pas l'effet souhaité. Un grand nombre de couvents furent sécularisés dès l'époque de la Réformation et un grand nombre également furent détruits par des révoltes paysannes dirigées à la fois, comme on le comprend fort bien, contre la noblesse et le clergé. Le concile de Trente (1545 – 1563) réalisa enfin la réforme de la vie monastique. Encore une fois de nouveaux ordres furent créés: l'ordre des Jésuites, qui toutefois se distinguait beaucoup de l'esprit initial du monachisme, les Théatins, les Capucins, les Ursulines, les dames anglaises. Pendant la contre-réforme, les monastères attirèrent encore une fois de nombreux adeptes et connurent ainsi un «été indien». Mais au début du XIXe siècle, à la suite du Siècle des lumières et de la révolution française, presque tous les couvents, du moins en Allemagne et en France, furent dissous. C'est ainsi que les ordres des Bénédictins et des Cisterciens qui comptaient plus d'un millier de couvents vers 1750 n'avaient plus que trente monastères de frères noirs et à peine une douzaine de couvents de frères blancs à la fin de l'ère napoléonienne.

## Le reflet du ciel

Le style baroque (v. 1600 – 1730) qui voulait donner sur terre une image de la splendeur céleste refléta ce regain d'intérêt religieux pendant la contre-réforme. Le terme baroque

disciples about the law of poverty, with those who defended the austere views of the order's founder being sent to the stake by the lax Papal authorities at Avignon. Towards the end of the Middle Ages, some large monasteries attempted to counter the decline by forming congregations – groups of conventual houses following the same Rule – but they did not have the hoped-for effect. Many monasteries were secularized already in the Renaissance period, and as many were destroyed by peasant uprisings directed, understandably enough, against both the nobility and the clergy. The Council of Trent (1545 –1563) at last brought about the organized reform of conventual life. Once again new orders were founded: the Jesuit Order (Society of Jesus), which, however, diverged widely from the traditional concept of monasticism; the Theatines; the Capuchins; the Ursulines; the English Ladies. During the Counter-Reformation, the monasteries once again attracted many recruits, and experienced an "Indian summer." But at the beginning of the nineteenth century, following the Age of Enlightenment and the French Revolution, nearly all monasteries and convents were dissolved, at least in Germany and France. Thus the Benedictine and Cistercian orders, which numbered more than a thousand houses around 1750, were reduced to thirty black and about a dozen white order houses by the end of the Napoleonic era.

## Heavenly reflection

The Baroque style (about 1600–1730), which endeavoured to hold a mirror up to Heaven, reflected the newly awakened religious interest during the Counter-Reformation. The term derives from the Spanish "barucca", an irregular pearl, and was thus originally intended to make fun of the extravagances of the new style. Developed first

Schwülstige des neuen Stils karikierte. Zunächst von italienischen, später von deutschen Künstlern getragen, konnte sich der Barock hierzulande erst nach dem Dreißigjährigen Krieg voll entfalten. »Wo laß ich, Deutschland, dich? Du bist durch Blut und Morden bald dreißig Jahr her nun dein Hencker selbst geworden . . .« Der umfassende Nachholbedarf nach der von Simon Dach so verzweifelt besungenen langen Periode des Schreckens, der unbändige Wille, aus den Ruinen neues Leben erblühen zu lassen, erklärt den besonderen Drang zum Repräsentativen. Leidenschaftliche Bewegtheit in geschweiften Grund- und Aufrißformen kennzeichnet die Architektur, wellenförmig blähen sich die mit üppigem Schmuckwerk verzierten Flächen. Die malerisch verwöhnten Innenräume gleichen Festsälen, mit Licht und Schatten spielend weiten sie sich wieder in allen Richtungen. Die Szenerie ist theatralisch, verzückt, elegant, von überschäumender Dynamik und einer sehr weltlichen, bisweilen fast frivol anmutenden Heiterkeit erfüllt: ein brausendes Jubilate, im tiefsten Grunde getragen von einer hinreißend inbrünstigen Devotion. Die Kirchenfassade wird ganz wie ein skulpturales Relief komponiert. Kräftig vorspringende neben zurückgenommenen Bauelementen ergeben rhythmisch abgestufte Hell-Dunkel-Effekte. Selbst die Gesimse, die gebrochenen Giebel, die Bogenabschlüsse sind von entsprechender plastischer Mobilität.

Die großen Baumeister des deutschen Spätbarock, voran Fischer von Erlach, Balthasar Neumann, die Dientzenhofer, die Brüder Asam, die Brüder Zimmermann, haben diesen Stil zu höchster Vollendung gebracht. Die Bauten Andreas Schlüters, des bedeutendsten Meisters des norddeutschen Barock, zeichnen sich dagegen durch machtvolle Schwere aus. Eine gewisse Sonderstellung nehmen zu jener Zeit die Jesuitenkirchen ein, deren Architekten sich nicht nur mit schönstem Erfolg des Barock bedienten, sondern im Rheinland

vient de l'espagnol «barucca», une perle irrégulière, et devait donc servir à l'origine à tourner en dérision les extravagances du nouveau style. Développé tout d'abord en Italie et repris par la suite par les artistes allemands, ce style ne s'établit vraiment en Allemagne qu'après la guerre de Trente Ans. «Qu'est-il advenu de toi, mon Allemagne? Par le sang et le crime, tu es devenue maintenant ton propre bourreau pendant près de trente ans...» Cet immense désir de rattraper le temps perdu après une si lonque période d'horreur décrite dans ce poème désespéré de Simon Dach, cette volonté indomptable de faire jaillir des ruines une nouvelle vie explique cette aspiration au prestigieux. L'architecture est caractérisée par un mouvement passionné, des lignes courbes et des élévations et une ornementation exubérante. Les intérieurs ornés de peintures ressemblent à des salles apprêtées pour des banquets et qui s'étendent dans toutes les directions par le jeu des ombres et de la lumière. Le décor est théâtral, extatique, élégant, débordant de dynamisme et rempli d'une gaieté très mondaine, à l'époque presque frivole: une explosion de joie venant d'une piété profonde. La façade de l'église est composée comme un relief sculpté. La juxtaposition d'éléments architecturaux alternativement en saillie ou en retrait produit des effets rythmés de clair-obscur. Jusqu'aux corniches, aux gables dentelés, aux clés de voûte qui sont d'une mobilité plastique analogue. Les grands constructeurs de la fin du baroque allemand, et surtout Fischer von Erlach, Balthasar Neumann, les Dientzenhofer, les frères Asam, les frères Zimmermann ont développé ce style avec la plus grande perfection. Les constructions d'Andreas Schlüter, le maître le plus important du baroque de l'Allemagne du Nord, se distinguent par contre par une puissante solidité. Les églises jésuites de cette période occupent une place particulière car leurs architectes ne se sont pas seulement

in Italy, and later taken over by German artists, this style did not really establish itself here until after the Thirty Years' War. "What's become of you, my Germany? With gore and murder you have now been your own executioner for nearly thirty years..." The great desire to make up for lost time after the long period of horror described in Simon Dach's desperate verses, the tremendous urge to create new life out of the ruins, explains the emphasis of prestigious elements. The architecture is characterized by passionate movement, curvaceous ground plans and elevations, and exuberant ornamentation. The interiors, rich in paintings, are like festive banqueting halls expanding in all directions in the play of light and shadow. The decor is theatrical, ecstatic, elegant, bubbling over with energy, and filled with a very worldly, at times almost frivolous-seeming gaiety: an effervescent song of praise springing from fervent piety. The church facade is conceived like a single composition in sculptured relief. The juxtaposition of alternately projecting and withdrawing architectural elements produces a rhythmically phased chiaroscuro effect. Even the mouldings, the pierced gables, and the keystones of arches take on a similar movement and plasticity. The great builders of the late German Baroque period, above all Fischer von Erlach, Balthasar Neumann, the Dientzenhofers, and the Asam and Zimmermann brothers, developed this style to its utmost perfection. The buildings of Andreas Schüter, the most important master of North German Baroque, on the other hand, are notable for their aura of solid power. The Jesuit churches of that period occupy a somewhat special position, as their architects did not only work in the Baroque style with outstanding success, but, in the Rhineland, also paid late homage to the Gothic, and in south Germany availed themselves of a moderate form of Classicism.

The magnificent Baroque abbeys, especially

auch noch einer posthumen Gotik huldigten, während sie in Süddeutschland einen gemessenen Klassizismus bevorzugten.

Die prunkvollen Barockabteien vor allem der deutschen Alpenländer, die Klöster in Österreich, der Schweiz, Bayern und Schwaben, wollen im Stadtbild oder im Gelände auffallen. Sie thronen gern über der Landschaft, mit der sie zu einer Einheit verschmelzen. In ihrer Gesamtanlage verzichten sie auf die überkommenen Besonderheiten und gleichen sich mehr und mehr dem Schloßbau an. Die mächtige Horizontale der langgestreckten Bautrakte, die in geschlossenen Kompositionen angeordnet sind, wird durch die Vertikale der Kirchtürme und Kuppeln noch unterstrichen. Einzigartig ist das Gepränge der Treppenhäuser, der Bibliotheken, der Kaisersäle. Etwa seit 1750 wandte man in der Innendekoration die spielerischen Formen des Rokoko an, die dann im ausgehenden achtzehnten Jahrhundert von der an antiken Vorbildern geschulten Strenge des Klassizismus abgelöst werden.

Nachdem dem Kirchenbau und der Klosterbaukunst im achtzehnten Jahrhundert noch diese besondere Glanzzeit beschieden war, versiegten die schöpferischen Kräfte. Danach entstand kein neuer Stil mehr, der sich an Eigenständigkeit und Komplexität auch nur entfernt mit den großen Stilepochen der Romanik, der Gotik, der Renaissance oder des Barock hätte messen können. Die Uhr der großen Kirchen und Klöster war abgelaufen.

servis brillamment du style baroque, ils ont également rendu en Rhénanie un hommage posthume au gothique alors qu'en Allemagne du Sud ils marquaient une prédilection pour un classicisme modéré.

Les splendides abbayes baroques en particulier des régions des Alpes allemandes, les monastères en Autriche, en Suisse, en Bavière et en Souabe sont censés dominer leur environnement, qu'il soit urbain ou rural. Ils trônent souvent au-dessus du paysage avec lequel ils se fondent pour former un tout. Dans leur plan d'ensemble, ils renoncent à certaines caractéristiques traditionnelles et ressemblent de plus en plus à des châteaux. Les puissantes horizontales des bâtiments en longueur disposés selon des agencements unifiés sont mises en valeur par les verticales des clochers et des coupoles. Ce fut une période de magnifiques escaliers, bibliothèques, salles impériales. A partir de 1750, l'intérieur commença à être décoré dans le style rococo plus frivole qui fut à son tour remplacé à la fin du XVIIe siècle par l'austérité du classicisme calqué sur les modèles antiques.

Après cette nouvelle apogée au XVIIIe siècle de l'architecture des églises et des monastères, les forces créatrices déclinèrent. Par la suite, il n'y eut plus aucun autre style susceptible d'être comparé à la force individuelle et à la complexité des styles des grandes époques précédentes: style roman, gothique, de la Renaissance ou baroque. L'époque des grandes églises et des grands monastères était révolue.

in the German Alpine regions, and the monasteries in Austria, Switzerland, Bavaria, and Swabia, are intended to dominate their surroundings, whether urban or rural. They are frequently built on elevations in the landscape with which they merge to form an impressive whole. In their overall design they dispense with certain traditional characteristics, and tend to take on an increasing resemblance to palaces. The horizontals provided by the long tracts of buildings arranged in unified compositions are further emphasized by the verticals of the church towers and cupolas. It was a period of splendid staircases, libraries, and 'imperial halls', meant for the reception of the emperor. From about 1750 the interiors began to be decorated in the more frivolous Rococo style which was in turn ousted by the austerity of Classicism, based on classical models.

After church and monastery architecture had experienced this new culmination in the eighteenth century, the creative impulse declined. No further style was to evolve that was to approach the individual power and complexity of the great stylistic periods that preceded: Romanesque, Gothic, Renaissance, and Baroque; time had run out for the great churches and monasteries.

# Literaturverzeichnis

Die Baudenkmäler des Regierungsbezirkes Wiesbaden. Hrsg. v. d. Bezirksverband des Reg.-Bez. Wiesbaden. Bd. V., Frankfurt 1914

Bischof, Heinz: Das Frankenland. Karlsruhe 1973

Bentmann, Reinhard, und Heinrich Lickes: Kirchen des Mittelalters. Wiesbaden 1978

Braunfels, Wolfgang: Abendländische Klosterkunst. Köln 1969

Brooke, Christopher: Die große Zeit der Klöster. Freiburg 1976

Dettelbacher, Werner: Zwischen Neckar und Donau. Köln 1976

Deutsche Kunstdenkmäler. Ein Bildhandbuch. Hrsg. v. Reinhardt Hootz. München – Berlin
  – Baden-Württemberg. 3., neubearb. Auflage 1977
  – Bayern nördlich der Donau. 3., neubearb. Aufl. 1977
  – Bayern südlich der Donau. 2. Aufl., veränd. Nachdruck 1977
  – Bremen, Niedersachsen. 2., neubearb. Aufl. 1974
  – Hamburg, Schleswig-Holstein. 2., neubearb. Aufl. 1968
  – Hessen. 2., neubearb. Aufl. 1974
  – Niederrhein. 2., neubearb. Aufl. 1966
  – Rheinland-Pfalz, Saar. 2., neubearb. Aufl. 1969
  – Westfalen. 2., neubearb. Aufl. 1972

Ellger, Dietrich: Schleswig-Holstein. 3., erw. Aufl., München – Berlin 1974

Europäische Barockklöster. Hrsg. v. Herbert Schindler. München 1972

Fachwerkkirchen in Hessen. Hrsg. v. Förderkreis alte Kirchen e.V. Marburg. Königstein i. Taunus 1976

Gebhardt: Handbuch der deutschen Geschichte. 9. Aufl., hrsg. v. Herbert Grundmann. Bd. 1 u. 2, Stuttgart 1970

Geisenhof, Georg: Kurze Geschichte des vormaligen Reichsstiftes Ochsenhausen in Schwaben. Ottobeuren 1829

Geschichte der deutschen Länder – Territorien-Ploetz. Bd. 1, hrsg. v. Georg Wilhelm Sante und Ploetz-Verlag. Freiburg – Würzburg 1978

Gruber, Karl: Die Gestalt der deutschen Stadt. München 1952

Hamacher, Martin R., und Friedrich Schnack: Birnau. Konstanz o. J.

Handbuch der deutschen Wirtschafts- und Sozialgeschichte. Hrsg. v. Hermann Aubin und Wolfgang Zorn. Bd. 1, Stuttgart 1971

Handbuch der europäischen Geschichte. Hrsg. v. Theodor Schieder. Bd. 3 u. 4, Stuttgart 1971

Handbuch der historischen Stätten Deutschlands. Bd. 1-7, verschied. Aufl., Stuttgart 1965-1976

Handbuch der Kunstwissenschaft. Bd. 1-19. Begr. v. Fritz Burger. Hrsg. v. Albert Erich Brinckmann. Berlin 1913–1939

Heussi, Karl: Abriß der Kirchengeschichte. 6., überarb. Aufl., Weimar 1960

Horn, Erna: Köstliches und Curieuses aus alten Kloster- und Pfarrküchen. München 1979

Kirchen. Handbuch für den Kirchenbau. Unter Mitarbeit von Willi Weyres, Otto Bartning u.a. München 1959

Kirchengeschichte aus erster Hand. Berichte von Augenzeugen und Zeitgenossen. Zusammengestellt und eingeleitet v. Josef Pretscher. Würzburg 1964

Knowles, David: Geschichte des christlichen Mönchstums. München 1969

Köhler, Heinz: Die frühe Kirche – Kult und Kultraum. Berlin

Die Kunstdenkmale des Königreiches Bayern vom 11. bis zum Ende des 18. Jahrh., beschrieben und aufgenommen im Auftrage des K. Staatsministeriums für Kirchen- und Schulangelegenheiten. Bd. I, Teil II, München 1902

Läpple, Alfred: Report der Kirchengeschichte. München 1968

Lexikon für Theologie und Kirche. Begr. v. Michael Buchberger, hrsg. v. Josef Höfer und Karl Rahner. 2., völlig neu bearb. Aufl., Bd. 6, Freiburg 1961

Müller, Bruno: Der Bamberger Karmeliten-Kreuzgang. Königstein i. Taunus 1970

Reclams Kunstführer – Deutschland. Bd. 1-5, verschied. Aufl., Stuttgart 1971–1977

Die Religion in Geschichte und Gegenwart – Handwörterbuch f. Theologie und Religionswissenschaft. Hrsg. v. Kurt Galling u.a. 3., neubearb. Aufl., Bd. 1-6, Tübingen 1957–1965

Scharfe, Siegfried: Dorfkirchen in Europa. Königstein i. Taunus 1974

# Register der Kirchen und Klöster

215